211 idées
pour devenir
un garçon **génial**

211 idées
pour devenir
un garçon génial

Tom Cutler

MARABOUT

Fils d'une sexologue et d'un ancien moine dominicain, Tom Cutler a passé ses premières heures d'adulte à étudier sporadiquement les beaux-arts et la philosophie dans un cloître universitaire. Sa carrière professionnelle a connu de nombreux faux départs, Tom Cutler ayant tâté tour à tour des métiers d'enseignant, décorateur, contrebassiste, auteur de discours, imprimeur, directeur d'un magasin de jouets, parolier, sommelier, consultant pour la City, fabricant de marionnettes, typographe, rédacteur en chef de magazines, chef d'orchestre, portraitiste, journaliste radio, dessinateur de bandes dessinées et nègre pour le cardinal Hume. Jusqu'à ce qu'il décide de se retirer de cette foire d'empoigne pour passer plus de temps avec ses pantoufles.

Tom a écrit deux recueils de chansons pour enfants très applaudis, et sa chansonnette originale *Pigs on Holyday* (« Cochons en vacances ») a été jouée en public avec enthousiasme par Martin McGuinness, du Sinn Fein. Fervent praticien de la magie, il est membre du célèbre Magic Circle, qui fait, depuis sa création en 1905, le bonheur des passionnés de tours et autres astuces, qu'ils soient professionnels ou amateurs.

Ce livre est dédié à Fred Banting et Charles Best
dont l'imagination et la persévérance ont permis qu'il voie le jour.

AU PROGRAMME

III L'ARBRE DES CONNAISSANCES INUTILES
TOUT CE QUE VOUS AVEZ TOUJOURS VOULU SAVOIR
FAIRE SANS JAMAIS ÊTRE SÛR DE VOTRE COUP

IV LE PARFAIT HOMME D'EXTÉRIEUR
SPORTS, PASSE-TEMPS ET JEUX DE PLEIN AIR

V Y'A RIEN À LA TÉLÉ
DIVERTISSEMENTS DE SALON POUR DIMANCHES POURRIS

REMERCIEMENTS

S'il prend deux secondes pour y réfléchir, n'importe quel mec un peu lucide réalise qu'il dépend la plupart du temps de la gent féminine, tous âges confondus. Les personnes citées ci-après font partie des rares ayant gardé un œil sur moi pendant que je travaillais à cet ouvrage. Tout d'abord Pauline Cutler, ma dépitée de mère, qui pense que je devrais me faire examiner le cerveau ; ensuite Kate Latham, mon adorable éditrice de chez Harper Collins, qui n'a eu de cesse de me témoigner son enthousiasme ; puis Laura Morris, mon agent, une personne d'un réconfort infini, qui mérite une médaille dans la catégorie « patience excessive » ; Nicolette Caven, dont les épatantes illustrations illuminent le texte ; sans oublier mon vieil ami Jo Uttley, qui m'a accompagné à certaines pièces de théâtre en guise de thérapie héroïque ; et enfin, mon incrédule, indulgente, heureuse et normale (pour ne pas dire charmante) femme Marianne, qui a toujours veillé à ce que j'aie de la monnaie pour le bus et mes cheveux bien peignés. D'entre tous, c'est ma préférée.

COMMENT UTILISER CE LIVRE

C
e guide concerne les garçons, les hommes, les types, les mecs et les mâles entre 7 et 77 ans. Par exemple ceux qui, quand il pleut le dimanche après-midi, ne savent jamais quoi faire de leurs dix doigts. Mode d'emploi conseillé pour cet ouvrage : s'affaler dans un coin et, après avoir jeté un coup d'œil inquiet tout autour, tel un homme en quête d'une petite brèche dans la paroi d'un réacteur nucléaire, se grouiller de se faire décontaminer.

Outre les thèmes habituels, du genre « Comment poser des briques » ou « Comment utiliser votre montre comme boussole », vous trouverez bon nombre de ces activités dont vous avez souvent entendu parler mais que avez toujours considérées comme impossibles. Par exemple, « Comment peser votre tête », « Comment gagner de l'argent au casino », ou « Comment enlever votre slip sans retirer votre pantalon ». Autrement dit, tous ces savoirs fondamentaux et indispensables à la vie qu'on ne nous apprend pas à l'école.

Contrairement aux manuels d'autrefois, qui faisaient souvent appel à des notions obscures comme le permanganate de potassium, l'orpiment, l'eau-forte ou l'oxyde de plomb, ce livre ne fait appel qu'à ces accessoires et autres ingrédients qui traînent déjà dans votre salon. Certes, si vous avez l'intention de faire rôtir un cochon de lait à la broche, certains extras seront nécessaires, mais la majeure partie de mes propositions n'exigent pas que vous vous lanciez dans une quête effrénée côté matériel.

Bien souvent, les manuels de ma jeunesse comportaient des instructions si complexes et si barbantes qu'on finissait tout simplement par s'endormir rien qu'en les lisant. Du coup, je me suis donné la peine de veiller à ce que chaque explication de cet ouvrage ne comprenne que très peu d'étapes et que les consignes soient claires comme de l'eau de roche.

Par ailleurs, j'ai personnellement testé et réalisé quasiment tout ce qui suit. J'avoue ne pas avoir eu l'occasion de marcher sur des charbons ardents ou de procéder à une arrestation en public. Mais je me suis bel et bien cuisiné des œufs mayonnaise et j'ai aussi joué du biniou – mais pas en même temps, bien sûr. Et quand je n'ai pas pu vérifier par moi-même certaines consignes, j'ai questionné les plus expertisés des experts en la matière.

Histoire de simplifier les choses, j'ai supposé tout du long que vous étiez droitier. Si ce n'est pas le cas, merci de ne pas envoyer des lettres de réclamation à *60 millions de consommateurs* ; suivez simplement les instructions dans le sens inverse et tout ira bien. En fait, je fais assez souvent référence à vos mains dans les pages qui suivent, et le dessin ci-dessous vous indique le nom de chaque doigt.

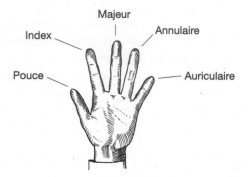

Pour les mouchoirs, les serviettes et les feuilles de papier, je fais référence aux angles de la façon suivante : le coin en haut à gauche correspond au point A, le coin en haut à droite, au point B, en bas à gauche, au point C, et en bas à droite, au point D.

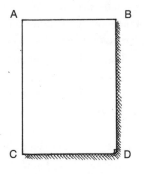

Quand il ne s'agit pas d'une poignée approximative, d'une pincée ou d'une goutte, les poids et les mesures indiqués correspondent au système de mesure britannique, et non au système métrique ; une bonne occasion pour les moins de trente ans de comprendre ce que ça fait de devoir passer son temps à convertir ce genre de choses de tête.

De temps en temps, j'ai fait référence aux femmes en tant que « filles ». S'il y a des chances pour que la vôtre se crispe à cette lecture, j'espère que vous aurez la bonne idée de lui déconseiller l'organisation d'un autodafé et de lui faire remarquer qu'à chaque fois que ça me semblait plus approprié d'écrire « elle » que « il », je l'ai fait. Au moins, j'ai été fair-play.

Moyennant un peu de pratique et en travaillant un peu la présentation, même le plus simple de ces tours peut être époustouflant. La plupart étaient enfouis au fond de ma mémoire – et pourtant, je les pratique depuis que je suis gamin. Cela dit, j'admets avoir une dette de reconnaissance envers Martin Gardner, auteur de nombreux livres de pitreries, jeux et autres farces délirantes qui occupent le nébuleux *no man's land* entre la science, les maths et la magie : ses recueils détaillés m'ont parfois rappelé des choses que j'avais oubliées. Je veux aussi remercier Ben Dunn, à qui je dois l'idée de ce livre, et qui m'a consulté en premier pour l'écrire. Il m'a mis sur la piste de deux ou trois trucs complètement dingues, dont je n'avais jamais entendu parler – ce qui est rare chez moi. Je lui transmets encore mes excuses pour lui avoir brûlé les poils des bras en faisant un tour pour lequel on s'est un peu trop… enflammé.

Je vous donne l'ordre de ne rien tenter de dangereux dans les activités dont je parle dans ces pages : marcher sur un lit de charbons ardents, par exemple, c'est dangereux. Même pour un mec qui s'y connaît. Appréciez plutôt ce genre d'activités comme un fantasme ou de simples ruminations de ce qu'on pourrait faire dans un monde idéal.

Je me rends compte que j'ai également inséré quelques farces et acrobaties nécessitant des cigarettes, des cendriers et des allumettes, alors qu'il est désormais difficile de faire le malin avec ce genre d'articles dans tous les lieux publics. Pour la simple raison qu'il est aujourd'hui interdit de fumer quasiment partout. Vous devrez donc encore faire appel à votre imagination.

Libre à vous d'adapter ces consignes et recettes selon le contenu de vos placards, mais s'il est indiqué d'utiliser des ciseaux « bien aiguisés », c'est qu'il vous faut des ciseaux bien aiguisés ; si on vous parle de « colle », évitez le Scotch. Quoi qu'il en soit, ne me tenez pas pour responsable si vous faites les choses à votre sauce et qu'au final c'est la cata.

Pour finir, je sais qu'il y a encore un élément qui vous turlupine : pourquoi diable ce livre porte-t-il le titre *211 choses pour devenir un garçon génial* ? Pourquoi pas un truc plus simple, comme *200 idées…* ? Franchement, la raison est simple : les chiffres ronds, ça fait tout de suite compliqué. Imaginez que *Catch 22* de Joseph Heller, *Les 39 Marches* de John Buchan ou que *8 ½* de Federico Fellini se soient appelés *Catch 20*, *Les 40 marches* et *8…* Ça tombe un peu à plat, non ? C'est quand même bien plus intriguant dans l'autre sens.

Et maintenant, assez perdu de temps. On s'y met !

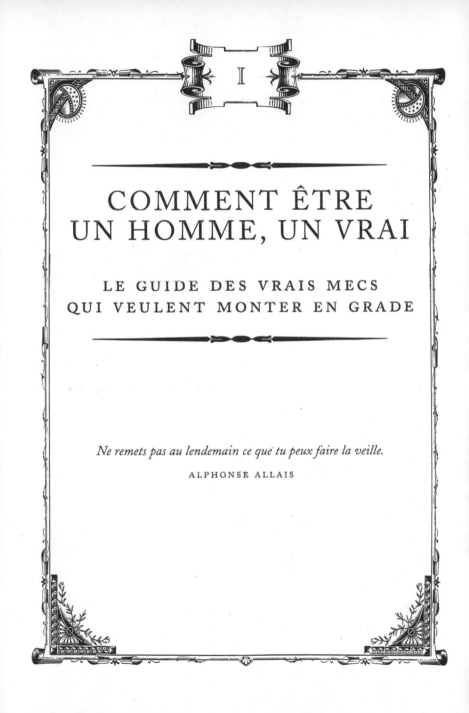

I

COMMENT ÊTRE UN HOMME, UN VRAI

LE GUIDE DES VRAIS MECS QUI VEULENT MONTER EN GRADE

Ne remets pas au lendemain ce que tu peux faire la veille.

ALPHONSE ALLAIS

COMMENT
UTILISER VOTRE MONTRE
COMME BOUSSOLE

⟶⟨⟩⟵

Imaginez que votre Jeep tombe en panne au beau milieu du désert. Vous savez qu'il y a une oasis à 8 kilomètres à l'est mais vous savez aussi que, dans toutes les autres directions, s'étendent 80 kilomètres d'espaces sauvages. Le problème, c'est que vous avez perdu votre boussole. Alors comment allez-vous trouver le plan d'eau ? C'est très simple (comme toujours dans ce genre de scénario improbable) : servez-vous de votre montre comme boussole ! Petite démonstration :

La méthode

1   Enlevez votre montre et pointez l'aiguille des heures en direction du Soleil.

2   Posez une allumette perpendiculairement au rayon du cadran, à mi-chemin entre l'aiguille des heures et midi (assurez-vous que ce ne soit pas pile le jour où on change d'heure). L'allumette pointera alors vers le sud dans l'hémisphère Nord et vers le nord dans l'hémisphère Sud. C'est aussi simple que ça.

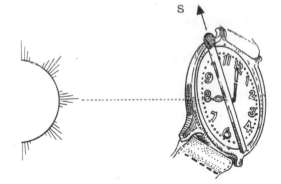

CONSEILS EN CAS DE PÉPIN

Imaginez maintenant que vous êtes dans la jungle, avec un Soleil voilé par la brume. Si vous prenez un stylo, un bâton ou même votre doigt et que vous le tenez debout face à une pierre ou autre chose de couleur pâle, il projettera une ombre assez claire, même si la lumière du jour est faible, et vous indiquera ainsi la direction du Soleil. À présent, vous pouvez aligner votre montre correctement.

Que faire si vous disposez d'une montre à affichage numérique ? Notez tout simplement l'heure, dessinez une montre imaginaire sur la paume de votre main et faites vos calculs de la même façon.

◎ *1 million de secondes font 11 jours ; 1 milliard de secondes 31,7 années.* ◎

COMMENT
COMMANDER DU VIN AU RESTAURANT

━━◆◆◆━━

S i vous dînez dans un routier perdu au fin fond du pays, vous avez de fortes chances d'être plus calé rayon vin que la personne qui vous sert. Mais prenons plutôt l'exemple de ces restaurants chic où un serveur expert en vin, appelé « sommelier », est toujours prêt à vous guider dans votre choix. Malheureusement, dans certains restaurants – et pas toujours les moins chers –, ledit sommelier n'est qu'un imposteur prétentieux ou un fameux crétin, voire les deux. La meilleure façon de se défendre contre ce genre d'empotés, c'est de connaître un peu son sujet. Petit guide de survie pour monsieur-tout-le-monde :

FAIRE SON CHOIX DANS LA LISTE

1   La majeure partie des vins proposés dans les restaurants proviennent de France, d'Italie et d'Espagne, un peu moins souvent d'Australie, d'Argentine et du Chili. On va donc se concentrer sur l'Europe puisqu'elle constituera probablement la plus large sélection de la carte des vins.

D'abord, quel vin va avec quoi ? Premiers indices : sachez que le bourgogne rouge accompagne bien les gibiers et tous les plats raffinés. Le beaujolais, vin du sud de la Bourgogne, se marie assez bien avec la cuisine sans chichis, tandis que les blancs, champagnes compris, seront plutôt associés aux poissons, crustacés et autres fruits de mer. En ce qui concerne les vins italiens et espagnols, apprenez que rioja et tapas font plutôt bon ménage, tandis que chianti et orvieto vont très bien avec les pâtes, pizzas et autres mets traditionnels d'Italie. Un truc évident : on associe la cuisine locale avec un vin local. Et si vous cherchez un vin correct à un prix raisonnable, vous le dénicherez dans les vins moins connus, mais pas moins savoureux pour autant.

2 En général, les restaurants font payer le pinard au prix fort, à en juger par les déprimantes étiquettes à 4,50 euros parfois oubliées sur les bouteilles… Les restaurateurs savent bien que leurs convives, souvent trop gênés pour choisir le vin le moins cher, optent plutôt pour « le deuxième en partant du bas ». C'est là qu'ils vous intercalent une piquette infâme dont ils tirent une énorme marge bénéficiaire. Mieux vaut donc miser sur les vins en milieu de liste.

3 Parfois le choix est tellement abondant qu'il en devient presque accablant. Mais ne vous découragez pas : optez pour un vin dont vous n'avez jamais entendu parler ou dont vous n'arrivez même pas à prononcer le nom, c'est un bon compromis. Évitez les appellations génériques qui ne mentionnent que le nom du cépage (chardonnay, merlot, pinot noir et autres vins courants) et faites attention aux bordeaux : les millésimes de qualité inférieure abondent et la marge bénéficiaire peut être très élevée. Les vins chiliens, espagnols, argentins, croates, portugais et grecs sont souvent de meilleure qualité, surtout les rouges.

4 Les « cuvées du patron » ont souvent un arrière-goût de camion-citerne : évitez-les, surtout si vous faites un bon repas. Mais si vous avez un gros rhume, optez pour le vin maison sans scrupule. Par contre, ne vous donnez pas la peine de le goûter : un rapide coup de nez au-dessus du verre rempli suffira.

5   Si vous commandez du champagne, accrochez-vous au bastingage :
les prix sont parfois renversants. Bien souvent, il vaut mieux com-
mander un très bon vin blanc à la place. Les blancs et le champ'
sont servis frais, les rouges à température ambiante ; le beaujolais
nouveau supporte très bien des températures plus froides. N'oubliez
pas de demander un seau à glace pour que votre vin reste frais ; mais
si le seau contient surtout de l'eau et très peu de glace, ça ne peut
pas marcher.

ET LES LONGS DISCOURS SUR LA BOUTEILLE ?

Tout le tralala prétentieux qui consiste à « goûter » un vin plutôt ordinaire comme on en trouve dans plein de restaurants minables ne sert
vraiment à rien. Pour autant, donnez-vous la peine de vérifier que la
bouteille très coûteuse que vous êtes sur le point d'entamer n'est pas
bouchonnée. Et ne vous laissez pas bousculer pendant ce processus.

La première chose que le serveur fait avant d'ouvrir la bouteille, c'est
de vous la présenter. Ce n'est pas juste pour passer le temps et vous faire
admirer les dessins sur l'étiquette : il veut vérifier un certain nombre de
points avec vous.

1   En premier lieu, la bouteille ne doit pas être ouverte. Si c'est le cas,
renvoyez-la sur-le-champ (de nos jours, ça arrive rarement).

2   Ensuite, jetez un coup d'œil sur l'étiquette. Si vous vous sentez un
peu perdu, rassurez-vous, vous n'êtes pas le seul : 72 % des amateurs
de vin reconnaissent qu'ils ne comprennent pas grand-chose aux
informations mentionnées sur les bouteilles. Le principal est de
vérifier que le vin apporté correspond bien à votre commande : qu'il
s'agit du bon vignoble et du bon millésime (année). Si ce n'est pas
le cas, faites changer la bouteille ou choisissez un autre vin ; mais
attention ! les différences de prix et de qualité entre millésimes d'un
même vignoble peuvent être considérables.

3   Ne laissez pas le serveur remplir votre verre plus qu'à moitié, sauf si
c'est du champagne. Comme chacun sait, il faut un peu de place
dans le verre pour pouvoir faire tourbillonner doucement le vin.

4   Ensuite, observez le vin : il doit être parfaitement limpide et avoir une couleur « vive ». S'il vous semble trouble ou que des petits morceaux flottent à la surface, refusez-le. À présent, posez l'index et le majeur sur le pied du verre et faites-le légèrement tourner à plat sur la nappe, en accélérant progressivement. Cette rotation libère les arômes du vin (le bouquet).

5   Sentez le vin pour vérifier qu'il n'a pas de défaut. Les techniques de production modernes et l'emploi de dérivés du soufre donnent parfois des arômes aussi nauséabonds qu'un œuf pourri pour un millésime récent. Si le vin sent l'humidité ou le renfermé, c'est qu'il est probablement bouchonné. Mais ce n'est pas parce qu'un vin contient des morceaux de bouchon à la surface qu'il est bouchonné. Détectez toute odeur suspecte et refusez alors le vin s'il sent franchement le vinaigre ou le soufre. Et si vous trouvez qu'il a une odeur étrange mais que vous n'êtes pas sûr de vous, demandez conseil au sommelier. Dites-lui simplement : « C'est vous l'expert, l'ami ! Jetez un œil à ce vin et dites-moi ce que vous en pensez. C'est normal qu'il soit trouble comme ça et qu'il empeste le chien mouillé ? » Ne le laissez pas vous convaincre que le vin est O.K. car les narines ne mentent jamais. Dans un restaurant qui tient à sa bonne réputation, on vous le remplacera sans objections.

6   Si on vous tend le bouchon, laissez tomber. À une certaine époque, les convives vérifiaient que le vignoble et le millésime indiqués sur le bouchon correspondaient à ceux mentionnés sur l'étiquette, au cas où un restaurateur sans scrupule aurait posé une étiquette chic sur un vin merdique. Mais cela n'arrive plus de nos jours. Renifler le bouchon, c'est comme donner un coup de pied dans les pneus d'une voiture d'occasion : ça ne sert strictement à rien qu'à vous faire passer pour un idiot. Surtout si le bouchon est en plastique. Un jour, j'ai vu un type renifler un bouchon à vis. Je me demande encore ce qu'il avait dans le crâne…

7   Maintenant, vous pouvez goûter le vin ; toutefois, si ce dernier a passé haut la main les tests précédents, c'est sans doute que tout va bien. Pour votre gouverne, ne jamais dire : « C'est délicieux ! » Le

serveur n'attend qu'une seule chose de vous : que vous vérifiiez que le vin n'est pas abîmé et que vous l'assuriez que votre commande est satisfaite, point barre. Il se fiche de savoir si le vin est bon.

◉ *Un bouchon de champagne peut être plus dangereux qu'une tarentule.* ◉

COMMENT
SAVOIR SI VOUS PLAISEZ
À UNE FEMME

Q uand il s'agit de capter les signaux qu'une femme envoie à un type pour le séduire, les hommes comprennent vite à condition qu'on leur explique longtemps. Bien souvent, cet irrésistible chant de sirène – un langage que toutes les femmes du monde connaissent et qu'elles utilisent délibérément et en permanence pour attirer les hommes – a tendance à tomber dans l'oreille d'un sourd. Pour le Cro-Magnon qui sommeille en vous, voici une liste tout ce qu'il y a de plus sérieuse des fameux signaux à détecter.

SUR LA PLAGE OU DANS LA RUE

◇ *Petit coup d'œil en arrière par-dessus l'épaule :* ce signal veut dire « Suis-moi ». Alors suivez-la.

◇ *Main dans les cheveux :* si une femme se touche les cheveux ou joue avec, c'est qu'elle vous a repéré.

◇ *Hochement de tête, très souvent associé au balancement des cheveux en arrière :* la voix est libre.

◇ *Cheveux balancés en arrière :* comme le hochement de tête.

DANS UNE PIÈCE

◇ *La femme lisse ou examine sa tenue :* premier signe d'une belle flopée d'appels engageants.

◇ *En parlant, elle expose l'intérieur de ses poignets et les caresses doucement :* vous avez le feu vert.

◇ *Le pouce accroché à la ceinture :* ce geste manifeste une certaine assurance sexuelle. Mais c'est peut-être votre truc…

◇ *Coups d'œil en biais, les paupières mi-closes :* si elle détourne le regard quand vous essayez d'attirer son attention, il y a de la drague dans l'air – c'est évident.

Confrontation rapprochée

◇ *Main(s) sur la/les hanche(s), le corps tourné face à vous :* l'ambiance se réchauffe.

◇ *Elle croise et décroise lentement les jambes :* on négocie tout plein.

◇ *La bouche entrouverte :* signal sexuel à connotations multiples, aux antipodes de la moue désapprobatrice de vieille fille.

◇ *Les yeux écarquillés et les sourcils levés :* bref et fugitif, il s'agit d'un des signaux inconscients les plus imperceptibles, si bien qu'on le loupe souvent. Il signifie : « Y'a quelque chose chez toi qui ne me plaît pas ! » Soyez à l'affût.

◇ *Elle balance sa chaussure de la pointe du pied, et en plus elle fait entrer et sortir le pied de la chaussure :* un geste très très érotique.

◇ *Elle se caresse les cuisses :* là, mon vieux, elle vient de vous donner votre carte d'embarquement !

◇ *Elle est suffisamment proche de vous pour murmurer :* mais qu'est-ce que vous attendez ?

◇ *Ses genoux ont frôlé les vôtres :* non, ce n'était pas par accident.

◇ *Ses mains ont frôlé les vôtres :* même si c'était bref, c'est que vous êtes dans la dernière ligne droite.

◇ *Regard soutenu et profond, les yeux dans les yeux :* perturbation dans le pantalon en vue !

◇ *Elle caresse un objet long (une bouteille, un gressin ou un poivrier) :* je ne vais quand même pas vous faire un dessin…

◇ *Elle se suce le doigt :* ce n'est pas vrai, nom de Dieu ! Si elle trouve une excuse pour que vous léchiez son doigt ou pour lécher le vôtre, vous perdez un temps précieux : filez à l'étage !

◉ *Les phéromones de la femelle du papillon de nuit peuvent exciter les mâles à 10 kilomètres à la ronde.* ◉

COMMENT
ANALYSER UNE POIGNÉE DE MAIN

L a poignée de main constitue un ensemble de signaux primitifs qui nous permet, inconsciemment, de nous faire une petite idée sur la personne rencontrée. Par conséquent, que vous ayez affaire à un futur employé, à un député ou à une nouvelle connaissance, donnez-vous une longueur d'avance en apprenant à analyser cette salutation préhistorique non verbale.

S'il existe un nombre considérable de façons de serrer la main, on compte trois styles dominants : la poignée de main ferme, la conciliante et celle d'égal à égal. Dans l'ensemble, toutes peuvent se classer sous ces trois rubriques, la position de la main demeurant l'indicateur principal des intentions de l'interlocuteur.

1 LA POIGNÉE DE MAIN D'ÉGAL À ÉGAL
C'est la plus courante : la paume de main ouverte est présentée verticalement, le pouce relevé. Si on vous tend la main de la sorte, vous pouvez présumer que le type en face vous traite comme un pair ; serrez-lui la main normalement. En principe, les deux interlocuteurs agitent la main environ cinq ou six fois.

2 LA POIGNÉE DE MAIN CONCILIANTE
Serrer la main avec la paume tournée vers le haut est une manière de se soumettre à l'autorité. Si ce geste peut être utile face à quelqu'un qui vous craint ou se sent menacé, il a des variantes abjectes qui ont de quoi vous donner la chair de poule si c'est vous qui en faites les frais. La poignée dite « de mollusque » est sans doute la plus célèbre des poignées de main serviles. Rien de pire en effet que de serrer quatre doigts moites qui pendillent mollement vers vous, reflétant ainsi la personnalité tout aussi amorphe de votre interlocuteur ! Autre variante très irritante qui montre la passivité de votre interlocuteur, c'est le salut avec deux doigts flasques qu'on vous tend nonchalamment. Autant serrer deux trayons de

vache. Ces poignées de main apathiques délivrent un message très fort en langage du corps : interdiction d'approcher. Et ça marche.

3A La poignée de main ferme

En général, c'est celle donnée par un patron (ou par toute autre personne ayant autorité). Selon toute probabilité, c'est d'ailleurs lui qui aura initié la salutation. Si la paume est tournée vers le bas, cette personne veut manifestement dominer ; la position de la paume par rapport au sol reflète son niveau d'agressivité et de domination.

Si vous passez un entretien d'embauche ou que votre chef est sur le point de vous donner des directives, répondez à sa poignée de main de la manière la plus polie possible : votre paume tournée vers le plafond. En revanche, si c'est l'ancien soupirant de votre petite amie qui vous serre la pince de cette façon, vous avez drôlement intérêt à reprendre le contrôle de la situation. Avancez-vous du pied gauche en tendant la main et en serrant la sienne, mais pas n'importe comment : la paume tournée vers le haut, sous la sienne. Ensuite, avancez votre pied droit tandis que vous retournez sa main pour que la vôtre se retrouve au-dessus. Là, vous pouvez être certain d'avoir neutralisé sa volonté de domination. Sans compter que vous vous tenez pile au milieu de son cercle intime et qu'il va se sentir horriblement mal à l'aise. Pour finir, dites quelque chose du style : « Tu sais que cette coupe de cheveux te fait ressembler à une fille ? » Et le problème sera réglé.

La poignée de main la plus agressive est celle engagée par un bras raide, le pouce levé, la paume tournée vers le bas. Elle a un petit quelque chose du salut nazi. Ne vous soumettez jamais à ce geste d'intimidation, à moins d'avoir une envie irrépressible de vous faire broyer les phalanges. La seule manière de contrer une telle poignée de main, c'est de ne pas saisir cette main tendue et de passer à l'attaque par le haut en enserrant fermement le poignet du type, puis en lui serrant vigoureusement le bras. Il se sentira humilié, surtout si, de surcroît, vous vous avancez dans son espace intime d'un pas audacieux (voir précédemment). Technique imparable.

3B LA POIGNÉE FERME À DEUX MAINS

Parfois appelée « la poignée du politicard », ce salut assuré se décompose en plusieurs phases. Position initiale : le type vous prend la main droite dans la sienne en affichant un large sourire. Les quatre étapes suivantes sont les préférées des vendeurs : ils vous empoignent la main droite normalement pendant qu'ils se servent de leur main gauche pour 1) vous tenir le poignet avant de 2) vous saisir le coude et 3) vous serrer les biceps pour finalement 4) vous agripper l'épaule. Il existe une variante encore plus compliquée mais peu courante, durant laquelle le vendeur, d'ordinaire tout sourire, vous agrippe longuement l'épaule tout en s'écroulant sur vous, comme si vous aviez gardé les cochons ensemble. Ces poignées de main, qui visent toutes à exprimer différents degrés de familiarité, se heurtent généralement à un sourire pincé sur le visage de la victime.

*

LA POIGNÉE DE MAIN MAÇONNIQUE

Les francs-maçons ont une façon secrète de se serrer la main, même si aucune des personnes que j'ai pu interroger à ce sujet ne s'est montrée prête à confirmer ce qui suit. Redoutée par certains, qui y voient le signe d'une redoutable conspiration, la poignée de main maçonnique tient en réalité davantage du signe de reconnaissance scout et exprime bien plus que l'appartenance à un sympathique club de loisirs. Les francs-maçons constituent un groupe très organisé où ils s'identifient mutuellement grâce à un ordre rigoureusement *hiérarchisé* de poignées de main. Ces salutations vont du coup d'œil furtif et quelconque à la franche poignée de main du maître maçon ; cette dernière s'apparente à un couple de céphalopodes en train de copuler. Je vous livre la description d'une autre version de poignée très codée de maître maçon pour que vous puissiez vous entraîner. Libre à vous de la tester avec un commissaire de police la prochaine fois que vous aurez l'occasion d'en rencontrer un, ou encore avec votre patron bien aimé, histoire de voir comment ils réagissent.

LA POIGNÉE DE MAIN DU MAÎTRE MAÇON

Pour un spectateur, cette poignée de main ressemble à toutes les autres, mais il lui suffit de serrer la main à un franc-maçon pour sentir la différence. C'est à peu près la même chose que la poignée de main de grade inférieur, au cours de laquelle on presse son pouce sur l'espace situé entre la première et la deuxième phalange de l'autre type. Ou que la poignée de main de grade intermédiaire, pour laquelle il faut presser son pouce sur la deuxième phalange.

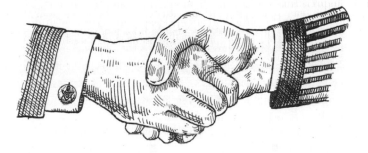

La première exige pour sa part une pression ferme du pouce entre la deuxième et la troisième phalange, comme on peut le voir sur le dessin. Si votre interlocuteur est un franc-maçon, il répondra en faisant pareil. Ce qui se passe ensuite, c'est votre affaire.

COMMENT
PRISER DU TABAC

Comme il est désormais impossible de trouver un lieu public où un jeune homme a le droit de fumer une cigarette, une pipe ou un cigare, j'estime que l'art de priser du tabac mérite de renaître de ses cendres.

Le tabac à priser est une poudre de tabac parfumée aux huiles aromatiques de fruits exotiques et d'épices. De quoi convertir *illico* la plus revêche des douairières en une fidèle adepte. Pour les novices, le grand choix dans les parfums peut réserver quelques surprises, de la délicieuse variété fleurant bon la bergamote jusqu'aux tabacs mentholés qui vous cautérisent le nez sans crier gare (particulièrement recommandés pour couper court au mal de mer).

Il est faux de prétendre que la seule façon de priser correctement du tabac est de le saupoudrer sur le dos de la main avant de le respirer. L'intérêt de ce saupoudrage est qu'il permet au tabac de se mélanger à l'air quand il transite par les fosses nasales – ce qui permet de profiter de son parfum sans avoir l'impression qu'on vous a brûlé les poils du nez avec un chalumeau. Mais avec un peu de pratique, vous pouvez parfaitement priser directement avec les doigts sans vous faire mal. Une de mes connaissances avait l'habitude de procéder ainsi, d'un superbe coup de tête. Malheureusement, sa prédilection pour les tenues à la Beau Brummell l'a amené à se faire régulièrement sauter dessus par des gamins des rues un peu rustres.

LA MÉTHODE CONSEILLÉE POUR LES DÉBUTANTS

◇ Ouvrez la boîte de tabac à priser (essentiel comme étape !).

◇ Prenez une petite pincée entre le pouce et l'index.

◇ Saupoudrez le tabac sur le dos de votre main (l'autre main, bien sûr, pas celle qui prend le tabac...).

◇ Refermez la tabatière (éternuer sur du tabac à priser peut produire un très joli nuage marron, mais c'est un plaisir qui revient cher).

◇ Inclinez la tête vers la main et inhalez la moitié du tabac d'un coup sec avec la narine gauche.

◇ Faites la même chose avec la narine droite (sans prendre une profonde inspiration, sinon le tabac finira au fond de votre gorge).

◇ Essuyez élégamment votre nez et votre main. Et séchez cette petite larme qui coule sur votre joue.

L'ingrédient actif du tabac à priser est la nicotine – une drogue créant une forte dépendance. La sagesse veut donc que vous ne jouiez au priseur de tabac qu'en dilettante. Un jour, Kingsley Amis fit allusion à ce qu'il avait baptisé « la double narine du priseur de tabac », laquelle se caractérisait par la présence de deux hérissons de la taille d'une guêpe dans le nez. En fait, le gros consommateur a tôt fait de découvrir les effets secondaires du tabac à priser : le pif qui dégouline constamment, des éternuements en technicolor, des oreillers marron et une méchante note de pressing. Pas très appétissant, tout ça ! Il est vrai que les mouchoirs des amateurs de tabac à priser sont toujours ravissants, avec leurs jolis motifs aux couleurs vives : mais c'est pour mieux masquer les répugnants dépôts qui y sont incrustés ! À la bonne vôtre !

◉ *Il est impossible d'éternuer les yeux ouverts.* ◉

COMMENT
AVOIR UNE PELOUSE
PARFAITEMENT TONDUE

I l existe un vieux dicton qui dit : « On peut avoir une belle pelouse ou une belle vie, mais pas les deux. » C'est complètement absurde, comme presque tous les dictons. À condition d'en prendre un peu soin, il n'y a aucune raison de ne pas avoir et un beau gazon et du temps pour en profiter. À l'inverse, si vous la négligez, votre splendide verdure devra très vite faire front à des renoncules aquatiques, des achillées millefeuilles et autres herbacées néfastes. Par conséquent, entretenez et arrosez régulièrement votre jardin, enlevez les mauvaises herbes et les vers de terre dès que possible. Tondre une pelouse bien entretenue lui donne meilleure mine et stimule également sa croissance. Voici, en quelques mots, le credo du tondeur de gazon :

◇ Acheter une bonne tondeuse à gazon et en prendre soin.

◇ Tondre la pelouse quand elle est sèche et de mars à octobre, deux fois par semaine au printemps, une fois par semaine en été et en automne. Tondre l'herbe régulièrement, c'est bien ; une petite coupe à la sauvette de temps en temps, c'est mal.

◇ La hauteur de tonte idéale varie entre 2,5 et 5 centimètres selon le type d'herbe, la saison et l'ombre. Avant de tondre, veiller à enlever tous les cailloux, balles de tennis, etc. Sans oublier les cannettes de bière planquées au fond du jardin.

◇ Ne pas laisser l'herbe coupée sur le gazon : c'est disgracieux et ça fait plus de mal que de bien à la pelouse.

◇ Pour éviter d'avoir des vagues irrégulières, varier successivement le sens de la tonte à 90 degrés, d'abord de gauche à droite, puis de haut en bas, et de nouveau de gauche à droite.

◇ Je n'ai rien contre les bandes de gazon mais, nom de Dieu, il faut que ce soit bien fait ! D'abord, la tondeuse doit être équipée d'un

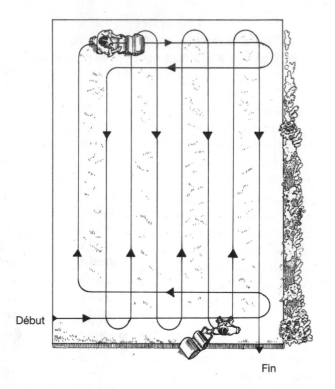

Début

Fin

rouleau : c'est lui qui crée les bandes. L'effet est obtenu en emmenant la tondeuse en balade d'un bout à l'autre du jardin, sans s'arrêter, comme si on promenait un vieux parent dans son fauteuil roulant. Jetez un coup d'œil au diagramme page ci-contre : vous comprendrez mieux la méthode.

◉ *Le court central de Wimbledon n'est utilisé que pendant le tournoi.* ◉

COMMENT
TENIR UNE SEMAINE
AVEC LES MÊMES VÊTEMENTS

Supposez que vous soyez bloqué une semaine dans un hôtel à l'étranger et qu'un ouragan ait dévasté l'aéroport et les boutiques de la ville. Et que, par mégarde, vous n'ayez emporté qu'une seule tenue dans votre valise : une chemise, un pull, un pantalon, un slip et une paire de chaussettes. Même le type le plus nonchalant devient blême à l'idée de porter pendant sept jours les mêmes vêtements, surtout s'il aime jouer les séducteurs et qu'il n'a embarqué qu'une tenue de vacances très décontractée ! Mais il y a moyen de surmonter ce petit cas d'urgence.

1   Chaque soir, prenez une douche à votre hôtel, chaussettes aux pieds. Savonnez-les bien. En même temps, lavez votre mouchoir à fond avec du savon ou du shampooing. Rincez à fond puis enlevez vos chaussettes, essorez-les et étendez-les sur le radiateur. Étendez votre mouchoir sur le carrelage de la douche et laissez-le là.

2   Un célèbre journaliste globe-trotter prétendait parcourir le monde avec seulement trois chemises : une sur lui, une qui trempait dans le lavabo de son hôtel et une dernière qui s'égouttait dans sa chambre. Ma technique permet de se passer de tout à l'exception d'une chemise. Remplissez la baignoire d'eau et lavez votre chemise et votre slip avec le savon fourni par l'hôtel, en frottant bien le col avec la brosse à ongles. Essorez votre slip et accrochez-le au

radiateur. Mettez la chemise sur un cintre et laissez-la s'égoutter au-dessus de la baignoire ou près du chauffage d'appoint. Si vous avez une de ces chemises qui n'arrêtent pas de faire des plis, essayez de la suspendre dans la salle de douche chaude et humide : le tissu se défroissera tout seul. Mais n'allez quand même pas croire que le moindre petit pli de votre chemise sale aura disparu le lendemain : ce serait prendre vos désirs pour des réalités.

3   En faisant un peu attention, un pantalon peut largement vous faire la semaine. Si c'est un jean ou n'importe quel autre pantalon sport, vous avez du bol : étalez-le tout simplement sur le dossier d'une chaise. S'il s'agit d'un pantalon plus chic, étalez-le sous une couverture et dormez dessus : son aspect froissé aura disparu le lendemain. Mais ne le mettez surtout pas sous le matelas parce que les ressorts risquent de laisser des marques. Un pull reste présentable pendant plusieurs jours à condition de ne pas laisser de la soupe dégouliner dessus ou de ne pas le jeter en boule au pied du lit.

4   Au petit matin, tout doit être sec. Votre mouchoir aura même l'air repassé de frais quand vous le décollerez du carrelage. Alors, que demande le peuple ?

◉ *Les boules de naphtaline sont très toxiques en cas d'ingestion.* ◉

COMMENT
IMPRESSIONNER UNE FEMME AVEC TROIS FRANCS SIX SOUS

Pour la majorité des femmes, le pouvoir est un aphrodisiaque, surtout quand il s'affiche avec des signes extérieurs aussi ostensibles qu'une splendide voiture de sport, des vêtements chics et chers et la montre super-classe. Mais ces appâts ne sont pas à la portée de toutes les bourses et le p'tit jeune que vous êtes va devoir faire illusion pour séduire les filles.

Imaginons que vous ayez projeté de passer toute une journée avec une charmante demoiselle. Rien n'est impossible avec un peu d'astuce.

◇ D'abord, il vous faut la tenue appropriée : allez fouiner dans les quartiers où les magasins de dégriffés et les dépôts-vente proposent de nombreux articles, y compris des costumes en lin et des cravates en soie à des prix défiant toute concurrence.

◇ Deux mois avant votre rendez-vous galant, écrivez à Matignon pour demander une audience au Premier ministre. Après quelque temps, une jolie enveloppe portant le tampon ministériel et contenant une gentille lettre de refus arrivera dans votre boîte aux lettres. Ne l'ouvrez surtout pas.

◇ La veille du jour J, frappez à la porte d'une petite vieille du quartier dotée d'un bout de terrain bien fleuri. Dites-lui que votre mère est mourante et qu'un joli bouquet égaierait ses dernières heures : la petite dame se fera un plaisir de vous le composer avec les fleurs de son jardin. Emballez-le dans un joli papier (coût : 1,50 euro maximum).

◇ Le jour du rendez-vous, avant de partir, remettez l'enveloppe du ministère dans votre boîte aux lettres puis filez dans une parfumerie hors de prix. Testez quelques baumes après-rasage de luxe et quittez la boutique en prétextant que votre rhume des foins empire au contact du produit.

◇ Le problème de la voiture est plus épineux. Les taxis coûtent une fortune et c'est un peu délicat d'embarquer votre demoiselle dans une vieille Twingo cabossée. Donc, insistez pour aller prendre l'air. Une petite balade jusqu'à une galerie d'art tendance (et gratuite), c'est un bon plan. Potassez un peu à l'avance pour pouvoir dire quelque chose comme : « Bien entendu, après *Le Cavalier souriant*, Franz Hals a fini sa vie dans un hospice. » De quoi vous donner l'air d'un connaisseur sans que ça vous coûte un centime.

◇ Si vous ne possédez pas de montre tape-à-l'œil, n'en portez pas du tout. Et si le sujet venait à être soulevé, contentez-vous d'un commentaire du style : « Je ne porte jamais de montre. Comme disait

Goethe : "Rien n'a plus de valeur qu'aujourd'hui." » Votre érudition vous fera marquer des points. Bien plus qu'une Rolex.

○ Quand arrive l'heure du déjeuner, dites : « C'est vraiment une belle journée ; pourquoi n'irions-nous pas pique-niquer au bord de la rivière ? » Quai de Seine ou de quai de Senne, ça n'a pas grande importance. Votre amie trouvera l'idée parfaitement adorable (pour vous, elle est bien plus adaptée à la taille de votre porte-monnaie que l'option restaurant). Tandis que vous vous installez sous un saule, dégainez votre pièce de résistance : du champagne ! Une des deux bouteilles offertes par votre grand-mère à Noël, mais vous vous gardez bien de le lui dire. Il vous aura suffi de la glisser le matin au congélateur et de la retirer juste avant que le vin commence à glacer : elle devrait être encore fraîche à l'heure du déjeuner. Buvez une petite coupe avant de commencer votre dînette : du pain croustillant, un pot de rillettes du Mans (acheté en promo), des œufs mayonnaise dans la plus pure tradition « je cuisine comme ma grand-mère » (recette page 277), quelques feuilles de laitue, etc. Pour le dessert, optez pour des beignets : ça ne coûte pas cher et ça cale bien. Des sucettes ? Pourquoi pas. C'est original, ça dure des heures et c'est une bonne affaire : à 10 centimes pièce, pourquoi s'en priver ?

○ Si vous vous débrouillez bien, 80 % du champagne devrait se retrouver dans le ventre de votre amie. Cette dernière voudra donc sûrement faire un somme sous les arbres après le déjeuner. Pas de problème, c'est gratuit. Vous pouvez lui faire quelques tours avec un brin d'herbe (page 125).

○ Pour le programme de la soirée, évitez l'opéra, affreusement cher, et dégotez des entrées pour assister à une émission de télé sympa. Après le spectacle, invitez-la à « dîner » chez vous.

○ En arrivant, n'oubliez pas de prendre votre courrier ; tandis que vous décachetez l'enveloppe du ministère, commentez votre lecture d'un air détaché : « Tiens ? Le ministère veut que je donne une formation commando intensive à ses agents des services secrets... » Un plat de pâtes (page 297), c'est délicieux, ça ne coûte pas cher, ça sent bon et, surtout, c'est impossible à louper (faites juste attention à ce qu'elles ne soient pas trop cuites). Pour finir, vous dégainez votre seconde bouteille de champagne, histoire de détendre subtilement l'atmosphère.

La journée ne devrait pas vous revenir à plus de 15 euros. Quant au reste de la soirée, il devrait être totalement gratuit...

◉ *Près de 22 000 chèques sont débités par erreur toutes les heures.* ◉

COMMENT
PEINDRE UNE PORTE

Peindre une porte, c'est comme faire un barbecue : un acte quasi primitif, qui appartient au domaine du mâle. Mais il y a différentes façons d'aborder le boulot, du négligé au soigné en passant par le méticuleux. Quoi qu'il en soit, une porte bien peinte est toujours agréable à regarder et un mec peut passer des heures à se délecter d'admiration devant ses montants reluisants...

Je vous livre ici la méthode à l'ancienne. Pour ne pas souffrir du nettoyage, enduisez généreusement vos mains de vaseline avant de commencer ou enfilez une paire de gants chirurgicaux.

LES FOURNITURES
- ◇ *De la peinture*
- ◇ *Des pinceaux-brosses*
- ◇ *De la térébenthine*
- ◇ *Une pierre ponce*
- ◇ *Du papier de verre*
- ◇ *Une radio*
- ◇ *Une Thermos de café*

La méthode

Commencez par nettoyer la porte à fond à l'aide d'une vieille brosse trempée dans de l'eau savonneuse puis lissez toute la surface en frottant avec une pierre ponce et beaucoup d'eau, surtout si le nettoyage initial a fait ressortir le grain du bois. Rincez abondamment et laissez sécher (deux jours, c'est plus sûr).

Mélangez la peinture avec un bâton et versez la quantité nécessaire dans un récipient plus petit. Imaginons que vous allez peindre une porte à quatre panneaux. Vous devez commencer par peindre les moulures, les baguettes, les petites fentes et autres rainures en vous servant d'un pinceau plat de 2,5 centimètres de largeur. Fixez un élastique autour des poils, au niveau de la virole : vos coups de pinceau seront bien nets et soignés. Maintenant, c'est l'heure de la pause-café. Pendant ce temps, pour empêcher votre pinceau de sécher, enveloppez-le dans du film alimentaire. Il tiendra facilement jusqu'au lendemain.

Une fois les moulures peintes, il est temps de s'attaquer aux panneaux. Regardez bien le dessin page ci-contre pour noter le sens des flèches. Peignez perpendiculairement au grain du bois en utilisant un pinceau large (entre 5 et 7 centimètres) ; une fois que tous les panneaux sont recouverts, « étirez » la peinture, cette fois en suivant le sens du grain : enlevez d'abord l'excédent de peinture restant sur le pinceau puis posez la pointe des poils tout en haut du premier panneau et faites glisser le pinceau jusqu'en bas, d'un geste léger. Travaillez tous les panneaux de cette manière en faisant délicatement se chevaucher les coups de pinceau à mesure que vous avancez vers la droite.

Ensuite, peignez les traverses (entre les panneaux). Commencez par le haut, puis attaquez le milieu et enfin le bas. Terminez par les montants verticaux sur les côtés. Les couches de peinture doivent être tantôt « fines » (diluées avec de la térébenthine), tantôt « épaisses » (non diluées, pour une finition brillante). Chacune doit avoir le temps de sécher correctement avant de passer la suivante. Poncez avec du papier de verre entre deux couches.

COMMENT
SE DÉFENDRE
AVEC UN PARAPLUIE

Tous les hommes devraient savoir pratiquer l'autodéfense avec un parapluie, une canne, voire une ombrelle, ne serait-ce que pour faire son intéressant à l'heure du digestif après un repas de famille.

Correctement manié, un parapluie fermé peut être très efficace comme arme de défense, même s'il forme une massue plutôt minable. Évitez à tout prix de l'utiliser pour frapper votre agresseur : au mieux, vous arriverez seulement à le mouiller car, comme chacun sait, un parapluie fermé retient davantage d'eau ; quant au parapluie ouvert, le coup est franchement inutile, surtout par grand vent. J'ai entendu dire que le fait d'ouvrir brusquement un pépin à ouverture automatique dans la figure d'un agresseur a un effet temporairement saisissant, ce qui vous donne une légère avance sur ce dernier, mais ensuite il faut recommencer : refermer l'engin, le rouvrir brusquement, etc. La meilleure chose à faire, c'est d'utiliser la pointe. Le « direct du pépin », c'est l'arme secrète du parapluie. Brandissez l'instrument devant vous comme une rapière et flanquez un petit coup vite fait bien fait à votre adversaire, en visant la tête, l'abdomen ou les roupettes. Ça devrait vite réfréner ses ardeurs.

Cousine du parapluie avec sa virole émoussée, la canne peut avoir le même effet de persuasion sur un voyou, en utilisant la même technique. Quand le brigand est à terre, la canne fermement plantée dans son estomac permet facilement de le tenir en respect jusqu'à la saint-glinglin. De temps à autre, faites-lui une petite piqûre de rappel en enfonçant un peu la canne, histoire qu'il se souvienne qu'il n'est pas en position de discuter. À présent, le moment est venu de lui expliquer qu'il est tout à fait inopportun de jurer, que le trouble à l'ordre public est puni par la loi, qu'il pourra bientôt se plaindre à loisir auprès de la police qui ne devrait plus trop tarder, etc.

Alors qu'un parapluie fait une piètre matraque, une canne représente un gourdin de choix aux yeux du connaisseur. Un balancé rapide de la canne suffit pour assener un coup vigoureux à son agresseur, ce qui permet au plus flageolant des papis de se retrouver tout de suite en position de force. Entraînez-vous à dessiner de grands cercles dans les airs avec votre canne pendant vos balades dans la campagne : c'est fou comme, très vite, on rassemble suffisamment d'élan pour casser les rétroviseurs extérieurs des voitures.

Face à un assaillant, faites tournoyer la canne comme une hélice d'hélico puis rabattez-la brusquement sur lui d'un coup sec, de haut en bas : un mouvement difficile à contrer, qui peut faire mal et qui vous laisse l'autre bras pour tordre le nez ou l'oreille du malotru, à défaut pour maintenir votre garde. Visez en premier lieu l'avant-bras ou l'intérieur du genou ; pour les parties osseuses, choisissez la clavicule, le tibia, le coude et la main, mais évitez la tête de votre assaillant. À moins que vous n'essayiez de le tuer.

⊙ *Bruce Lee, la star du kung-fu, était diplômé en philosophie.* ⊙

COMMENT
AVOIR L'AIR PLUS INTELLIGENT QUE VOUS NE L'ÊTES

━━━◆◆━━━

Mark Twain prétendait qu'il valait mieux se taire et passer pour un idiot, plutôt que de l'ouvrir et que la vérité éclate. La remarque est spirituelle mais elle n'est peut-être pas tout à fait exacte, à en croire une récente étude qui montre que les gens ont une singulière façon d'évaluer le QI d'un inconnu... Voici quelques recommandations fondées sur les résultats de cette enquête :

◇ *Parler rapidement.* Un vrai signe d'intelligence mais qui peut aussi signifier que vous avez levé le coude trop souvent. Méfiance.

◇ *Utiliser un vocabulaire varié.* Avoir beaucoup de jolis mots à sa disposition est une valeur sûre, question marque d'intelligence. Aucun risque pour qu'un empoté essaie d'improviser, c'est trop de boulot.

◇ *S'exprimer clairement.* La clarté est un autre indicateur avéré des compétences intellectuelles. Plutôt dur de faire semblant, cela dit.

◇ *Interrompre les autres.* Ça peut paraître grossier mais ceux qui coupent la parole sont souvent perçus comme plus intelligents que tout le monde.

◇ *Parler fort.* On croit à tort que c'est un signe d'intelligence. En réalité, ça montre juste que vous parlez fort...

◇ *Éviter l'élocution « hésitante ».* Là encore, on croit que le fait d'hésiter en parlant, de marquer des pauses, ça aide. Eh bien, non. Au contraire. Ponctuer à tout bout de champ ses phrases de « euh » et de « hum » prouve juste que la cervelle de l'énonciateur marche au ralenti – même si beaucoup de génies sont des marmonneurs-nés.

◇ *Bannir l'argot.* Bien que les gens brillants utilisent souvent l'argot pour s'exprimer, l'opinion publique estime (à tort) que c'est une marque de faiblesse.

◇ *Être grand.* Il existe plein de nains talentueux, certes. Pourtant, les grands ont toujours l'air plus malin.

◇ *Porter des lunettes.* Ça fait un bail qu'on estime que les lunettes sont un signe d'intelligence avérée. C'est loin d'être toujours le cas mais ça n'empêche pas les gens de continuer à le penser.

◇ *Soigner son look.* Ça, c'est comme d'être grand. Ça n'a pas grand-chose à voir avec l'intelligence mais les gens pensent justement le contraire.

◇ *Être mince.* Bien qu'il soit complètement absurde de croire que les gros sont moins intelligents, c'est malheureusement ce que les gens (encore eux) pensent.

◉ *Ceux qui pénètrent illégalement sur le territoire violent la loi.*
(George W. Bush) ◉

COMMENT
CHOISIR LA BONNE
FILE D'ATTENTE

U n jour, dans un wagon de métro, je me suis trouvé le nez quasi écrasé contre la vitre tellement le train était bondé. Au bout d'un moment, la situation a commencé à agacer un type qui s'est mis à crier : « Vous pouvez avancer un peu, s'il vous plaît ! » Les voyageurs se sont vaguement déplacés, oscillant d'un pied sur l'autre, sans vraiment bouger. L'usager franchement crispé – manifestement un expert dans ce rayon – a continué son cirque en hurlant de plus belle : « Regardez ! Cette femme est sur le point de vomir ! » Je n'ai jamais vu une foule reculer avec autant d'empressement. Désormais, j'utilise moi-même cette technique. Et ça marche à tous les coups.

Cette anecdote m'a poussé à enquêter sur un autre fléau des temps modernes : comment choisir la file la plus courte au supermarché ?

Même avec une analyse mathématique niveau brevet d'un dispositif en trois files, il est aisé de constater que, d'un point de vue purement probabilitaire, vous avez déjà une chance sur deux pour qu'une des queues que vous n'avez pas choisie aille plus vite que celle dans laquelle vous

vous êtes engagé. Sauf que, dans la vraie vie, c'est encore pire que ça. Notamment parce que les Vrais Gens et les comportements liés à leur âge compliquent tout.

Un bon moyen de surmonter cette difficulté est d'évaluer l'âge moyen de chaque file en additionnant l'âge de tout le monde (à vue de nez) et en divisant la somme par le nombre de gens dans chaque queue. Supposons qu'il y ait deux files : la file A, qui comprend trois personnes âgées respectivement de 45, 20 et 60 ans, avec un AMF (âge moyen de la file) de 41,6 ; et la file B, qui compte trois personnes âgées respectivement de 11, 65 et 85 ans, avec un AMF de 53,6. Surtout, ne perdez pas de vue votre objectif durant cet exercice, à savoir choisir les petits nombres ; dans cet exemple, la file A prend donc l'avantage sur la B par 12 ans d'écart. Vive la jeunesse !

Ensuite, vous devez multiplier l'AMF par le nombre moyen d'articles par panier dans cette file, puis diviser le total par 1 000, et enfin arrondir le résultat (pour vous faciliter la vie). Supposons maintenant que la file A englobe une soixantaine d'articles contre 35 pour la file B (principe de base : les personnes âgées ont tendance à avoir moins de choses dans leur panier). Votre somme arrondie vous donne un résultat de 2,5 pour la file A (41,6 x 60 ÷ 1 000 = 2,496) et de 1,9 pour la file B (53,6 x 35 ÷ 1 000 = 1,876). On dirait bien que la file B, l'ancienne, semble être à présent votre meilleure mise.

Sauf que vous devez prendre en compte le QPV (quotient petite vieille), et – il faut bien l'avouer – les PV ne sont jamais pressées. Sans compter les 30 secondes supplémentaires que la PV passera à discuter des bonbons Werther avec la caissière, qui doivent être multipliées par le nombre de gens derrière elle. S'il y a 10 personnes dans la file, ça fait 10 x 30 secondes, soit 300 secondes, soit, bon sang ! 5 *précieuses minutes* de stress inutile pouvant provoquer l'infarctus. Tout bavardage de vieille dame qui dure 30 secondes entraîne des problèmes de santé très graves.

Pour obtenir votre QPV, vous devez diviser le nombre de PV par le nombre de gens dans la file et multiplier le résultat par 5 pour obtenir un chiffre sensé. Plus le QPV est bas, plus la file est rapide. Donc, si vous comptez 5 PV dans une file de 10 personnes, le QPV sera de 0,5. Dans la file A, le QPV est de 0, alors qu'il est de 0,7 (arrondi) dans la file B. À présent, vous multipliez tout ça par 5 et vous obtenez un QPV équilibré de 0 pour la file A et de 3,5 pour la file B.

En ajoutant votre QPV à votre précédent résultat, vous obtiendrez le SFF (score final de la file). Pour la file A (plus jeune), vous ajoutez 0 à 2,5 et obtenez un SFF de 2,5 ; pour la file B (plus vieille), vous ajoutez 3,5 à 1,9 et vous obtenez un SFF de 5,4. Ce qui donne, pour la file B (celle qui semblait plus avantageuse quelques lignes plus haut), un désavantage de 2,9. Même si les personnes qui sont dans cette file ont moins d'articles, l'attente sera plus longue.

Si tous ces calculs ne vous emballent pas des masses, essayez plutôt de faire une petite moyenne d'un coup d'œil. Je me résume : des petits vieux + des chariots remplis à ras bord = mauvais plan ; des jeunes + peu d'articles dans le panier = bon plan.

Sinon, optez simplement pour la file avec la jolie caissière.

◉ *Le chariot de supermarché a été inventé en 1937 par Sylvan Goldman.* ◉

COMMENT
POSER DES BRIQUES

P endant ses moments libres, Louis XVI aimait consacrer quelques heures à des petits travaux de serrurerie. Si vous voulez devenir un grand homme d'État, poser des briques pourrait être un bon moyen de vous lancer...

LES FOURNITURES

◇ *Une truelle (une pelle à tarte ou une spatule peuvent faire l'affaire)*
◇ *Du mortier*
◇ *Une bordure droite, quelle qu'elle soit*
◇ *Des fondations en béton*
◇ *Quelques briques*
◇ *Une patate au bout d'une ficelle*

LA MÉTHODE

Avant de commencer, tirez une ligne droite le long de vos fondations. Pour poser les premières briques, prenez une bonne dose de mortier que vous étalez avec la truelle ou la pelle à tarte le long de la ligne dessinée. Sur une des faces longues d'une brique, vous verrez une sorte de dépression : la fameuse « clef » ; posez toujours vos briques, la clef vers le haut.

Une fois la première brique posée, placez la seconde un peu plus plus loin et vérifiez à l'aide du niveau à bulle que les deux briques sont à la même hauteur. Quand vous êtes satisfait, comblez l'intervalle avec d'autres briques. Pour les joints entre les briques, raclez un peu de mortier sur les bords. Pour info, découper des briques est affreusement pénible ; faites-les plutôt bouger pour égaliser les espaces entre chaque brique. Continuez jusqu'à ce que vous ayez atteint la fin du mur.

À moins qu'il ne s'agisse d'un angle (plus compliqué), vous devrez commencer votre deuxième rangée en la décalant d'une demi-brique, autrement tous vos joints seront alignés – ce qui affaiblit le mur. Comme je l'ai déjà dit, découper une brique, c'est la plaie. Si vous ne pouvez pas faire autrement, le mieux c'est de la poser par terre et de donner un grand coup dessus avec la tranche de votre truelle ou de tout autre outil à lame.

Étalez un peu de mortier sur la rangée du dessous avec la truelle, en formant un petit tas continu au milieu, jusqu'au bout du mur. À mesure que vous poserez les briques dessus, le mortier remplira les clefs des briques inférieures ; enlevez le surplus qui déborde sur les côtés. Une corde bien tendue tout du long vous permettra de veiller à l'alignement de votre deuxième rangée de briques et des suivantes. Et n'oubliez pas de vérifier régulièrement les points suivants :

◇ *Hauteur.* Faites un trait sur un bâton pour marquer la hauteur à atteindre et vérifiez régulièrement cette hauteur.

◇ *Niveau.* N'essayez pas de régler le niveau de vos briques une par une : ça va vous rendre dingue. Posez votre niveau à bulle à différents endroits le long d'une seule et même rangée, puis repositionnez les briques récalcitrantes en tapotant dessus.

◇ *Rectitude.* Une patate suspendue au bout d'une ficelle (un fil à plomb improvisé, vous l'aurez compris) vous permettra de vérifier la rectitude de votre mur. Au fait, une petite pomme de terre suffit.

◇ *Platitude.* Passez votre main sur la paroi du mur pour vérifier qu'il est plat. Le manche d'une truelle est très pratique pour repositionner les vilaines briques de traviole.

N'oubliez pas : quand vous posez des briques, portez un pantalon taille basse pour qu'on puisse bien voir la raie de vos fesses !

◉ *À l'heure du thé, 96 % des Anglais utilisent des sachets.* ◉

COMMENT
ÊTRE HEUREUX

Tant qu'ils sont en bonne santé et bien nourris, les animaux sont heureux – ce qui n'est généralement pas le cas des êtres humains. Si vous faites partie de ces gens qui n'aiment pas la vie, ce chapitre est écrit spécialement pour vous.

Des « chercheurs en bonheur » ont découvert que la joie de vivre était génétiquement programmée et que les hauts et les bas de l'existence n'avaient que peu d'impact sur elle. Il y a des millionnaires malheureux comme il y a des ouvriers heureux. Mais rien ne vous empêche d'apprendre à être, dans l'ensemble, plus heureux que vous ne l'êtes.

ÊTES-VOUS UN PEU, TRÈS OU PAS DU TOUT HEUREUX ?

Les gens heureux ont des traits de caractère communs. Par exemple, ils ont tendance à se fixer des objectifs réalistes, et ils ne sont pas rongés par la jalousie, la honte, la culpabilité, l'ennui ou la peur. Bien au contraire, ils débordent d'entrain, d'affection et d'enthousiasme, se réconfortant devant le feu de la vie. Ils se jugent selon leurs propres critères au lieu de se fier à ceux des autres et ne passent pas tout leur temps à lorgner dans l'assiette du voisin ou à se demander sans cesse ce qu'ils pourraient bien avoir de plus : une telle quête est qualifiée de « toxique au bonheur » par un certain psychologue.

Pour découvrir si vous appartenez à la catégorie « joyeux luron » ou « misérable bougre », mettez dans chacune des cases suivantes une note de 1 (si la phrase est archifausse vous concernant) à 5 (si elle est archivraie) ; si vous ne savez pas, notez 3.

- ☐ Je suis optimiste, ouvert et sociable.
- ☐ Je pardonne et j'oublie.
- ☐ Je m'aime bien.
- ☐ Je perçois toujours ce qu'il y de bon chez les autres.
- ☐ J'ai des amis très proches.

☐ Mes activités quotidiennes me donnent pleine satisfaction.

☐ Je m'occupe en me plongeant dans mon travail ou un loisir qui me font parfois perdre la notion du temps (par exemple : jouer de la cithare, faire une collection de timbres, de la neurochirurgie…).

Pour calculer votre résultat, il suffit d'additionner vos points. Un score de 7 à 14 indique que vous êtes un vrai pleurnicheur ; de 15 à 28, vous vous situez quelque part au milieu mais, au bout du compte, vous pourriez être plus heureux ; de 29 à 35, vous êtes heureux à un point limite insupportable.

COMMENT ÊTRE DÈS MAINTENANT PLUS HEUREUX

Au lieu de vous asseoir dans un coin tous les soirs pour astiquer votre César de l'homme-le-plus-malheureux-de-l'année, la meilleure façon de devenir heureux est de vous concentrer sur vos points forts et vos talents. Vous savez : ces choses pour lesquelles vous êtes vraiment doué et que vous aimez faire (et ne me répondez pas : « Être malheureux »).

Vous devriez commencer par adopter l'*attitude* du type heureux. La liste qui suit recense des comportements tout simples qui ont le pouvoir de changer la chimie du cerveau et de produire un *sentiment* de bonheur.

◊ Saluer un inconnu
◊ Jouer un bon tour à quelqu'un
◊ Oublier secrètement une rancune
◊ Passer un coup de fil à un vieux copain et fixer un rendez-vous
◊ Se porter volontaire pour une activité qui ne soit d'aucun profit pour soi
◊ Faire du sport
◊ Faire pousser un oranger (page 176)
◊ Regarder un film ou lire un livre vraiment marrant
◊ Éteindre la télé et consacrer 1 heure à son passe-temps préféré

Tout compte fait, c'est simple d'être heureux.

COMMENT
SE REMETTRE
D'UNE GUEULE DE BOIS

À la question : « Docteur, quel est le meilleur remède contre la gueule de bois ? », la réponse plus logique serait : « Y en a pas. Donc ne vous soûlez pas. » Mais ça ne nous aide pas beaucoup. Pourtant, je vous assure qu'il est possible de traiter les affreux symptômes de la gueule de bois.

CE QUI SE PASSE DANS VOTRE CORPS

Lorsque vous vous enfilez une demi-pinte de bière, un verre de vin ou de whisky, l'alcool est absorbé par le petit intestin et emmené dans le flux sanguin jusqu'au foie, où il est transformé par métabolisme en deux enzymes : l'alcool déshydrogénase et l'aldéhyde déshydrogénase. Le premier transforme la boisson en un composé volatil extrêmement toxique appelé acétaldéhyde. On en reparlera plus loin.

Le corps fait de son mieux pour éliminer le trop-plein de liquide alcoolisé par l'urine et par le souffle. Le souci, c'est qu'on boit souvent plus vite que ce que le foie peut assimiler – ce qui finit par provoquer plein de trucs dingues dans le cerveau. Ces symptômes de pré-gueule de bois, aussi appelés ébriété, s'accompagnent de toutes sortes d'illusions, comme par exemple de croire que vous êtes un mec terriblement intéressant, un vrai cadeau du Ciel pour les femmes.

À mesure que la soirée avance, l'alcool commence à embrouiller sérieusement votre machine à analyser le monde extérieur – en d'autres termes, votre cerveau – et vous vous mettez à adopter une démarche tout ce qu'il y a de plus bancale, qui s'accompagne d'un tournis vertigineux où les murs n'arrêtent pas de bouger autour de vous, jusqu'à ce que vous ayez finalement une piteuse envie de vomir. Cette charmante sensation est facilitée par l'écœurant acétaldéhyde toxique, dont j'ai parlé plus haut. À ce stade, votre corps présume (à juste titre) qu'il a été empoisonné par quelque chose qui est entré par votre bouche et il décide le plus souvent de renvoyer le contenu de votre estomac au monde extérieur par le même chemin. C'est ce qu'on appelle « le syndrome du trottoir plein de pizza le samedi soir ».

LES SYMPTÔMES DE LA GUEULE DE BOIS

L'art d'être complètement ivre, aussi passionnant soit-il, n'est pourtant pas aussi intéressant que l'étude de la gueule de bois, cet état de postébriété où l'on se réveille le lendemain matin dans un lieu parfois inconnu, avec une tête de hérisson congelé, du papier de verre à la place de la langue et l'impression qu'un lutteur de sumo a passé la nuit à vous broyer le crâne, les pouces enfoncés dans vos globes oculaires. Avec un peu de chance, vous aurez aussi le plaisir de goûter à quelques vertiges intermittents et à de fameuses nausées – d'où un besoin urgent de perdre à nouveau connaissance.

L'affreux mauvais goût dans votre bouche est un des effets secondaires liés au métabolisme de l'alcool. Quant à votre langue pâteuse, c'est le fruit de la déshydratation : l'urine, qui a servi à expulser le poison de votre corps, a été produite en quantité bien plus importante que la normale. Les élancements dans votre tête sont sans doute dus à des vaisseaux sanguins dilatés dans le cerveau ou à un faible taux de glucose dans le sang, autre inconvénient inhérent à l'assimilation de l'alcool.

Les composants chimiques qui accompagnent la fermentation et la distillation de l'alcool sont responsables du syndrome dont vous souffrez et qui vous fait penser très fort : « J'en peux plus, j'ai mal aux cheveux. » La liste suivante énumère par leur degré de cruauté diverses boissons alcoolisées, de la plus « inoffensive » à la plus redoutable :

1   La vodka (ce qu'il y a de mieux pour minimiser la gueule de bois)
2   Le vin blanc et le gin
3   La bière
4   Le whisky
5   Le porto
6   Le vin rouge
7   Le rhum (vraiment traître)

Le mélange des boissons est évidemment peu judicieux car le corps, qui, du coup, doit gérer différents types de substances, n'est pas vraiment fait pour ce boulot. En général, le mieux, c'est de miser sur la bière. D'une part, parce que ça remplit bien, et d'autre part, parce que c'est *en principe* moins traître que le vin ou les alcools forts et que c'est une des boissons parmi les mieux situées sur notre échelle des alcools.

Le traitement

Engloutir un énorme petit-déjeuner ou un mélange rebutant d'œufs crus et de sauce Worcester, ou encore pratiquer un exercice physique un peu violent sont autant de recettes qui marchent. Une boisson sucrée fera grimper votre taux de glucose s'il est faible, une boisson à base de caféine réussira peut-être à apaiser votre mal de tête en comprimant les vaisseaux sanguins du cerveau (le même résultat peut être obtenu avec un sachet de petits pois surgelés posé sur le sommet de votre crâne).

Une soupe légère aux légumes, ça passe tout seul, ça réchauffe et ça a un côté « remonte-moral ». On dit que les vitamines B qu'elle contient favorisent le métabolisme de l'alcool et qu'elles apportent un acide aminé naturel appelé cystéine (présent dans la plupart des protéines), que l'on trouve dans les choux et l'ail. Sauf si vous êtes un vrai fan de chou à l'ail, le mieux c'est de faire provision d'aliments riches en cystéine dans un magasin d'alimentation spécialisé. Enfin, la confiture est excellente contre le mal de cœur, tout simplement parce que c'est le seul aliment qui fait autant de bien à vos papilles qu'à votre estomac.

Mais le remède le plus réjouissant jamais conseillé est peut-être celui attribué au jazzman Eddie Condon : « En cas de méchante gueule de bois, avaler environ deux litres de whisky. » C'est ce qui s'appelle soigner le mal par le mal… Il est vrai que davantage d'alcool peut temporairement soulager un état de manque chez le gros consommateur, mais, pour nous autres modestes figurants au royaume des ivrognes, le meilleur remède reste encore la consommation de grands volumes d'eau, de deux comprimés effervescents contre le mal de tête toute les quatre heures (si toutefois vous supportez le bruit des bulles) et de beaucoup de repos, voire de sommeil. Le grand air peut vous faire du bien, autant qu'une douche ou un bain chaud, même si les remèdes moins folichons cités précédemment demeurent les plus efficaces.

⊙ *50 milliards de cahets d'aspirine sont avalés tous les ans dans le monde.* ⊙

COMMENT
ÉVALUER D'UN SEUL COUP D'ŒIL LA TAILLE DU SOUTIEN-GORGE D'UNE FEMME

Plus facile à dire qu'à faire. Ce passe-temps relève davantage de la science que de l'art et possède de nombreux avantages pratiques. Peu d'hommes savent le faire et pourtant c'est une activité très ludique. Vous seriez surpris de constater à quel point les femmes sont accommodantes sur ce sujet quand vous leur expliquez quelle est votre démarche, et d'ailleurs elles adorent vous laisser deviner. Sans compter que c'est un excellent exercice de perception de l'espace si vous envisagez une carrière dans le génie civil.

En gros, la technique repose sur la capacité à évaluer la circonférence d'un corps. Il est bien connu que la manœuvre est loin d'être facile. Afin de tester vos compétences en la matière, essayez de deviner la circonférence d'un grand verre. Vous y parviendrez si vous considérez que le diamètre du bord est presque toujours plus grand que la taille du verre. Trompeur, hein ?

À VOUS DE JOUER

Le tour de poitrine d'une femme se mesure horizontalement, au niveau de la pointe des seins – mais je suppose que je ne vous apprends rien. Après quelques essais et loupés sur quelques partenaires de jeu, et en vous aidant d'un mètre de couturière, vous ne devriez pas tarder à prendre le coup de main. Imaginons maintenant que vous repérez un tour de poitrine de 95 centimètres. Gardez ce chiffre en tête.

Ensuite, évaluez la circonférence thoracique sous les nichons. Si vous supputez un nombre pair, ajoutez 5 ; si c'est un nombre impair, ajoutez 4. Le chiffre final correspond à la taille de soutif hypothétique de la demoiselle. Supposons que ce chiffre soit 80 (pair) : + 5, ça fait un 85 en taille de soutif.

Pour obtenir la taille du bonnet, comparez la taille du soutif au tour de poitrine. Si c'est le même chiffre, c'est un bonnet A. Sinon, tous les 5 centimètres de différence augmentent le bonnet d'une taille : si la poitrine fait 5 centimètres de plus que le soutif, ça donne un bonnet B ; 10 centimètres de plus, un bonnet C, etc., jusqu'à la fin de l'alphabet. Dans notre exemple, l'écart entre le tour de poitrine (95) et la taille de soutif (85) est de 10. La demoiselle fait donc un bonnet C. Les drôles de bonnets tels que E ou F, version Marilyn Monroe ou Pamela Anderson (selon les goûts), peuvent déconcerter le néophyte, mais je suis certain que cette démonstration mathématique vous amusera beaucoup. C'est toujours mieux que la télé, en tout cas.

◉ *La plus grosse pastèque du monde pèse le poids colossal de 134 kilos.* ◉

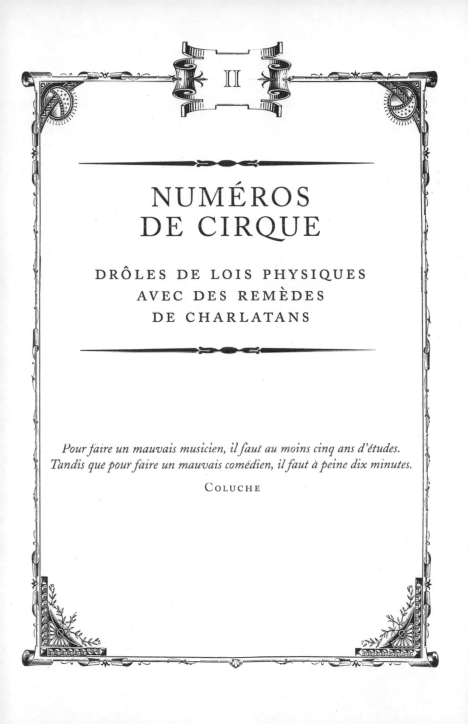

II

NUMÉROS DE CIRQUE

DRÔLES DE LOIS PHYSIQUES AVEC DES REMÈDES DE CHARLATANS

Pour faire un mauvais musicien, il faut au moins cinq ans d'études.
Tandis que pour faire un mauvais comédien, il faut à peine dix minutes.

COLUCHE

COMMENT
FAIRE LÉVITER LES BOULES

La pression de l'air diminue quand sa vitesse augmente. C'est ce qu'on appelle l'effet Bernoulli, du nom de son inventeur, le mathématicien suisse Daniel Bernoulli. Le principe s'entend d'ordinaire pour parler des ailes d'avions, où l'air se déplace plus vite sur la face supérieure, typiquement arrondie, que sur la face inférieure. La pression de l'air est donc moins forte au-dessus qu'en dessous : c'est ce qui permet de faire décoller un avion (ça et la position de l'aile, bien sûr). Le job des réacteurs consiste à propulser les ailes vers l'avant en créant une pression suffisamment forte pour que l'avion tienne en l'air. Si la pression diminue brusquement, l'appareil dégringole tout aussi brusquement ; rappelez-vous-le la prochaine fois que l'hôtesse de bord expliquera où sont cachés les gilets de sauvetage…

Dans d'autres situations, l'effet Bernoulli peut produire de drôles de résultats, cette théorie se révélant alors beaucoup moins explicite. Voici quelques tours étonnants à réaliser en partant de ce principe.

Les boules de Bernoulli
Subtilisez le sèche-cheveux de votre chérie posé sur la coiffeuse quand elle a le dos tourné ; il faut que ce soit un modèle avec un embout cylindrique. Allumez-le et placez une balle de ping-pong devant le flot d'air : elle va se mettre à tournoyer toute seule grâce à la forte pression expulsée par la colonne d'air. C'est exactement le même principe qu'on utilise pour faire léviter les petits pois (page 270).

La démonstration peut se faire à plus grande échelle avec un aspirateur-souffleur de feuilles et une boule de Noël en plastique, mais je vous recommande de faire quelques essais avant de vous lancer en public. Inclinez l'aspirateur de côté et cachez-vous derrière la porte de la remise, au fond du jardin : la boule semblera tourner en l'air toute seule (abstraction faite du boucan).

LIAISON NON FATALE

Fermez bien toutes les fenêtres et attachez une balle de ping-pong à chaque extrémité d'une ficelle de 60 centimètres. Puis laissez pendre la ficelle au-dessus d'une règle métallique pour que les balles se mettent au même niveau, à environ 2 centimètres d'écart. À présent, soufflez fort entre les balles : au lieu de s'écarter (c'est du moins ce que vous aviez pensé – j'imagine), elles vont se rapprocher à cause de la basse pression créée par votre souffle.

LE COUP DE L'ENTONNOIR

Lâchez une balle de ping-pong dans un entonnoir et mettez un ami au défi de la faire ressortir en soufflant dessus ; vous pouvez improviser un entonnoir avec une bouteille en plastique coupée en deux.

Demandez à votre cobaye d'expirer aussi fort que possible. La balle ne bougera pas d'un pouce et votre ami finira par souffler comme un bœuf, le visage tout rouge. Sans compter le torticolis qu'il risque fort d'attraper. Présentez-lui alors un autre entonnoir en lui expliquant qu'il souffle trop fort. Au préalable, vous aurez étalé un peu de sauce au piment rouge sur les bords : rien à voir avec l'effet Bernoulli, mais c'est très amusant quand même.

◉ *« Vent » est l'autre nom donné à un courant d'air dans une zone très fortement pressurisée.* ◉

COMMENT
MARCHER À TRAVERS UNE CARTE POSTALE

Quoi de plus agaçant que de rentrer lessivé d'un séjour au camping de Marly-Gaumont pour ne trouver, au retour, que des prospectus de traiteurs japonais, une lettre de rappel du dentiste et une carte postale représentant une île tropicale paradisiaque où votre pote est en vacances avec sa petite amie aux longues jambes. Rien de tel qu'une bonne catharsis pour évacuer votre mauvaise humeur : celle que je vous propose peut bien sûr se faire avec n'importe quelle réclame mais c'est nettement plus efficace avec une carte postale.

L'effet peut être obtenu quasiment n'importe où, vu que l'équipement ne coûte rien et qu'il est facile à se procurer. Sans compter que vous pouvez garder tout ça en poche jusqu'à ce que vous ayez trouvé le public rêvé pour faire votre démonstration.

LES FOURNITURES
◇ *Une carte postale*
◇ *Une paire de ciseaux bien aiguisés ou un cutter*
◇ *Une règle (si vous voulez faire un travail soigné)*

LA MÉTHODE
Expliquez à l'assistance que vous allez découper la carte postale pour pouvoir marcher à travers. En général, ça provoque des commentaires du genre : « Arrête de raconter n'importe quoi, espèce d'idiot ! » Il ne vous reste plus qu'à contempler la tête de vos copains quand ils commencent à réaliser qu'ils n'ont plus qu'à s'avouer vaincus et à payer la tournée.

1 Pliez la carte en deux dans le sens de la longueur.

2 Ouvrez-la de nouveau et découpez une fente le long du pli, en vous arrêtant à quelques millimètres des bords.

3 Repliez la carte et découpez des fentes perpendiculairement au pli. La première fente doit commencer au pli et se terminer juste avant le grand côté de la carte ; la suivante doit commencer au bord et se terminer juste avant le pli central. Alternez les fentes sur toute la surface de la carte (figure a).

a

4 Ouvrez délicatement la carte (figure b) et dépliez-
la en zigzag (figure c). En principe, vous avez
assez de place pour marcher dedans. Enfilez
l'espèce de frise que vous avez obtenue
comme un pantalon en
la remontant jusqu'au
sommet de votre tête
avant de conclure
triomphalement par
un : « À qui le tour ? »

COMMENT
SOULEVER UN HOMME À BOUT DE BRAS AU-DESSUS DE SA TÊTE

Assez improbable à première vue, cette démonstration très sérieuse est un bon prétexte pour un pari, surtout si vous êtes plutôt gringalet et pas très grand. Mais pour vos premiers essais, par pitié ! choisissez des types plus légers que vous ! Sinon vous allez vous retrouver très vite dans la salle d'attente de votre toubib avec une hernie discale. Au moment de lancer votre défi, désignez une personne bien précise pour éviter que le petit malin du fond de la salle vous demande de soulever son oncle de 190 kilos. Dites simplement : « Je vous parie que je peux soulever Jacquot à bout de bras au-dessus de ma tête. »

LES FOURNITURES
◊ *Une chaise*
◊ *Une ceinture d'homme*
◊ *Un homme*

LA MÉTHODE

1 Demandez à votre cobaye de grimper sur la chaise.

2 Attachez la ceinture autour de sa poitrine : elle doit passer sous ses bras et être bouclée dans son dos.

3 Placez-vous devant lui puis glissez une main sous la ceinture, la paume tournée vers vous et les phalanges au milieu du torse de votre partenaire.

4 Repliez vos doigts sur la ceinture, pliez les jambes au niveau des genoux (pas des coudes, évidemment), puis tendez progressivement le bras avant de le bloquer.

5 Tournez le dos à votre sujet et relevez-vous lentement, en gardant le bras bien raide au niveau de l'épaule et du coude (toute inflexion à ce stade engendrerait un désastre). À mesure que vous vous relevez, votre homme se soulève littéralement de la chaise. Si votre dos peut supporter son poids, vous pouvez même balader le type sur quelques mètres. Une fois que les applaudissements du public ont cessé, descendez votre homme à terre, remettez votre ceinture et empochez vos gains.

À aucun moment votre bras ne doit plier, sinon tout est foutu. Si en dépit de tous vos efforts vous vous écroulez sous votre homme ou ne parvenez pas à le soulever d'un poil, vous remporterez quand même un grand succès, ne serait-ce que pour avoir essayé. Moyennant un peu de pratique, vous pourrez soulever des types de plus en plus costauds ; les grands ont souvent l'air plus gros que les petits du même poids. Quant aux messieurs en haut-de-forme, la démo est aussi difficile que cocasse. Et rien ne vous empêche de danser une petite gigue avec le type sur le dos, si ça vous chante.

◉ *Attila le Hun mesurait seulement 1,37 mètre.* ◉

HUIT FAÇONS
DE S'EMBROUILLER L'ESPRIT

Le cerveau est un instrument très malin, qui fonctionne aussi bien la tête en bas que sous l'eau. Mais il est facile à duper, même quand il *sait* que vous essayez de le duper. Les jeux qui suivent s'appuient sur la faculté que possède le cerveau à parfois comprendre tout de travers.

1 LA SAUCISSE FLOTTANTE

Faites toucher l'extrémité de vos index et rapprochez vos mains vers vous. Regardez ailleurs (fixez un mur au loin) à mesure que vos doigts se rapprochent à quelques centimètres de votre nez. À présent, si vous écartez un peu les index, vous aurez l'impression qu'une petite saucisse d'apéritif flotte entre eux, comme sur l'illustration ci-dessous.

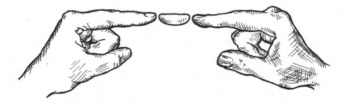

2 LE CAMBRIOLEUR EN PRISON

Ce jeu vieux comme Hérode est une habile démonstration de la capacité qu'a notre cerveau à se méprendre sur notre perception oculaire. Rapprochez le dessin page ci-contre de votre visage en regardant ailleurs : le cambrioleur va glisser sur le côté et « rentrer » dans sa cellule. Arrêtez-vous quand le bas de la ligne pointillée se trouve à 2 centimètres de votre nez à peu près. D'accord, le type est un peu flou, mais vous n'espériez quand même pas un miracle…

3   Le trou dans la main

Levez la main gauche en l'air, paume ouverte face à vous, et placez un rouleau en carton contre la tranche de votre main de façon à voir au travers. Déplacez le rouleau devant votre œil droit en gardant les deux yeux ouverts et faites glisser votre main au milieu du rouleau, tout en regardant ailleurs : vous aurez l'impression d'avoir un gros trou dans la paume.

4   Fabriquez votre thaumatrope

Bien avant que le cinéma soit inventé, il y avait le thaumatrope (« le prodigieux tourneur » en grec), l'un des nombreux jouets optiques du XIXe siècle. Son fonctionnement est fondé sur l'incapacité du cerveau à oublier ce que les yeux viennent de voir. C'est ce qu'on appelle aussi la persistance rétinienne. Avec le thaumatrope, on a deux images différentes sur les deux faces d'un disque : en faisant tourner rapidement le disque, on a l'impression que les images se superposent et qu'elles sont mobiles.

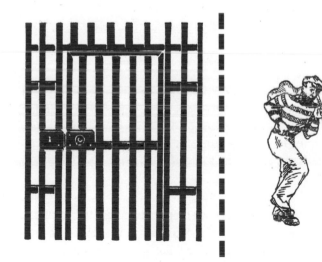

Le thaumatrope est l'ancêtre du muto-
scope. Cet appareil présentait pendant
quelques secondes une série
d'images fixes assemblées sur une
sorte de roue qui semblaient s'animer tandis que le spectateur
remontait le mécanisme à la mani-
velle. Les sujets étaient souvent très
coquins, avec des scènes de femmes
très légèrement vêtues ou carrément
nues, nageant, se trémoussant ou
effectuant des gestes assez impro-
bables avec des ustensiles de cuisine.

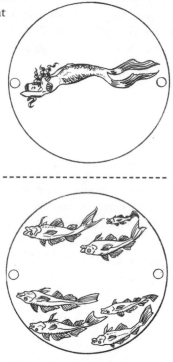

Pour fabriquer votre thaumatrope,
photocopiez les dessins ci-contre
en respectant la même disposition.
Faites un pli entre les deux cercles
en suivant les pointillés : les
dessins doivent se trouver à
l'extérieur. Glissez ensuite une
carte postale entre les deux feuilles
et collez-les soigneusement l'une
contre l'autre.

Quand le papier est sec, découpez les contours du cercle. Prenez
ensuite une aiguille à tricoter dans le panier de votre grand-mère et
percez deux trous diamétralement opposés, comme indiqué sur notre
dessin. Enfilez un élastique dans chaque trou. Si vous faites tourner rapidement le disque en tirant sur les élastiques, vous aurez l'impression que
la sirène nage au milieu des poissons.

5 BOUCLE D'OR ET LES TROIS BOLS

Vous vous souvenez sûrement des trois bols de soupe dans *Boucle d'Or et
les Trois Ours*. Ici c'est un peu pareil sauf que nos trois bols sont remplis
d'eau : de l'eau chaude dans le premier, de l'eau froide dans le deuxième

et de l'eau tiède dans le troisième. Plongez la main gauche dans l'eau froide et la main droite dans l'eau chaude. Au bout de 1 ou 2 minutes, plongez-les ensemble dans l'eau tiède : vous aurez l'impression que votre main gauche est chaude et que la droite est toute froide...

6 LES DOIGTS DE KAPRISKY

C'est exactement comme le strip-poker en plus rapide. Défiez votre adversaire (une femme, bien sûr) de toucher son nez avec le bout de son majeur gauche en même temps qu'elle touche le bout de son majeur droit avec son pouce gauche. Quand vous prononcez le mot « Kaprisky », elle doit inverser la position le plus vite possible, en plaçant son majeur droit sur son nez et son majeur gauche sur son pouce droit. L'enchaînement est extrêmement difficile, surtout si vous compliquez les choses en lui fixant pour règle de changer uniquement au mot « Kaprisky ». Amusez-vous alors à crier : « Polanski », « Sarkozy », « Sapristi ! », etc. La moindre erreur ou réaction trop tardive oblige votre concurrente à enlever un vêtement. Vous aurez pris la précaution de vous entraîner avant. Mais pas elle – ça va de soi.

7 LE DOUBLE NEZ

Est-ce que ça vous est déjà arrivé de vous écrier d'un air désespéré : « Si seulement j'avais deux nez, la vie serait tellement plus simple ! » Moi non, quand j'y pense. Mais voici un bon moyen d'avoir l'impression que c'est le cas : croisez l'index et le majeur de votre main dominante et frottez-vous délicatement le bout du nez avec leur extrémité ; au bout d'un moment, vous aurez la sensation étrange d'avoir deux nez.

8 CRÉEZ VOTRE DESSIN ANIMÉ

Pour animer un dessin, prenez deux morceaux de papier mesurant environ un quart d'une feuille A4. Scotchez-les ensemble par le haut (petit côté).

Près du bas de chaque feuille, dessinez un cercle (aidez-vous d'une pièce de 50 centimes). Les cercles doivent être parfaitement superposés (vérifiez par transparence à la lumière d'une fenêtre). Sur le cercle de la feuille du dessous, ajoutez une paire d'yeux et un nez ; reproduisez exactement la même chose sur la feuille du dessus.

Ensuite, sur le visage du dessous, tirez un petit trait pour faire la bouche ; sur celui du haut, faites une petite courbe pour dessiner un sourire. Enroulez la feuille du dessus autour d'un ciseau et insérez un crayon à l'intérieur en superposant rapidement la feuille du dessus sur celle du dessous : en se déroulant, le visage apparaît successivement souriant ou neutre. Si vous dessinez des yeux (par deux petits points) sur la feuille du dessous et que vous modifiez leur aspect (deux petits traits) sur celle du dessus, vous aurez l'impression que le visage cligne des yeux.

Si vous avez pour ambition d'animer vos dessins, l'étape suivante consiste à créer un folioscope à l'aide d'un petit carnet. Dessinez un petit bonhomme qui saute de plus en plus haut et qui retombe dans le coin inférieur de chaque page. Si vous feuilletez rapidement le carnet, vous serez surpris du résultat !

◉ *Un cerveau humain mesure en moyenne 1 400 cm³.* ◉

COMMENT
MARCHER SUR DES CHARBONS ARDENTS

R ien de tel, pour vous faire grimacer de douleur, que la vue d'un type en train de marcher pieds nus sur un lit de charbons ardents. Comment diable fait-il ? Ce numéro est souvent accompli par un pseudo-gourou qui explique aux volontaires que déambuler sur des braises rougeoyantes, *c'est possible*, car « l'esprit dépasse la matière ». En fait, ça n'a rien à voir ; c'est juste une mixture de principes scientifiques et de bonnes vieilles balivernes. Néanmoins, j'insiste sur le fait *qu'il peut être extrêmement dangereux de marcher sur des charbons ardents et que vous ne devez jamais essayer de faire ça chez vous.* Comme si vous en aviez l'intention !

L'ILLUSION DU DANGER

Dans cette histoire, ce n'est pas tant la chaleur qui nous intéresse que sa *conduction*. Vous pouvez très bien plonger votre main dans un four chaud sans vous brûler ; mais si vous touchez la grille du four, vous allez vous faire très très mal. Et pourtant la grille est à la même température que l'air du four. Car l'air est un piètre conducteur thermique, si minable même qu'il est utilisé comme isolant. Le métal, en revanche, est un excellent conducteur – ce qui explique que c'est avec ce matériau qu'on fait les poêles à frire et que vous ne verrez jamais aucun gourou proposer de marcher pieds nus sur des billes en métal chauffées au rouge.

Ce qu'ils utilisent, c'est du charbon de bois dur, lui aussi très mauvais conducteur thermique, même quand il est allumé (le charbon de bois est couramment utilisé comme isolant). Et comme la surface du charbon est principalement constituée de cendre (encore un superbe isolant), vous pouvez le toucher du bout des doigts sans danger.

Bien sûr, si vous insistez un peu trop longtemps, l'air chaud et la braise vont véhiculer suffisamment de chaleur pour vous brûler. S'arrêter pour la pause-photo au milieu du lit de braises n'est donc pas une très bonne idée. Tout comme laisser sa main dans le four pendant 1 heure…

Toute l'astuce est là : vous êtes *isolé* de la chaleur. En se consumant, le charbon ne cesse de se recouvrir de cendre. Tant qu'il ne traîne pas en chemin, le type qui marche pieds nus sur des charbons ardents ne risque donc pas grand-chose.

CHALEUR IRRADIANTE ET ROUGEOIEMENT

Est-ce que vous savez pourquoi ce type de démonstration se fait toujours la nuit ? Parce que les charbons luisent alors d'un bel orange vif, pardi ! Ce qui est nettement moins visible à la lumière du jour. Combiné à la chaleur irradiante (qui vous fait reculer d'horreur en poussant des « Pfiiiou ! »), le rougeoiement orange vous convainc que la braise est extrêmement brûlante. Ce qui est d'ailleurs le cas : la température s'élève probablement à plus de 500 °C. Le tour de magie repose donc sur une illusion, celle que le type va se brûler les pieds au contact des charbons incandescents. Or, ce n'est pas le cas, pour les raisons que je viens de vous donner (par contre, demandez à un fakir de marcher sur une plaque en métal à 500 °C et vous verrez comme il tourne les talons…).

Par pitié, ne tentez pas une contre-expertise dans votre salon. Mais la prochaine fois qu'un fakir vous soutient que *l'esprit dépasse la matière*, envoyez-le promener grâce à votre érudition.

◉ *L'été, la tour Eiffel grandit de 15 centimètres car son fer gonfle avec la chaleur.* ◉

FAIRE SON NUMÉRO AVEC UN RUBAN DE MÖBIUS

Tout comme une feuille de papier possède deux faces, il y a toujours deux façons de voir les choses. Le problème, c'est que certaines feuilles de papier n'ont qu'une seule face. Véridique et facile à démontrer, cette théorie s'illustre par le fameux « ruban de Möbius », d'après l'astronome et mathématicien August Ferdinand Möbius, qui le fabriqua en 1858. Cette bizarrerie engendre bien des surprises.

LES FOURNITURES
◇ *Une grande feuille de papier*
◇ *Du ruban adhésif*
◇ *Trois paires de ciseaux bien aiguisées*

LA MÉTHODE
Découpez une longue bande de 5 centimètres de large dans un papier kraft ou un papier cadeau uni. Formez ensuite des rubans de Möbius en respectant les consignes données ci-dessous :

DRÔLES D'EFFETS
1   Faites une seule torsion de la bande sur elle-même et collez les deux bouts avec du Scotch transparent. Si vous coupez le ruban en deux par le milieu sur toute sa longueur, vous n'obtiendrez pas deux boucles mais une seule, très longue.

2   Si vous torsadez le ruban deux fois avant de scotcher les extrémités et que vous le découpez comme indiqué ci-dessus, vous obtiendrez deux boucles identiques reliées entre elles.

3   Maintenant, si vous coupez la boucle en commençant à un tiers de l'extrémité, vous terminerez avec deux boucles reliées l'une à l'autre : une grande et une petite.

PETITE DÉMONSTRATION

Un professeur de physique que je connais avait l'habitude d'illustrer les étranges propriétés du ruban de Möbius en jouant un petit tour à ses étudiants. Voici comment faire :

1   Préparez trois rubans mesurant 3 mètres de long sur 15 centimètres de large. Fermez les boucles en torsadant une fois le premier, deux fois le deuxième et pas du tout le troisième ; faites une marque visible sur ce dernier.

2   Proposez deux des rubans à deux volontaires en gardant pour vous le ruban vierge (le troisième, secrètement marqué) ; vu la longueur des rubans, il y a peu de risque que les volontaires remarquent les torsades. Chaque personne reçoit aussi une paire de ciseaux bien aiguisés.

3   Annoncez alors : « Ce n'est pas un test d'aptitude, mais de vitesse. La récompense ira à celui qui découpera le premier deux boucles distinctes comme ceci. » Là, vous découpez votre ruban en deux et vous leur montrez les deux morceaux.

4   Dites-leur de faire bien attention à leurs doigts et de ne démarrer qu'à votre commandement. En un rien de temps, votre première victime va se retrouver avec un seul ruban, mais énorme, tandis que la seconde obtiendra deux boucles, comme demandé, mais liées entre elles.

◉ *August Ferdinand Möbius était un descendant de Martin Luther.* ◉

COMMENT
ENFONCER UN CLOU À MAIN NUE DANS UNE PLANCHE

L e tour consiste à prendre un bon gros clou et à envelopper sa tête dans du tissu avant de l'enfoncer brusquement dans une planche à main nue. Un talent qui, tout comme la faculté de roter à volonté, ne sert strictement à rien. Mais si vous vous donnez la peine d'apprendre la technique, ce tour de main aura toujours de quoi emballer votre public. Seul hic : vous êtes obligé de vous trimballer en permanence avec une planche en bois dans la poche. Contrairement à ce qui concerne le rot, il est très important de suivre les instructions à la lettre ; autrement vous risquez de vous faire mal. Très mal.

LES FOURNITURES
◇ *Un clou de 20 ou 25 centimètres*
◇ *Un chiffon*
◇ *Une petite planche en bois*
◇ *Deux chaises*

Dans cet exercice, la clé du succès repose sur deux éléments capitaux. Le premier, c'est d'avoir la bonne planche. C'est-à-dire une planche en bois qui ne soit pas trop épaisse. En clair, vous ne blufferez personne si vous utilisez un morceau de balsa, mais une plaque d'acajou ne vous rendra pas service non plus. Idéalement, visez plutôt du sapin ou du pin, mais le mieux reste encore de faire plusieurs essais… La planche doit faire environ 9 centimètres de long. Plus elle sera fine, moins ce sera difficile.

Second point essentiel : la façon d'envelopper la tête de clou. La fonction principale du chiffon est d'amortir le choc tout en propageant l'énergie transmise par votre main quand le clou frappe la planche ; vous devez donner suffisamment de force pour que le clou s'enfonce, sans vous clouer la main sur la planche pour autant… Plus vous avez de tissu dans la main, plus c'est facile.

LA MÉTHODE

1   Présentez le clou au public en le tenant
bien droit, par son extrémité : il est plus
impressionnant comme ça. Enveloppez
la tête du clou dans votre chiffon, en
la mettant bien au centre du tissu,
lequel est fermement serré au creux
de votre paume droite. La pointe du
clou dépasse entre votre majeur et
votre annulaire, dont la première
et la deuxième phalange sont fléchies.

2   Demandez à deux volontaires de placer la planche à cheval sur deux
chaises robustes, puis reculez.

3   Maintenez fermement la planche
avec votre main gauche et levez
lentement la droite d'un geste
théâtral, le plus haut possible.

4   Soudain, rabattez violemment le
bras, complètement à la perpendiculaire de la planche. Vous devez
enfoncer le clou parfaitement droit, sinon il ne rentrera pas.

5   Écartez votre main et déroulez le chiffon pour révéler le clou
enfoncé dans le bois. Faites passer la planche et demandez à une
demoiselle de l'assemblée de retirer le clou.

PLIAGE PARANORMAL
D'UNE CUILLÈRE

D ans les années 1930, un Espagnol, largement considéré par les
médias comme un homme aux pouvoirs surnaturels, avait acquis
une célébrité internationale en accomplissant des trucs incroyables avec
des objets en métal. En réalité, cet homme n'était rien moins qu'un

imposteur qui usait d'une supercherie pour embobiner ses spectateurs. Le type dont je parle s'appelait Joaquin Maria Argamasilla et il s'était autoproclamé « l'Espagnol au regard bionique ». Son imposture fut démasquée par un certain Harry Houdini qui avait surpris notre homme en pleine tricherie alors qu'il exécutait un de ses tours soi-disant surnaturels avec une montre.

J'admets que les personnes qui revendiquent des dons surnaturels sont des êtres *(par)anormaux*, mais j'aimerais qu'on m'explique pourquoi on n'a encore jamais vu un médium gagner au Loto…

Un des trucs les plus nuls que ces gens prétendent pouvoir faire, c'est de plier des cuillères et des fourchettes en passant simplement la main dessus. Pour moi, ce n'est qu'une perte d'énergie extrasensorielle, étant donné que le même effet peut s'obtenir grâce aux pouvoirs tout ce qu'il y a de plus terre à terre que nous autres, pauvres mortels, possédons. Voici une technique de pliage de couverts toute simple, en dépit de ses *apparences* surnaturelles.

PRÉPARATION
Pliez une fourchette entièrement métallique d'arrière en avant jusqu'à ce qu'une fissure apparaisse dans le manche. Vous remarquerez une petite bosse à l'endroit où elle est sur le point de rompre. Confiez deux ou trois de ces fourchettes truquées à un complice.

Invitez ensuite quelques amis naïfs pour une « Soirée de l'étrange », en leur demandant d'apporter leurs couverts perso.

PRESTATION
Désignez un gardien de la ménagère et donnez-lui un plateau sur lequel vous rassemblez les ustensiles, en lui demandant de ne pas les quitter des yeux. Votre larbin pose les fourchettes truquées avec le reste des couverts ; à partir de là, le reste n'est que pure comédie.

Prenez une des fourchettes truquées et tenez-la de la main gauche par le bout du manche, les fourchons tournés vers l'audience. Avancez votre main droite devant la petite bosse et, du bout des doigts, commencez à la frictionner délicatement, en faisant légèrement pression de l'autre côté avec votre main gauche. À tout moment, on doit avoir l'impression que vous tenez la fourchette avec la plus grande légèreté.

Progressivement, repoussez la tête de la fourchette avec le pouce : elle commencera à plier. Continuez à la bouger d'avant en arrière et le métal se mettra à ramollir. Au bout de quelques minutes, vous le sentirez sur le point de se casser. N'allez pas plus loin : au contraire, secouez le couvert à l'horizontale, et le tout oscillera comme du caoutchouc.

En relâchant imperceptiblement la pression entre votre index et votre pouce, vous donnerez l'impression que la tête de la fourchette est en train de fondre et s'apprête à tomber.

Feignez la surprise, puis faites circuler les morceaux de fourchette en fanfaronnant devant vos amis : « C'est même pas chaud ! »

COMMENT
DÉCHIRER UN ANNUAIRE TÉLÉPHONIQUE EN DEUX

Ce célèbre tour d'hercule semble difficile mais on peut tout à fait l'accomplir sans beaucoup de force physique. Peu d'hommes sont capables de déchirer 1 000 pages d'un coup : la méthode suivante vous permettra de déchirer quelques pages à la fois… Pour débuter, utilisez un petit annuaire (700 pages à peu près) et augmentez le volume au fur et à mesure que vous progressez.

Un minimum de talents de comédien et un menton en galoche serviront davantage ce numéro, mais même un petit maigrichon timide pourra recueillir une salve d'applaudissements grâce à ce tour subtil. Comme d'habitude, il est indispensable de bien répéter la technique et la présentation avant de se lancer en public.

LA MÉTHODE

1   Avant de commencer, enlevez tous les gros encarts qui sont à l'intérieur de l'annuaire.

2   Première étape : saisissez le volume à l'horizontale, la couverture tournée vers le plafond et le dos posé sur vos cuisses. Soutenez-le par en dessous avec vos annulaires et auriculaires au niveau des coins extérieurs, les pouces joints sur le dessus au niveau du bord avant.

3   Pour commencer, appuyez sur la couverture avec vos pouces, en repliant simultanément les bords de l'annuaire avec les annulaires et auriculaires pour former une banane.

4   Ensuite, serrez fermement le livre et écartez les pouces pour que la couverture et les premières pages soient bien tendues. En même temps, pliez les dernières pages avec vos index pour former un V (figure a).

5   Les pouces maintenant fermement la couverture et les premières pages, froncez la banane en retournant les coins de l'annuaire : ça tendra la couverture et les premières pages à l'extrême, à tel point qu'elles finiront par se déchirer subitement (figure b).

6   Continuez à retourner les coins jusqu'à ce que vous ayez déchiré chaque page. Vous devrez peut-être replacer vos doigts de temps à autre pour augmenter la pression. Plus vous déchirerez de pages, plus il vous faudra tourner les mains comme pour ouvrir un éventail (figure c) ; on a plus de prise à mesure qu'on se rapproche du dos de l'annuaire. C'est à ce stade que votre force prend enfin toute sa mesure : vous

a

b

c

d

devez pousser une moitié de l'annuaire d'une main et tirer l'autre moitié de l'autre main pour achever de le déchirer. Il y a des chances pour que vous luttiez un peu à ce stade-là, surtout si vous grognez déjà. Après tout, je n'ai jamais dit que ce serait facile.

7   Pour finir, jetez vos deux moitiés d'annuaire par terre d'un geste triomphal et répondez aux applaudissements de votre public.

Cette technique, qui est ma préférée, permet de maîtriser considérablement ce que vous faites, plus que celle qui consiste à déployer les pages en éventail avant de les déchirer. Si vous souhaitez devenir un spécialiste, les agents de recyclage de votre municipalité devraient être en mesure de vous fournir leurs exemplaires en trop.

◉ *Le vrai nom de Charles Atlas,* alias *Monsieur Muscle, était Angelo Siciliano.* ◉

COMMENT
PESER VOTRE TÊTE

Rien n'est plus contrariant que de ne pas savoir comment peser sa tête. Mais d'abord, où commence la tête et où s'arrête le cou ? Quand bien même vous arrivez à résoudre ce problème et à marquer ladite jonction au stylo indélébile, que se passe-t-il ensuite ? La prochaine fois que vous ne savez pas quoi faire de vos dix doigts, amusez-vous à faire une bonne estimation du poids de votre tête.

LES FOURNITURES
◈ *Une piscine gonflable en plastique*
◈ *Un baril en plastique d'eau de pluie*
◈ *Un seau en plastique*
◈ *Un verre gradué en plastique*
◈ *Une chaise en plastique*
◈ *Quelques balances de salle de bains*
◈ *Votre tête*

LA MÉTHODE

1   Un jour de beau temps, gonflez votre piscine dans le jardin ; vous devrez compter 2 heures.

2   Placez votre baril dans la piscine et remplissez-le d'eau tiède jusqu'au bord, sans que ça déborde.

3   Rasez-vous entièrement la tête. L'estimation sera plus précise parce que les cheveux absorbent l'eau – ce qui n'arrive pas quand on est chauve. CQFD.

4   Asseyez-vous sur la chaise et plongez lentement la tête dans l'eau jusqu'à la pomme d'Adam. L'eau débordera sur les parois du baril et retombera dans la piscine. Ressortez doucement la tête de l'eau.

5   Transvasez l'eau de la piscine dans le seau. C'est l'étape la plus pénible, étant donné que le baril est rempli d'eau et que vous devez le déplacer sans en faire tomber une goutte. Vous pouvez commencer l'expérience en creusant un gros trou dans le gazon pour pouvoir siphonner l'eau de la piscine.

6   Mesurez le volume d'eau contenu dans le seau en la déversant dans le verre gradué ; si ce dernier est trop petit, procédez en plusieurs étapes. Notez bien le chiffre obtenu.

7   Replacez le baril dans la piscine et remplissez-le à nouveau d'eau jusqu'au bord. Ensuite, enlevez tous vos vêtements et pesez-vous.

8   Montez sur la chaise et hissez-vous prudemment dans le baril, en vous immergeant totalement. Au bout de quelques minutes, ressortez et versez l'eau déplacée dans le seau, puis dans le verre gradué, et notez encore le volume final.

9   Multipliez le poids de votre corps par le ratio des deux volumes notés. Le nombre obtenu vous indiquera le poids de votre tête.

10 Rhabillez-vous.

◉ *George Washington avait un dentier en bois.* ◉

LA FICHE BRISTOL
À UNE SEULE FACE

Comme dans tant d'autres tours, en voici un où vous devrez vous fier à votre mémoire, car si vous réfléchissez trop vos neurones pourraient bien partir en fumée.

1   Prenez une fiche bristol et pliez-la pour former 8 rectangles, comme sur l'illustration ci-contre. Faites trois entailles au ciseau le long des lignes en gras.

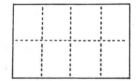

2   À présent, retournez le coin droit vers le haut. Voilà, c'est fini. Drôle de surface, non ?

Si vous tendez la fiche à quelqu'un, il sera en principe incapable de la remettre à plat.

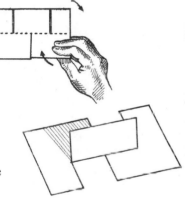

C'est encore plus compliqué si vous faites (avec une autre fiche) le pliage et le découpage sous la table et que vous mettez ensuite votre victime au défi de reproduire cette étrange surface. Son visage risque de se décomposer et ses yeux vont sans doute lui sortir des orbites.

◉ *Une feuille de papier pliée 50 fois en deux mesurerait 100 millions de kilomètres d'épaisseur.* ◉

COMMENT
FAIRE TENIR
VOS CHEVEUX DEBOUT

Voici une combine inventée par mes soins en 1971, lors d'un ennuyeux cours d'allemand. Résultat : tout le monde est plié de rire, et c'est particulièrement efficace pendant les réunions rasantes ou quand votre petite amie vous fait la leçon en énumérant vos nombreux défauts en public.

Commencez par dégoter un élastique, comme ceux que les facteurs (et les femmes, naturellement) dispersent un peu partout. Rabaissez-le discrètement sur votre tête jusqu'à vos oreilles et au bas du crâne. À présent, sortez quelques mèches de sous l'élastique, puis disposez-les par-dessus pour le cacher. Remontez l'élastique jusqu'à la naissance des cheveux, en haut du front ; il se fera un plaisir de rester bien en place en attendant que vous soyez prêt à vous donner en spectacle, moyennant tout au plus une bonne envie de vous gratter.

Quand vous êtes prêt à vous lancer, relevez discrètement la partie de l'élastique calée derrière vos oreilles, sur la région occipito-pariétale de votre crâne, jusqu'à la voûte équatoriale, où les muscles crâniens auront moins tendance à se contracter. Peu à peu, l'élastique va glisser vers le haut de votre tête, emportant avec lui des touffes de cheveux et réduisant sa circonférence à mesure qu'il remonte vers le nord. Soudain, atteignant le point de non-retour, il se rétracte brusquement et hérisse vos cheveux d'un coup sec, tel un grotesque palmier.

Dans une certaine mesure, il est possible de contrôler la vitesse en fronçant ou en levant les sourcils ; si vous êtes brun, le mécanisme restera invisible du début à la fin.

Fascinant comme effet !

◉ *Les eunuques ne se dégarnissent pas.* ◉

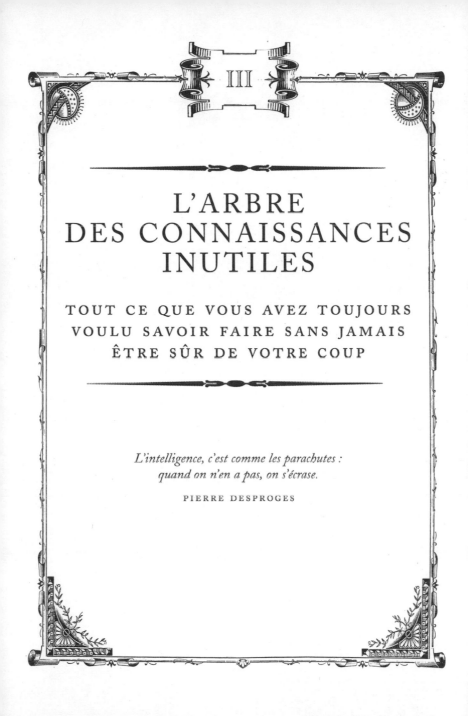

III

L'ARBRE
DES CONNAISSANCES
INUTILES

TOUT CE QUE VOUS AVEZ TOUJOURS
VOULU SAVOIR FAIRE SANS JAMAIS
ÊTRE SÛR DE VOTRE COUP

*L'intelligence, c'est comme les parachutes :
quand on n'en a pas, on s'écrase.*

PIERRE DESPROGES

COMMENT
TRAIRE UNE VACHE

Une vache produit en moyenne 15 litres de lait par jour – ce qui fait un truc comme 5 500 litres par an. De quoi remplir 30 000 bols ou 150 000 tasses à thé. Mais traire une vache n'est pas aussi simple qu'il y paraît. Une fois que vous maîtriserez cet art, vous pouvez être sûr de crouler sous les compliments.

LES FOURNITURES

◇ *Un seau en acier propre et sans tache*
◇ *Un petit tabouret*
◇ *Une vache*
◇ *Une paire de mains (la vôtre)*
◇ *Une autre paire de mains (celle de qui vous voulez)*

LA MÉTHODE

Assurez-vous que la vache a été nourrie, soignée et bien traitée. Les vaches sont très sensibles : si vous êtes nerveux, la vôtre le sentira et refusera probablement de donner son lait. Dans le cas où vous êtes doté d'une voix douce, essayez de lui pousser la chansonnette. Des psychologues ont découvert qu'une musique paisible et langoureuse augmentait d'environ 3 % le rendement du lait. Les morceaux préférés des vaches sont *Bridge Over Troubled Water* de Simon and Garfunkel et la *Symphonie pastorale* de Beethoven. Manifestement, évitez les chansons paillardes, sinon la bête risque de renverser votre seau avant de vous écrabouiller les orteils. Et n'oubliez pas que même les vaches bien élevées, celles qui ont eu la chance de terminer leur adolescence dans les pâturages suisses, n'hésiteront pas à vous dévisser la tête d'un coup de sabot si ça leur chante.

1   Nettoyez les pis avec un linge imbibé d'eau tiède.
2   Placez avec précaution le seau à lait sous le pis.

3   Si vous êtes droitier, disposez le tabouret sur le flanc droit de la vache et asseyez-vous à côté de l'animal, votre oreille droite quasi collée à son flanc, le regard tourné vers l'arrière, en protégeant le seau avec votre jambe gauche.

4   Si vous essayez de traire la vache juste en empoignant ses mamelles et en tirant dessus, c'est peine perdue. Ce qu'il faut, c'est saisir une des mamelles dans la paume de la main avec douceur mais fermeté (ça vous parle mieux ?), en la serrant en haut entre le pouce et l'index pour faire un goulot, tandis que votre autre main comprime doucement le pis vers le bas, par petites pressions alternées, de façon à imiter la succion du veau. Évidemment, il vous faudra quelques heures d'entraînement avant d'acquérir le coup de main.

5   Laissez le lait s'écouler (ça, ce n'est pas compliqué).

6   Répétez le processus jusqu'à ce que le pis semble vide et mou au toucher, et que chaque pression ne livre plus qu'un mince jet de lait.

Ce que vous faites ensuite avec tout ce lait, c'est votre affaire.

◉ *La couleur jaune du beurre est due au bêta-carotène contenu dans l'herbe que mangent les vaches.* ◉

COMMENT
ÉLIMINER UN ARNAQUEUR PLANTÉ DEVANT VOTRE PORTE

Je ne connais pas beaucoup de situations plus agaçantes que le bruit de la sonnette qui retentit au moment précis où vous vous apprêtez à lâcher un gaz ou à jongler avec des fruits. Le fana tout sourire qui apparaît alors sur le seuil de votre porte est souvent à l'origine de réactions physiques malsaines, comme l'envie de lui hurler des grossièretés, de brandir méchamment le poing ou de rugir d'un air mauvais, façon Russell Crowe dans *Gladiator*. Rois de la technique du pied dans la porte, ces arnaqueurs, ainsi que leurs homologues boutonneux spécialisés dans la pose de doubles-vitrages, sont archiforts pour essuyer les rebuffades polies. Voici donc quelques parades de rechange pour vous débarrasser d'eux une bonne fois pour toutes.

LE VENDEUR AU PORTE-À-PORTE

Première chose à vous rappeler : vous ne devez jamais répondre aux questions apparemment innocentes que le type vous assène. Prenez plutôt l'avantage en lui expliquant tout de suite que vous serez enchanté de converser avec lui à condition qu'il veuille bien *signer à l'endroit indiqué.* Là, vous lui tendez votre porte-bloc sur lequel est clippé un contrat qui a tout l'air d'être officiel, comme sur le modèle que je vous

---

CONTRAT

Nom :
Âge :
Salaire :
Origine ethnique :
QI :
Problèmes de santé :
Tendance sexuelle :

Je, soussigné(e) _____, promets de :

1   reverser à l'habitant des frais de conversation de 9 € par minute de temps perdu ;

2   payer à l'habitant une indemnisation pour interrogatoire de 22 € par question ;

3   payer à l'habitant des frais de rédaction de contrat de 110 € ;

4   régler toutes les sommes dues sur-le-champ et en liquide ;

5   fournir à l'habitant mon adresse complète.

date _____ *signature* _____

---

propose. Effet radical garanti. Parce que ça tape là où ça fait mal : dans le porte-monnaie.

Autre ruse efficace pour contrer le commercial : lui poser une main sur l'épaule en lui disant : « Je suis bien content que vous soyez là, parce que je me sens désespérément seul et que j'ai besoin de vous parler de Dieu. » Tandis que la panique défigure son visage, posez-lui la question qui tue : « Avez-vous lu la Bible, mon frère ? » Quelle que soit sa réponse, exigez toute son attention avant d'entamer la lecture de l'Évangile selon saint Matthieu :

> « Abraham engendra Isaac ; Isaac engendra Jacob ; Jacob engendra Juda et ses frères ; Juda engendra de Thamar Pharès et Zara ; Pharès engendra Esrom ; Esrom engendra Aram ; Aram engendra Aminadab ; Aminadab engendra Naasson ; Naasson engendra Salmon ; Salmon engendra Boaz de Rahab ; Boaz engendra Obed de Ruth ; Obed engendra Isaï ; Isaï engendra David. Le roi David engendra Salomon de la femme d'Urie ; Salomon engendra Roboam ; Roboam engendra Abia ; Abia engendra Asa ; Asa engendra Josaphat ; Josaphat engendra Joram ; Joram engendra Ozias ; Ozias engendra Joatham ; Joatham engendra Achaz ; Achaz engendra Ézéchias ; Ézéchias engendra Manassé ; Manassé engendra Amon ; Amon engendra Josias ; Josias engendra Jéchonias et ses frères, au temps de la déportation à Babylone. »

Là, il pensera que vous en avez terminé, mais faites-lui comprendre que ça continue à s'engendrer pendant encore 67 noms.

LE DÉMARCHEUR RELIGIEUX

Pour les témoins de Jéhovah et leurs homologues, une approche différente est nécessaire. Une fois que votre interlocuteur vous aura brandi un exemplaire de *La Tour de guet* sous le nez, dites-lui sans barguigner : « Vous représentez exactement l'Église que je recherchais, car mon âme est en peine et le mal s'est emparé de moi. » Tandis que le type intrigué ouvre tout grand ses oreilles, attrapez le classeur préalablement confectionné par vos soins, celui qui contient des photos téléchargées sur Internet, et montrez-lui une petite sélection. Les photos d'autopsies en gros plans et en couleurs, de suicides par arme à feu, de groupes de gens (ou de gens et de chevaux) en train de se faire des trucs dégoûtants sont les plus efficaces. Demandez alors à votre vis-à-vis : « Qu'est-ce que vous dites de ça ? » Alors qu'il recule d'horreur, insistez en lui tendant une page d'obscénités sordides imprimées en corps 72. Et tandis qu'il s'éloigne à reculons, vous pouvez commenter les images à voix haute, en lui demandant de les classer par ordre de répugnance. Surtout, dites-lui bien de refermer le portail derrière lui en partant.

LES FAUX HANDICAPÉS

Une mauvaise blague jouée par certaines entreprises véreuses consiste à employer des gens pour vendre toutes sortes d'assortiments de serviettes et autres cartes postales « faites main » en porte-à-porte. Cette fraude, aussi appelée « escroquerie », nécessite que le démarcheur fasse semblant d'avoir un handicap physique. La surdité, souvent accompagnée de problèmes d'élocution, fait partie des grands favoris, mais quel que soit le handicap affiché par votre type, sa faculté de récolter des fonds et d'augmenter ses gains ne semble jamais souffrir d'aucune gêne. Un « non » poli est en principe suffisant, mais si vous êtes convaincu d'avoir affaire à un faux handicapé, bernez-le à votre tour par une bonne feinte du même genre : plaquez votre langue sur vos dents du bas, en affichant un air empoté, les yeux à moitié fermés, et prenez une voix molle et sonore à souhait pour dire : « Mner nerg mnurb nmerbmernb. » L'astuce fonctionne assez bien, sauf si vous tombez sur une personne *réellement* handicapée, qui aura sans doute envie de vous coller son poing dans la tronche. Personne ne peut lui en vouloir.

◉ *C'est William Hoover qui a eu le premier l'idée de vendre des aspirateurs au porte-à-porte.* ◉

COMMENT
PROCÉDER À UNE ARRESTATION
EN PUBLIC

Selon l'article 73 du Code de procédure pénale, « dans les cas de crime flagrant ou de délit flagrant puni d'une peine d'emprisonnement, toute personne a qualité pour en appréhender l'auteur et le conduire devant l'officier de police judiciaire le plus proche ».

Même s'il s'avère au final que vous vous êtes trompé, la loi vous autorise donc à arrêter quelqu'un *si vous êtes témoin d'un délit* ou *si vous savez*, sans en avoir été témoin, que quelqu'un est coupable d'un délit. La loi vaut également si vous soupçonnez quelqu'un de commettre ou d'avoir commis une infraction (mais votre accusation devra être fondée). Enfin, vous pouvez aussi arrêter quelqu'un que vous *soupçonnez d'être sur le point* de commettre une infraction.

Si vous procédez vous-même à une arrestation, vous devez d'abord expliquer au type pourquoi vous vous mettez en rogne avant de le conduire directement au poste de police le plus proche. Tâchez de prévenir les flics le plus tôt possible et remettez votre colis *en personne* à un agent ou à un magistrat, sinon votre acte de bravoure sera rejeté par le tribunal. Essayez aussi de mémoriser tout ce que le suspect dit et notez le tout dès que possible, avec le plus de précision ; cela vous sera fort utile si vous êtes appelé à la barre comme témoin.

Pendant cette interpellation, le citoyen doit recourir à la force *strictement nécessaire*. Il ne s'agit pas pour vous de finir derrière les barreaux, inculpé pour agression ou coups et blessures. Par ailleurs, vous ne pouvez pas arrêter quelqu'un sous prétexte qu'il rote, qu'il vous a bousculé dans la queue au supermarché ou qu'il a traité votre sœur de boudin. Mais de récents amendements autorisent la police à interpeller un individu pour des peccadilles ou presque. On ne va pas tarder à voir les gars en uniforme arrêter des passants dans la rue « parce qu'ils avaient l'air louche, Votre Honneur ».

COMMENT
GAGNER AU CASINO
SANS TRICHER

———

Les paillettes, les jolies filles, la fièvre du jeu… Ah ! Las Vegas… Si vous avez toujours rêvé de remporter le jackpot au black jack, à la roulette ou à quoi que ce soit d'autre qui se joue à Las Vegas, laissez tomber. Vous risquez de ressortir de là bien plus pauvre qu'en y entrant. Tricher est puni par la loi ; savoir compter et mémoriser les cartes, ça prend des années et, de plus, les magnats qui font tourner ces établissements clinquants auront tôt fait de vous déloger en vous enfumant d'un coup de cigare. Mais il est quand même *possible* de gagner de l'argent au casino, à condition de suivre deux règles élémentaires :

◇ Apprenez par cœur les probabilités et faites des tests sur ordinateur en utilisant un logiciel adapté. Quand vous connaîtrez les cotes (c'est-à-dire la probabilité de profit sur un pari donné) sur le bout de vos doigts, vous serez prêt à entrer dans la partie.

◇ Misez *uniquement quand la chance est de votre côté* et repérez bien les joueurs aux tables de jeu.

Enfilez votre costume d'aventurier, le même que celui de James Bond quand il pénètre dans le casino, et avancez vers le type le plus bruyant de la salle : par exemple, celui qui est assis là-bas, à la table de craps. Il est déjà en train d'embrasser les dés en criant quelque chose comme : « C'est un cinq qui va sortir ! Je sens que la chance est de mon côté ! » Mais vous, vous savez que sur les 36 combinaisons possibles avec deux dés (6 x 6), il existe 4 façons d'obtenir un cinq. La cote est donc de 8 contre 1 pour que le type ne fasse pas de 5. C'est là que vous lui dites : « Je vous parie 4 contre 3 que ce bon vieux 5 ne sort pas. » À tous les coups, le joueur en oubliera ses cotes et pariera le contraire en faisant confiance au hasard. Et vous gagnerez.

◇ Quand vous gagnez, restez calme et posé ; quand vous perdez, faites-en tout un cirque. C'est ce qu'on appelle la technique inversée de la machine à sous.

Pour augmenter votre capital chance, pourquoi ne pas parier sur des certitudes ? Les jeux suivants sont à faire plutôt au restaurant ou au bar :

◇ Pariez 5 euros contre votre victime que vous pouvez faire un nœud avec une cigarette sans la casser. Pour cela, retirez le film plastique du paquet de cigarettes, défaites-le bien à plat et roulez une cigarette dedans de façon à avoir deux longs bouts que vous tournez en pointes. Faites votre nœud : la tige ne cassera pas, même si vous la piétinez et/ou la trempez dans votre verre. Défaites le nœud et empochez vos gains.

◇ À la fin d'un bon repas au restaurant, proposez à la tablée que Dame Fortune désigne celui qui va payer l'addition. Demandez à vos victimes de casser en deux un certain nombre d'allumettes puis de les déposer dans une soucoupe (propre – c'est mieux), avant de leur annoncer : « Chacun notre tour, nous allons prendre un bout d'allumette jusqu'à ce qu'il n'y en ait plus dans la soucoupe. La personne qui ramasse le dernier morceau doit payer l'addition. » Le secret est simple : commencez toujours le premier.

COMMENT
ENFLAMMER UN PET

L e moment précis où l'idée d'enflammer un pet a germé dans la tête du premier praticien de cet art s'est perdu dans la nuit des temps. Peut-être devons-nous cette invention à quelque homme de Neandertal qui tempêtait trop près du feu et qui fit ainsi, tout à fait par hasard, la lumière sur un monde nouveau, riche en petits plaisirs qui ne coûtent rien…

Quoi qu'il en soit, cette activité passionnante et éducative ne doit pas se pratiquer uniquement dans les dortoirs de colonies de vacances ou les vestiaires des clubs de rugby. Allumer un pet plutôt qu'un cigare pendant l'entracte du *Ring* de Wagner est certainement moins mauvais pour la santé, et les pantalons chic ne font pas obstacle à la réalisation de la chose.

Si c'est un truc qui vous tente, essayez quand même de comprendre l'aspect scientifique de la technique.

Les pets sont composés de cinq gaz : environ 59 % de nitrogène (N_2), 4 % d'oxygène (O_2), 9 % de dioxyde de carbone (CO_2), 21 % d'hydrogène (H_2) et 7 % de méthane (CH_4). Les gaz qui nous intéressent pour allumer un pet sont les deux derniers, l'hydrogène et le méthane, tous deux combustibles.

Le plus léger de tous, l'hydrogène, est un puissant combustible qui émet une flamme jaune en brûlant. Ce gaz alimente les navettes spatiales de la NASA et fut à l'origine de la tragédie du *Hindenburg*, un dirigeable allemand qui prit feu en vol en 1937. Inquiet pour la planète ? Pas de panique. Le principal avantage de l'hydrogène, c'est qu'il ne dégage pas de dioxyde de carbone en se consumant ; par conséquent, allumer un pet ne contribuera pas énormément au réchauffement de la planète.

Inodore, le méthane (gaz soi-disant naturel) dégage une flamme bleue qui ressort davantage du lance-flammes que celle de son cousin l'hydrogène. Seul un tiers de la population peut émettre ce gaz. Il paraîtrait que ces privilégiés ont même formé une confrérie. Dieu sait ce qu'ils peuvent bien se raconter lors de leur assemblée générale annuelle.

LA MÉTHODE

Un pet lumineux n'est visible que dans la pénombre. Donc, si vous vous produisez en public, pensez à tirer les rideaux. Et n'oubliez jamais que l'allumage de pet est parfois risqué : les vêtements, tentures et autres textiles peuvent prendre feu, et il a été fait mention de retours de flammes redoutables. Des études révèlent que, dans 25 % des cas, l'allumage de pet s'était retourné contre les personnes qui s'y étaient essayées. Parfois, ça chauffe même tellement que ça peut vous tirer une larme. Si vous voulez éviter une catastrophe comme celle du *Hindenburg*, suivez ces consignes à la lettre :

1 Allongez-vous sur le tapis, les genoux rabattus sur la poitrine, les pieds tendus vers le plafond, à l'abri des flammes.

2 Demandez à un ami de se tenir près de vous avec un torchon humide.

3 Utilisez une allumette longue pour éviter de vous brûler les doigts.

4 Gardez vos vêtements parce que les poils humains sont extrêmement inflammables.

◉ *Le pétomane Joseph Pujol pouvait jouer des airs de flûte avec ses fesses.* ◉

COMMENT
AVOIR UNE MÉMOIRE D'ÉLÉPHANT

S i la plupart des gens pense qu'il est impossible de mémoriser une liste de commissions, rares sont ceux qui oublient la couleur de leur voiture ou le chemin pour rentrer chez eux. Il se trouve que notre mémoire enregistre particulièrement bien les trajets. Pour mémoriser sans peine les achats que vous devez faire, il suffit d'appliquer une technique utilisée depuis la Grèce antique et qui consiste à associer les choses dont vous n'arrivez pas à vous souvenir à des déplacements ou des voyages marquants.

En premier lieu, visualisez un trajet familier dans votre tête. Ça peut être dans le jardin ou jusqu'au kiosque à journaux. Par exemple : (1) le seuil de votre porte, (2) la brasserie du coin, (3) le passage piéton, (4) le sex-shop, (5) la bibliothèque, (6) la fontaine, (7) le resto libanais qui fait des plats à emporter, (8) l'église en béton, etc.

À présent, imaginez une liste de courses typique. Par exemple : (1) les œufs, (2) la crème contre les hémorroïdes, (3) les oranges, (4) le pain, (5) les ampoules de 60 watts, (6) le lait, (7) l'ectoplasme, (8) la peur, etc. Vous aurez bien sûr remarqué que les deux derniers articles n'ont rien à voir avec une liste de courses : c'est juste pour l'entraînement, parce qu'ils sont plus difficiles à mémoriser.

Vous retiendrez plus facilement la liste si vous rattachez chaque article aux étapes de votre trajet, en l'associant à la représentation la plus rudimentaire ou la plus grotesque que vous puissiez imaginer. Supposons, par exemple, (1) que vous écrasiez un œuf sur le seuil de votre porte, (2) que le patron du café du coin soit en train de se tartiner de la crème contre les hémorroïdes, (3) qu'une orange géante traverse toute seule au passage clouté ou (4) que vous ayez brusquement envie d'un sandwich à n'importe quoi, etc. Pour les mots abstraits, essayez de les transformer en images concrètes. Par conséquent, en (7) ça peut être un ectoplasme jaillissant de chez le pâtissier à la première bouchée de paris-brest, en (8) un enfant apeuré (par l'ectoplasme) qui se cache derrière un tronc d'arbre. Pour les articles comme l'ampoule de 60 watts, rappelez-vous seulement l'ampoule : la puissance en watts vous reviendra automatiquement.

Si vous aimez vous donner en spectacle, demandez à quelques amis de vous citer dix objets en début de soirée et pariez avec eux que vous serez capable de tous les citer à la fin de la soirée. Comme les articles seront numérotés, vous serez en mesure d'en réciter la liste en un clin d'œil, dans l'ordre comme dans le désordre.

Je voulais ajouter quelque chose mais je ne m'en souviens plus...

COMMENT
CALCULER L'HEURE D'UN DÉCÈS

Vous passez rendre visite à votre meilleur copain et vous le trouvez raide mort, une épée plantée dans le dos. Manifestement, ça n'a rien d'un suicide. Le médecin légiste et les experts ne sont pas près d'arriver, sans parler du toubib qui mettra une demi-heure pour sortir minutieusement son stéthoscope de sa sacoche. Tout ça pour dire que vous avez un peu de temps à tuer devant vous. Et pendant tout ce temps, des preuves vitales disparaissent ! Pourquoi ne pas vous mettre au boulot tout de suite ? Il n'y a pas une minute à perdre…

1 PRENDRE LA TEMPÉRATURE RECTALE

En partant du principe que la température normale du corps est de 36,8 °C, il faut savoir qu'un cadavre frais se refroidit d'environ 1,5 °C par heure, jusqu'à ce qu'il atteigne la température ambiante. La peau se refroidit trois fois plus vite que le corps, sauf si le pauvre gars est étendu sur une couverture chauffante ou s'il est couché sur de la glace.

2 FAIRE BOUGER LES MEMBRES

Du fait des modifications chimiques qui s'opèrent dans les muscles, un corps commence à se rigidifier 3 heures après la mort. C'est ce qu'on appelle la rigidité cadavérique. Une température ambiante élevée accélère le processus, une température basse le ralentit. Ce raidissement démarre au niveau des paupières et poursuit son œuvre le long du visage et du corps, la rigidité atteignant son comble au bout de 12 heures environ. Entre 10 et 48 heures plus tard, le corps redevient mou. Mais tout cela varie énormément.

3 JETER UN ŒIL SOUS LE CORPS

Dès que le cœur s'arrête de battre, le sang se met à s'écouler vers le bas à cause de la gravité, avant de se figer. Les zones du corps où le sang est coagulé deviennent bleu foncé et forment de grosses taches, semblables à des bleus. Au bout de 5 à 6 heures, la peau est toute bleue mais laisse apparaître une tache blanche si vous appuyez à un endroit avec le doigt ; si la peau reste bleue, c'est que le décès remonte au moins à 10 heures. Des taches plus pâles apparaissent aux endroits où le corps est en contact avec le sol. Donc, mon cher Watson, si le bonhomme a été déplacé après sa mort, des différences révélatrices seront alors visibles.

4 VÉRIFIER LES YEUX

Des marques de décès apparaissent dans les yeux en quelques minutes seulement. Le blanc vire au gris et la cornée se voile. Environ 2 heures plus tard, elle devient terne, et elle est généralement totalement opaque au bout de 2 jours. Ces indices sont très utiles pour les croque-mort, qui aiment bien vérifier que le type qu'ils sont sur le point de clouer dans le cercueil a bel et bien trépassé. Ça soulage d'en avoir le cœur net.

5 EXAMINER LE CONTENU DE L'ESTOMAC

Là, il vous faudra un peu d'imagination. Mais vous pouvez tout bête-ment avoir recours à un bon tuyau et au bon vieux système basique du siphonage. Il faut à l'estomac entre 30 minutes et 6 heures pour digérer un repas. Un sandwich au fromage ressort aussi vite qu'il est entré, en tout cas beaucoup plus vite qu'un bol de minestrone suivi d'un confit de canard arrosé d'une demi-bouteille de bordeaux, le tout calé avec des profiteroles à la chantilly, un café et des digestifs.

6 CHERCHER LA PETITE BÊTE

Après 3 jours, votre cadavre hébergera sûrement une ribambelle de larves toutes frétillantes. Les mouches déposent dans les orifices leurs œufs qui éclosent très vite, parfois en moins de 24 heures. Le processus se pour-suit pendant 2 semaines, les asticots devenant de plus en plus impres-sionnants à mesure que les jours passent. Ce sont de gros mangeurs de graisse et il n'y a pas pénurie en la matière.

7 LES PREMIERS SIGNES DE DÉCOMPOSITION

En principe, la putréfaction s'amorce au bout de 2 jours dans les zones où les bactéries sont concentrées, mais sa progression dépend de la température ambiante ; bizarrement, les gros pourrissent plus vite que les maigres. Entre 2 et 3 jours plus tard, une trace verte apparaît sur l'ab-domen et le corps commence à se boursoufler, jusqu'à ce qu'une partie « cède » – pour rester poli… Environ 24 heures plus tard, la tache verte s'est étendue et les veines virent au marron foncé.

Au bout de 5 ou 6 jours, des ampoules se forment sur la peau, qui commence à se disloquer et à glisser comme une paire de gants. En 3 semaines, les tissus ramollissent peu à peu, des trucs se mettent à craquer à l'intérieur du corps et les ongles tombent. La liquéfaction met à peu près 1 mois à se mettre en place : les yeux commencent alors à « fondre » et les traits du visage deviennent méconnaissables. L'autolyse (autodestruction des cellules) est désormais bien entamée.

Mais il existe des moyens beaucoup plus simples pour déterminer l'heure d'un décès. Si la dernière page du journal intime du défunt mentionne, à la date du 16 septembre : « Me sens pas en grande forme aujourd'hui », et qu'on est le 17, c'est une première piste. Si le journal du jeudi est ouvert sur la table et que le reste du courrier est resté sur le paillasson, c'est également très révélateur. Pas besoin dans ce cas d'enfiler un masque pour faire votre enquête.

◉ *Alexandre le Grand serait mort d'une septicémie après avoir été mordu par son singe.* ◉

COMMENT
JOUER DU BINIOU

Il existe sûrement des femmes qui savent jouer du biniou, de même qu'on trouve aussi des hommes qui aiment retaper les coussins sur le canapé du salon, mais quand même, jouer de cet instrument, c'est plutôt un truc de mecs, tout comme la tonne de harissa sur le sandwich merguez-frites ou la passion pour la tondeuse-débroussailleuse.

Si vous maîtrisez les quelques règles que je vais vous donner, vous devriez assez vite placer correctement la bonne partie de l'instrument dans votre bouche et produire un bruit qui pourrait faire office de son. Par contre, pour faire danser les foules à la prochaine fête des mouettes de Landerneau, il vous faudra encore un peu de patience.

La première fois que vous allez poser la main sur un biniou, il y a de fortes chances pour que vous soyez très intimidé. Mais ne laissez pas voir votre inquiétude car le biniou sent la peur… Bien au contraire, empoignez l'instrument avec assurance et regardez-le droit dans les yeux, d'un air dominateur.

Ce que vous tenez, c'est une sorte de sac d'aspirateur recouvert d'une housse où sont introduits trois tubes en ébène. Le plus gros, le *bourdon basse*, est relié à deux *bourdons ténors*, plus petits, par un jeu de rubans aux couleurs très gaies. C'est par ces trois tuyaux que fuse la stridente mélopée. À l'extrémité du *sac* (ou *poche*) pendouille un quatrième tube pourvu d'un embout rond ; c'est lui qui produit les sons. Appelé *hautbois*, ce tuyau est percé de petits orifices. Le cinquième tuyau correspond au *bouffoir*, et c'est là-dedans que vous devez souffler.

Quand le biniou tourne à plein régime, il émet un son plaintif continuel. Comme les bourdons ne permettent aucun intervalle entre les notes, les sons s'articulent grâce au placement des doigts sur les trous du hautbois. Inutile de maîtriser la respiration circulaire pour jouer du biniou : votre réservoir d'air se recharge en permanence à chaque gonflement du sac.

La meilleure façon de s'y mettre, c'est de soulever la poche et de poser les trois bourdons sur votre épaule gauche, le bourdon basse près de votre oreille. Enfoncez le bouffoir dans votre bouche et laissez le hautbois pendre sur votre ventre. Démêlez les rubans et les bourdons avant de réussir à bien les caler ne devrait pas vous prendre plus de 6 ou 7 heures.

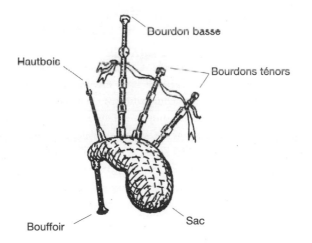

Bourdon basse

Hautbois

Bourdons ténors

Bouffoir

Sac

Si vous ne voyez rien qui ressemble à un bourdon et que vous tenez une sorte de petite bourse poilue à bandoulière, c'est que vous avez pris la pochette de votre voisine. Ne soufflez surtout pas dedans.

Quand vous êtes enfin prêt, soufflez périodiquement dans l'anche tandis que vous comprimez le sac sous votre aisselle gauche, produisant par conséquent un souffle continu à travers les coulisses (situées à l'intérieur des tubes). Coordonner cette histoire de presser-souffler n'est pas plus compliqué que de jouer avec l'embrayage et l'accélérateur d'une voiture, l'avantage étant que vous ne finirez pas dans le fossé si vous vous plantez. Si vous faites les choses plus ou moins correctement, un son mélodieux devrait bientôt fuser. Une fois que vous maîtriserez bien les bourdons (le son émis ressemble au grognement d'un ours en train de rêver qu'il étrangle un singe), commencez à déplacer vos doigts sur les orifices du hautbois et l'instrument émettra de la musique.

Je vous avais prévenu : c'est un cours assez basique. Mais comme dirait l'autre : « À cœur vaillant rien d'impossible. »

◎ *La plus grande gavotte du monde a duré 3 heures avec 48 musiciens et 3 500 danseurs.* ◎

COMMENT
TONDRE UN MOUTON

U n exercice dont la maîtrise est indispensable à tous ceux que *Le Secret de Brokeback Moutain* a ému aux larmes.

Les lames des tondeuses à moutons peuvent facilement s'émousser, surtout quand on tombe sur la bien nommée zone « en poignard » autour de la queue de la bestiole ou sur une toison pleine de sable ou de bruyère. Demandez au mécanicien du coin de l'aiguiser pour vous (c'est difficile d'obtenir une lame parfaitement affûtée avec une simple pierre à aiguiser). Deux paires devraient suffire pour tondre une quarantaine de moutons.

Choisir sa prise

◇ *Prise à l'ancienne.* Ficelez les quatre pattes du mouton et placez-le sur un tabouret de tonte. Jadis, la tonte des moutons était un travail de femme et le tabouret réduisait considérablement le mal de dos.

◇ *Prise traditionnelle.* Coincez fermement le mouton entre vos genoux pour que l'animal soit assis sur son derrière, comme s'il regardait la télé, et tenez ses pattes avant avec votre main libre (celle qui ne tient pas la tondeuse). Pour plus de stabilité, vous pouvez enlacer votre jambe autour des pattes arrière. Attention aux cornes si vous avez affaire à un bélier !

Deux techniques de tonte

1 Commencez par le ventre. Soulevez la toison et maintenez-la tendue à mesure que vous coupez, en travaillant autour du derrière, puis en tondant la patte arrière de votre choix. À présent, travaillez le flanc du mouton du côté de la patte tondue, puis passez de l'autre côté, en tondant tour à tour les pattes. Avec un peu de chance, la laine partira d'un seul morceau.

2 Tondez la toison autour du cou jusqu'à la base de la mâchoire, puis travaillez l'ensemble du corps de l'arrière vers l'avant. « Décollez » la laine en la passant par-dessus la tête de l'animal. Si vous pratiquez la prise à l'ancienne, la laine du ventre doit venir en dernier.

Pour libérer la bête

Comme votre mouton va être franchement vexé de se retrouver tout nu, libérez-le rapidement. Reculez d'un pas et prenez un air tout-puissant.

LE B.A.-BA DE L'ESPAGNOL

Lorsqu'on voyage à l'étranger, la politesse élémentaire exige qu'on fasse un minimum d'effort pour converser avec les habitants dans leur langue. Sauf qu'en Espagne ce n'est pas toujours facile : la première langue utilisée par vos nouveaux amis pourra être soit le catalan, soit le galicien, soit le basque. Voici quand même quelques phrases pratiques qui devraient vous permettre de vous tirer d'affaire. Merci à Roberto Garcìa pour son aide sur ce coup.

Comment allez-vous ?
¿ Qué tal ?

Arrêtez de tripoter les fesses de ma copine !
¡ Deje el cuolo de mi novia en paz !

Ce torero a l'air d'une vraie tapette.
El toreador, parcece ser maricón.

Pardon d'interrompre votre sieste, Pedro, mais je voudrais être servi.
Perdone molestar tu siesta, Pedro, pero necessito servizio.

Votre personnel a-t-il suivi une formation auprès du général Franco ?
¿ Eran Franquístas vuestro personal ?

C'est normal que cette paella sente les petits coins ?
¿ Y porque huela esta paella de mierda ?

Bouge ta carcasse brune et bouffie, qu'on prenne un peu le soleil.
Muevete culazo gordo, quiero tomar el sol.

S'il te plaît, arrête de péter : je suis français.
Cede de echarse pedos, soy frances.

Vous ne connaissez pas les robinets dans ce foutu trou à rats ?
¿ Es que no tienen grifos en este mierda de establecimiento ?

Rappelez-moi une chose : dans quel camp étiez-vous pendant la guerre ?
¿ Recuerdeme, en que parte de la guerra lucho ?

Enlève ce stupide sombrero, t'as failli m'éborgner !
¡ Quítate ese sombrero ridículo, casi me quitas el ojo !

Vos sales petits mouflets me donnent des haut-le-cœur.
Tus hijos me hacen vomitas.

Va te faire voir, espèce de branleur !
¡ Jódete, Diego !

Cet endroit empeste le poney.
Este sitio huela a burro.

C'est consternant !
¡ Que degracia !

☻ *Le sombrero est un chapeau mexicain porté en Espagne principalement par les touristes.* ☻

COMMENT
BOIRE UNE KWAK
SANS SE NOYER

S i vous n'êtes pas capable de boire un verre de kwak cul sec, c'est que vous n'êtes pas un vrai mec. Par conséquent, voici un manuel d'instructions – théorie et pratique comprises – sur l'art de descendre un « chevalier » sans chipoter.

La kwak est une bière belge ambrée qui titre 8 % d'alcool ; c'est donc loin d'être du pipi de chat. Elle est servie dans un verre haut appelé *chevalier*, en forme de ballon en bas et de trompette en haut, avec un rétrécissement entre les deux. Du coup, il permet de boire en toutes circonstances : on prétend même que c'était le verre des cochers, sa forme permettant que la bière ne se répande pas partout au premier cahot…

Pour le nom, *kwak* est censé imiter le bruit que ça fait quand on boit cul sec et que l'air remonte dans le verre. Plus sérieusement, ce serait le nom du brasseur Pauwel Kwak, l'inventeur de ce nectar profond.

Traditionnellement, le chevalier se boit *à fond*, comme on dit en Belgique, dans les occasions solennelles comme une soirée de foot entre hommes. Sauf que la forme du verre rend la prouesse quasiment impossible, même pour les professionnels. Sans parler de la quantité de bière contenue dans le verre : entre 1 et 2 litres selon les modèles…

La difficulté repose sur un principe de physique élémentaire et j'estime qu'une démonstration pourrait intéresser une classe d'ados obligée de s'infuser un cours sur la dynamique des fluides. En tout cas, sûrement plus que les équations qu'on leur fourre d'habitude dans la tête.

En pratique, le buveur doit basculer le verre de kwak pour faire couler la bière dans sa bouche. Essayez et vous verrez que le premier défi consiste à incliner le verre assez lentement pour que la bière ne vous dégouline pas sur le visage. Malheureusement, son embout bien évasé ne vous facilite pas la tâche !

La deuxième difficulté, et sans doute la plus difficile à gérer, c'est que l'air ne peut pas atteindre le ballon du verre tant que ce dernier n'est pas à angle aigu. Donc, au lieu que la bière s'écoule lentement, un déluge vous inonde subitement, comme les citernes d'eau de la section des effets spéciaux à Hollywood. Un *kwak* caractéristique annonce le tsunami qui engloutit soudain votre visage et vos épaules. Certains disent que faire tournoyer le verre pendant qu'on boit facilite le truc au niveau de la pression de l'air, mais je n'ai pas encore réussi à trouver comment ça marche.

La clé du succès, c'est bien sûr de s'entraîner, et choisir le lieu de vos premiers essais est déjà assez délicat. La salle de bains, peut-être ? De toute façon, un jour viendra où vous serez mis au défi de boire à fond un chevalier de kwak dans un lieu moins protégé. Alors soyez fort.

La première partie est assez facile : faites basculer le verre lentement et commencez à boire. Ne faites pas attention à ce qui déborde : vous ne pouvez rien y faire. Si l'idée de faire tourner un peu le verre vous plaît, allez-y, mais évitez de brandir le truc comme si c'était la flûte d'un charmeur de serpents : c'est l'inondation assurée.

Quand vous sentez la brusque montée des eaux arriver, *n'essayez surtout pas d'avaler toute cette bière* ! Ce serait comme de chercher à boire l'écoulement d'un collecteur d'eaux pluviales pendant un ouragan. La bière pénétrera dans votre bouche, remontera par le mauvais tuyau jusqu'à votre nez et rejaillira par vos narines en formant deux jets parallèles, tandis que vous tituberez en bavant, le souffle coupé. Le mieux, c'est encore de fermer les yeux : au pire, vous prendrez une bonne douche et vos lunettes seront balayées par la marée.

En gros, le défi du verre de kwak cul sec est impossible à relever. C'est pour ça que les gens en raffolent. Le secret des types qui battent tous les records en sifflant un verre de kwak en 3 secondes, c'est qu'ils en déversent une bonne partie sur le tapis.

Survivre à cette déferlante est donc une question de bluff. Sans compter l'équipement de circonstance : un ciré et un chapeau de marin en toile enduite jaune, et les bottes qui vont avec…

◉ *L'Oktoberfest de Munich a lieu en septembre.* ◉

COMMENT
AVOIR L'AIR DE TOUCHER SA BILLE EN SCIENCE

L'idée selon laquelle nous devons admettre pour vrais des faits probablement véridiques (des faits scientifiques, donc) n'a jamais que 400 ans. Les scientifiques observent la nature, essaient de deviner plus ou moins ce qui se passe, puis font des expériences pour tenter de démentir leurs hypothèses et celles des autres. Si une supposition ne tient pas debout après expérimentation, c'est qu'elle est fausse. Même si vous vous appelez Einstein. Une théorie qui tient encore la route après expérimentation est considérée comme vraie. Mais seulement à titre *provisoire.*

CE QU'IL FAUT SAVOIR POUR AVOIR L'AIR CALÉ

◊ *4000 avant J.-C.* Les Mésopotamiens présument que la Terre est le centre de l'univers. Faux !

◊ *IVᵉ siècle avant J.-C.* Les Grecs expliquent le monde par le biais de l'arithmétique, de la logique et de la philosophie. Ils pensent que la matière est formée de grains invisibles ne pouvant être divisés (les atomes). Une supposition déterminante. Et tout ce qu'il y a de plus juste.

◊ *XIIIᵉ siècle.* Les Européens commencent à consolider théories et expériences scientifiques – fausses pour la plupart. Les progrès sont inégaux et l'Église est antagoniste.

◊ *1543.* Copernic proclame que la Terre tourne autour du Soleil. Le pape de l'époque dit que c'est faux, mais tout le monde sait aujourd'hui que la théorie de Copernic était juste...

◊ *XVIIᵉ siècle.* La science moderne démarre. En 1628, William Harvey démontre que le sang circule à travers tout le corps. En 1666, Newton réalise que la gravitation affecte aussi bien les planètes que les pommes.

◊ *XVIIIᵉ siècle.* Le siècle des Lumières voit le développement de la biologie et de la chimie.

◊ *XIXᵉ siècle.* Des hypothèses scientifiques entérinées depuis longtemps commencent à s'effondrer. En 1803, John Dalton est le premier à énoncer que la matière est composée d'atomes de masses différentes ; sa théorie va être la base de la chimie moderne. André Marie Ampère fonde la théorie de l'électromagnétisme en 1827 ; ses travaux sur l'électricité vont beaucoup influencer la physique du XIXᵉ siècle, sans compter qu'on lui doit l'invention de termes comme *courant* ou *tension* et une unité de mesure du courant électrique baptisée *ampère*. En 1859, Darwin publie son *Origine des espèces par la sélection naturelle* ; sa théorie de l'évolution provoque un tollé car elle cherche à démontrer que l'homme descendrait de l'animal et ne serait pas une créature de Dieu !

◊ *XXᵉ siècle.* Einstein stupéfie tout le monde avec ses théories bizarres sur la relativité (générale et spécifique). La mécanique quantique, encore plus étrange, entreprend d'expliquer ce qui se passe dans le monde microscopique. Bien que rejetée par Einstein, la mécanique quantique n'est toujours pas récusée (du moins jusqu'à aujourd'hui). La structure en double hélice de l'ADN est identifiée par James Watson et Francis Crick.

◇ *XXIe siècle.* Le Projet génome humain (PGH) établit une cartographie complète de notre matériel génétique. La théorie des cordes pourrait se révéler un jour comme une théorie du tout. Si vous voulez exposer un bout de cette théorie sans vous prendre les pieds dans le tapis, il va falloir vous pencher sur des mots barbares comme *gravité quantique*, *mécanique quantique*, *réduction dimensionnelle* et autres notions compliquées. Ou alors dites « théorie des cordes » en prenant un air inspiré et passez vite à autre chose…

◉ *Une puce au début de son saut accélère 20 fois plus vite qu'une navette spatiale au décollage.* ◉

LE DWILE FLONKING POUR DÉBUTANTS

Ce jeu à boire, qui se pratique, avec 2 équipes de 12 hommes, à l'extérieur des pubs, en Angleterre, est incontournable pour tous ceux qui tiennent à faire bonne figure auprès de leurs collègues de la filiale londonnienne. Entre le combat de manches à balai et la bagarre d'ivrognes…

D'OÙ ÇA VIENT ?

Le mot *dwile*, ou *dwyle*, qui ne date pas d'hier, désigne une lavette ; on lui connaît un petit cousin hollandais, *dweil*, pour « serpillière », qui pourrait avoir été importé en Angleterre par les tisserands flamands du Moyen Âge. Quant au mot *flonk*, sûrement dérivé de *flong*, le passé du vieil anglais *fling* (« jeter »), il a aussi un autre sens puisqu'il désignait la bière il y a fort longtemps.

COMMENT ÇA SE JOUE ?

On forme deux équipes et on désigne un *jobanowl* (arbitre) censé garantir que le jeu se déroule en toute équité. Le *jobanowl* lance un morceau de sucre pour décider quel type va jouer le premier tandis que le reste de son équipe se retire. Une serpillière est placée dans un pot de chambre rempli de bière.

L'arbitre donne le signal de départ et l'équipe adverse se donne la main pour former une ronde autour du *flonker* (lanceur), qui enveloppe l'extrémité d'un manche à balai avec la serpillière pleine de bière et tente de frapper ses adversaires. Ces derniers ont le droit d'esquiver la serpillière mais doivent rester à portée de manche.

L'arbitre peut, quand ça lui chante, ordonner au cercle de changer le sens de sa ronde et il attribue des points au lanceur en fonction de l'endroit où atterrit la serpillière : on compte 3 points pour une claque sur la tête (*wanton*), 2 si la serpillière touche le corps (*marther*), 1 si elle touche la jambe (*ripple*). Si le *flonker* ne parvient pas à toucher un seul adversaire au bout de deux essais, il doit boire toute la bière du pot de chambre avant que l'équipe adverse ait eu le temps de se passer la serpillière de main en main en chantant « Pot pot pot ! » (ne me demandez pas pourquoi, je l'ignore). Quand le *flonker* a tout épongé, il passe le relais à un membre de son équipe, et ainsi de suite. Quand toute l'équipe a joué, c'est au tour de l'autre équipe d'entrer dans la partie, comme au cricket.

L'équipe gagnante est celle qui marque le plus de points au final ; en règle générale, c'est celle qui possède le plus de membres à peu près debout ! Les vainqueurs doivent ensuite boire tout un pot de chambre rempli de bière.

Il est bien sûr interdit de conduire ou d'utiliser des machines lourdes après une partie de *dwile flonking*.

◉ *Les buveurs expérimentés obtiennent de meilleurs scores que les non-buveurs aux tests cognitifs.* ◉

COMMENT
COMPTER JUSQU'À DIX
EN ÉCRITURE CUNÉIFORME

L a première langue écrite fut inventée par les Sumériens il y a à peu près 5 000 ans. Les caractères étaient gravés sur des tablettes d'argile douce à l'aide d'un stylet à anche et ils présentaient une forme de clou ou de coin (sorte de gros clou qui sert à fendre le bois) qui a amené nos érudits modernes à qualifier cette écriture de « cunéiforme », c'est-à-dire en forme de coin, du latin *cuneus*.

Au début, le cunéiforme était une écriture pictographique, un peu comme le japonais, puis elle est devenue syllabique, donc abstraite : un signe ne représente rien d'autre qu'un signe, et il faut plusieurs signes pour faire un mot... La première fonction de cette écriture était de consigner des transactions commerciales en utilisant un système décimal.

Les nombres étaient exprimés de façon primitive : si Pierre vendait 6 chèvres à Paul, les scribes inscrivaient 6 fois le signe « chèvre ». Ce qui devenait légèrement cauchemardesque quand il fallait compter les grains de riz.

Donc, vers 3000 avant J.-C., les nombres et les articles auxquels ils faisaient référence ont commencé à être figurés séparément. Au lieu d'écrire « chèvre » un certain nombre de fois, les scribes se sont mis à noter le symbole de la denrée en face du nombre approprié la représentant. Ce gigantesque bond conceptuel permit aux chiffres d'être désormais identifiés et pris en considération indépendamment des objets réels, d'une manière plus sophistiquée, plus complexe et plus utile. Et cela a sans doute simplifié la vie de nos jeunes scribes en les délivrant de nombreux supplices comme de graver un nombre de fois astronomique le signe « brique » au moment de l'édification de la nouvelle aile du super-palais de l'empereur Teglath-Phalasar.

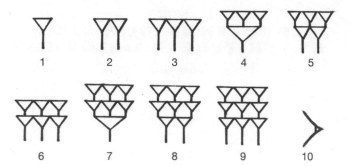

LES CHIFFRES

Les chiffres cunéiformes s'écrivent à l'aide d'une combinaison de deux signes : un clou vertical mince correspondant au chiffre 1, un plus gros équivalant au chiffre 10. Le système de base (moins quelques variantes courantes) est illustré ci-dessus.

Entraînez-vous avec un morceau de pâte à modeler et une paille en plastique ou quelque chose du genre et vous obtiendrez une tablette cunéiforme d'aspect tout à fait authentique. Esquissé à la hâte sur un dessous de verre, un comptage sans faute jusqu'à 10 en cunéiforme devrait vous rapporter au moins une pinte gratuite.

⊙ *Les Chinois représentent le 10 en faisant une croix avec leurs deux index tandis que les Européens montrent tous leurs doigts.* ⊙

COMMENT
JOUER AU POLO
SUR DES ÉLÉPHANTS

Comparable au polo ordinaire (déjà bien exotique pour les continentaux), le polo à dos d'éléphant s'est joué pour la première fois en Inde au début du XXe siècle, avec des maillets en bambou de 2,70 mètres de haut. Au début, on utilisait des ballons de foot, mais les éléphants les écrasaient systématiquement. Il se joue donc désormais avec une balle de polo standard, sur un terrain mesurant en longueur les trois quarts d'un terrain normal, car les éléphants courent moins vite que les chevaux.

L'autre principale différence avec le polo à cheval, c'est que l'éléphant n'est pas dirigé par son cavalier (le joueur qui est perché sur son dos) mais par le cornac, c'est-à-dire son dresseur. Le joueur indique au cornac où il veut aller et ce qu'il veut faire, et ce dernier passe l'information à l'éléphant, en lui parlant ou en appuyant derrière ses oreilles avec ses pieds. Les éléphants entraînés au polo sont monolingues et ne comprennent que le népalais – ce qui peut prêter à confusion.

LES PRINCIPALES RÈGLES

Une équipe se compose de 4 éléphants et de 4 joueurs. Un arbitre supervise le jeu, aidé d'un assistant monté sur un éléphant arbitre.

- ❖ Le jeu démarre quand l'arbitre lance la balle entre 2 éléphants adversaires, positionnés à l'intérieur du cercle central.
- ❖ La partie comprend 2 périodes de jeu de 2 fois 10 minutes appelées *chukkas*, interrompues par une mi-temps de 15 minutes durant laquelle les joueurs changent de camp et d'éléphants.
- ❖ Les éléphants d'une même équipe ne peuvent pas se trouver sur un camp (moitié de terrain) à plus de 3 au même moment.
- ❖ Il y a faute si un éléphant s'allonge devant le but, parce que ça empêche tout le monde de jouer. L'équipe adverse obtient alors automatiquement un penalty.
- ❖ Les hommes doivent jouer uniquement de la main droite, mais les dames peuvent jouer des deux mains.
- ❖ Aucun joueur n'a le droit de frapper un autre joueur, ou un éléphant, ou encore l'arbitre avec son maillet.
- ❖ Il y a faute si un éléphant ramasse la balle avec sa trompe (pas avec ses pattes, évidemment). L'équipe adverse peut alors tirer un coup franc depuis l'endroit où la balle a été ramassée.
- ❖ Il est interdit de marcher sur la balle.
- ❖ Les cornacs et les joueurs doivent porter un chapeau colonial ou un casque de polo.

◇ À la fin de la partie, les éléphants reçoivent en récompense une boule de riz imbibée de sucre et les cornacs une bière fraîche. Interdiction de troquer la boule de riz contre la bière.

◉ *Les éléphants mâles n'ont pas de scrotum.* ◉

COMMENT
AVOIR L'AIR DE TOUCHER SA BILLE EN PHILO

Contrairement aux règles mathématiques, les concepts philosophiques ne peuvent être ni prouvés ni récusés. Difficile de réfuter des allégations du style « Le savoir n'existe pas » ou « Les animaux n'ont aucun droit » en s'appuyant sur la table de logarithmes. Vous pouvez débattre toute la nuit sans craindre de devoir aboutir à une conclusion. Et c'est justement pour ça que la philo, tout comme la politique, constitue un sujet en or pour le baratineur averti.

LES PHILOSOPHES

Il existe deux grandes catégories de philosophes. Avec la première, on peut plus ou moins deviner où le type veut en venir. Prenons l'exemple de cette affirmation de Bertrand Russel, penseur de la catégorie 1 :

> « Il se peut, pour autant que je sache, qu'il existe d'admirables raisons pour manger des petits pois avec un couteau, mais l'effet hypnotique d'une conviction antérieure m'a rendu totalement incapable de les mesurer à leur juste valeur. »

Parfait exemple philosophique de ce qui s'appelle « être clair comme de l'eau de roche ». Par contre, les philosophes de la catégorie 2 sont parfaitement incompréhensibles. Ils disent des choses du genre :

« Le passage d'un concept homologue, dans lequel le capital est appréhendé, à des relations sociétales de condition dans des modalités structuralistes fondamentales en tant qu'appréciation des constructions oligarchiques ou hégémoniques – dans lesquelles la sujétion capitaliste dépend de la réaffirmation, de la reconvergence, et de la réarticulation – évoque le dilemme de l'éphémérité conceptuelle en tant que notion d'une structure renouvelée, distinctif d'un passage de la présentation des denrées en tant qu'ensemble hypothétique, à un passage dans lequel la cognition des potentialités contingentes de la structure amorce, à l'inverse, une représentation revivifiée de l'hégémonie en tant qu'élément inéluctable des tropes et tactiques du renoncement de la puissance. »

Ce style grandiloquent est celui que vous devez adopter si vous voulez avoir l'air calé en philo. Apprenez par cœur quelques formules « étouffe-chrétien » de ce genre, en vous gardant un grand choix de vocabulaire dans la manche, et vous aurez *une réponse toute faite pour n'importe quelle question philosophique* lancée à votre attention. Qui plus est, vos amis penseront que vous êtes vraiment doué.

Et n'oubliez pas le costume. Il joue aussi pour beaucoup :

◇ Le pantalon à pinces bien repassé, la veste de sport en Nylon et les chemises avec un col de couleur différente constituent la tenue indispensable du philosophe analytique. Vous aurez aussi besoin de quelques crayons très bien taillés.

◇ Les jeans noirs, tee-shirts noirs et vestes en cuir noires sont typiques du philosophe européen. À marier avec le stylo-plume, qui va de pair avec ces schémas indéchiffrables, tout en flèches, en lignes et en points d'interrogation.

◇ Les sacs en velours côtelé et les vestes en tweed rapiécées aux coudes sont l'apanage de l'historien de la philosophie. Naturellement, la pipe est de rigueur. Si l'on vous pose une question délicate, mettez-vous simplement à la nettoyer. Ça prend des heures.

◇ En ajoutant une paire de lunettes chic et chère, un type simplement vêtu peut se transformer en un clin d'œil en professeur de culture générale. Solution facile entre toutes.

◉ *Aristote pensait que la direction du vent déterminait le sexe d'un bébé.* ◉

COMMENT
PROMENER SA DOUCE EN BARQUE SANS SE COUVRIR DE RIDICULE

N'importe quel homme éprouve de la compassion à la vue d'un pair contraint de se faire passer pour un gondolier vénitien à seule fin de séduire sa belle en ayant l'air de maîtriser parfaitement la situation. Cette solidarité découle du fait que celui qui assiste au spectacle depuis la berge se rend compte qu'il serait lui-même aussi incapable de manier la perche que d'avaler une douzaine de lames de rasoir. Voici enfin la bonne méthode pour jouer les gondoliers sans avoir l'air ridicule.

1 Tenez-vous debout à la poupe (à l'arrière), un pied calé du côté où vous allez utiliser la perche.

2 Quand les badauds ont fini d'installer leur pique-nique sur la rive et que les chiens alentour ont cessé d'aboyer, inclinez lentement le haut de la perche bien en avant, plongez-la dans la vase et ramenez-la vers vous d'un geste vigoureux.

3 La barque se met à avancer et votre corps se rapproche de la perche pour arriver à son niveau : poussez-la d'un bon coup en arrière.

4 Ne commettez pas l'erreur élémentaire de « remonter » vos mains. Au contraire, dès que vous avez fini de pousser, hissez brusquement la perche hors de l'eau et rabattez-la au large, le plus loin possible, en essayant d'éviter d'arracher le canotier du professeur moraliste assis dans la barque qui s'approche en sens inverse.

5 Plongez la perche dans l'eau devant vous et répétez le processus. À mesure que vous accélérez, vous devez viser plus loin, de façon

que votre corps ne se trouve pas au-dessus de la perche quand celle-ci touche le fond.

6   Savoir redresser la perche relève d'un art véritable et beaucoup de débutants ont dû, impuissants et lamentables, contempler leur perche immobile, piquée dans la vase derrière eux, tandis que la barque continuait d'avancer. Essayez de redresser la perche en trois temps et ne la lâchez jamais. Si vous ramez à gauche, levez d'abord la perche de la main droite, puis gauche, puis droite, en laissant toujours la main droite en haut pour rabattre la perche. Les mouvements sont inversés si vous ramez à droite. La perche ne doit à aucun moment toucher la barque.

7   Il est inutile de changer la perche de côté pour avancer droit. Pour rester dans l'axe, dirigez-la très légèrement sous la barque afin que son extrémité ne soit pas exactement d'aplomb. Pour tourner, changez d'angle de manière appropriée. La perche constitue un formidable gouvernail ; alors utilisez vos mains pour faire doucement pression dans le sens opposé à votre direction et vous serez lancé.

◎ *Les hommes sont trois fois plus nombreux à se noyer que les femmes.* ◎

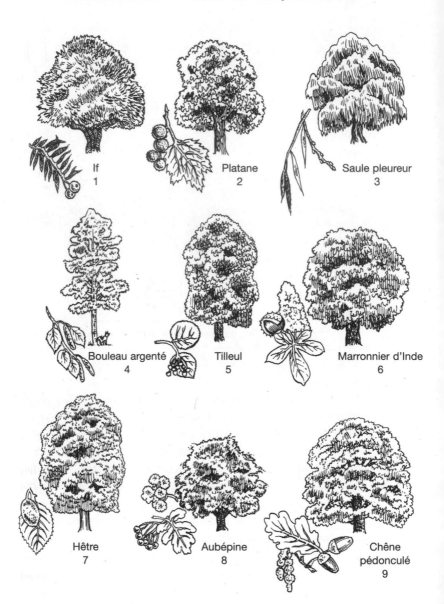

If
1

Platane
2

Saule pleureur
3

Bouleau argenté
4

Tilleul
5

Marronnier d'Inde
6

Hêtre
7

Aubépine
8

Chêne
pédonculé
9

COMMENT
RECONNAÎTRE LES ARBRES

Nous sommes entourés d'arbres dans notre vie de tous les jours (enfin presque) mais je suis sûr que bon nombre d'entre vous seraient bien en peine de faire la différence entre un chêne et un châtaignier. À priori, entre un sapin et un palmier ça devrait aller, et encore... Si vous êtes aussi ignorant que moi, lisez mon petit topo sur les espèces les plus courantes et regardez les images de la page ci-contre.

1   Le fruit de l'if est vénéneux, mais l'arbre est intéressant en buisson. Mon ami Oscar possède ainsi une gigantesque haie d'ifs au bout de son terrain de tennis : c'est l'idéal pour stopper les balles perdues. Le feuillage persistant est parfait pour les cimetières et vous en trouverez souvent de très anciens qui se dressent, silencieux, entre les pierres tombales des plus vieux locataires.

2   Jusqu'à présent, le platane a survécu à tout ce que la circulation des grandes villes peut lui envoyer dans le feuillage ; cet arbre perd facilement et régulièrement son écorce – d'où les grosses taches pâles caractéristiques sur son tronc –, ce qui lui permet finalement de se débarrasser de la crasse amoncelée.

3   Si vous n'êtes même pas capable de repérer un saule pleureur, il y a peu de chances pour que vous sachiez faire un jour la différence entre l'écorce du frêne et celle de l'orme. Bordant souvent les rives des ruisseaux ou des bassins, le saule pleureur est identifiable à son feuillage souple et tombant, dont le bruissement évoque la douceur de l'été.

4   Le bouleau argenté est un arbre ancien : maigre, calme et bien élevé ; comme le tilleul, il ne se mêle pas des affaires des autres. Son écorce noir et blanc en écailles permet bien souvent de le reconnaître.

5   Sans prétention, poli et effacé, le tilleul est souvent sous-estimé. Cherchez-en un et passez la journée avec lui.

6 Avec le chêne, le marronnier d'Inde est certainement l'arbre le plus facile à identifier (et sans doute un des plus répandus en Europe). Les feuilles des vieux sujets peuvent être gigantesques. Quant au plaisir de ramasser les marrons fraîchement tombés, ça reste une des activités préférées des enfants quand vient l'automne.

7 Il paraît que les faines de hêtre sont délicieuses. Encore faut-il pouvoir les sortir de leur coquille pleine de piquants. Droit comme un I, le hêtre bien enraciné est une perspective rassurante sous un ciel menaçant. Cet arbre a quelque chose de militaire (je trouve).

8 Les délicates fleurs de l'aubépine sont ravissantes, mais l'arbre en tant que tel est plutôt assez maussade.

9 Parmi tous les arbres qui habitent la forêt, c'est le chêne qui porte la couronne. Il paraît qu'on en trouve encore qui ont un peu connu Charlemagne et il y a de grandes chances pour que l'arbre sous lequel vous êtes assis soit bien plus âgé que vous. Le chêne pédonculé est juste un moyen sophistiqué de désigner le chêne que nous connaissons tous. Le principal cadeau qu'il nous offre, ce sont ses glands et ses feuilles à la circonférence sinueuse.

COMMENT
RÉDIGER SON TESTAMENT

Beaucoup d'adultes trépassent sans avoir fait de testament. C'est ce qu'on appelle « décéder intestat ». Et vous n'imaginez pas comme c'est compliqué pour les survivants. Par exemple, est-ce que vous saviez que votre femme, si vous mourez le premier, n'est pas « héritier de premier rang » ? Cela signifie que, suivant des calculs assez difficiles à expliquer en deux mots, elle pourra hériter d'une partie de vos biens, mais elle devra partager avec vos enfants (et ceux que vous pourriez avoir eus sans elle), mais aussi avec vos parents ou vos frères et sœurs. La loi est assez complexe et les répartitions se font selon des règles de calcul précises. Imaginez maintenant que vous vouliez laisser à votre maîtresse le petit dix-pièces que vous avez acheté à Deauville en douce… Là aussi il y a des règles qui protègent vos proches, mais un testament, ça aide à préciser vos volontés et ça limite un peu les dégâts de la succession…

LES TYPES DE TESTAMENTS

La plupart des testaments sont « homologués », c'est-à-dire qu'ils sont rédigés et signés par des témoins qui confirment que le document reflète les souhaits de son auteur et que ce dernier n'était pas dingue au moment de la rédaction.

Moins connu, le testament « nuncupatif » est celui que le presque défunt baragouine sur son lit de mort à des témoins qui griffonnent ce qu'ils pensent avoir compris avant de présenter leurs notes au notaire. Les testaments de ce genre sont truffés de problèmes, comme vous pouvez l'imaginer.

Les notaires insistent toujours sur l'importance de faire rédiger votre testament par leurs soins, mais la facture découlant de cette prérogative est loin d'être insignifiante. Aussi, ne prenez par leur recommandation (pas tout à fait désintéressée) pour argent comptant. Pourquoi ne pas rédiger vous-même votre testament ?

Les modèles de testaments sont téléchargeables en ligne. Sinon, vous pouvez faire un testament dit « olographe » : c'est gratuit. Rien à voir avec des images laser en 3-D. Bien au contraire puisque, pour être valable, il doit être complètement rédigé de la main du testateur, daté (jour, mois et année) et signé. Ce testament est parfait si les choses sont simples : en clair, si vous n'êtes pas actionnaire de dix-sept sociétés dans divers paradis fiscaux et si vous n'avez pas une dizaine d'enfants plus ou moins reconnus dispersés un peu partout.

RÉDIGER UN TESTAMENT OLOGRAPHE

À condition qu'il soit entièrement rédigé par vos soins, il n'est pas indispensable d'avoir des témoins. Les marins ballottés par la tempête et les soldats sous les bombes se retrouvent souvent obligés de bricoler à la va-vite un testament manuscrit, et l'absence d'un notaire à leurs côtés doit sûrement doter leur sacrifice imminent d'une magnifique sérénité.

D'après le *Guinness mondial des records*, le plus court testament jamais enregistré était rédigé ainsi : « Tout pour femme », écrit sur le mur de la chambre à coucher d'un type qui avait dû sentir qu'il était vraiment sur le point d'y passer. C'était parfaitement légal, puisque, manifestement, c'était son œuvre et pas celle d'un autre.

Un autre gars audacieux, un fermier, qui se retrouva écrasé sous son tracteur, distribua ses biens en les inscrivant sur les pare-chocs boueux du véhicule. J'ai parcouru la lettre d'homologation (la partie légale) sans un mot : sans aucun doute, un exemple pour nous tous.

◉ *Les premières monnaies étaient fondues dans un alliage d'or et d'argent.* ◉

COMMENT
SE RAPPELER LES NOMS
DES EMPEREURS ROMAINS

Il n'y a pas grand intérêt à se rappeler de tête les noms des premiers empereurs romains puisqu'on peut facilement les retrouver dans un livre. Mais ça permet de faire son intéressant. Pour vous faciliter la tâche, voici un moyen mnémotechnique qui vous aidera à retenir dans l'ordre la liste des douze premiers empereurs, en comptant César (qui n'était pourtant que « dictateur à vie », comme il s'était lui-même baptisé…).

Pour commencer, il vous faudra faire un petit travail de mémoire. Apprenez par cœur la liste des syllabes qui suit. Et dans l'ordre, s'il vous plaît…

Césautica, Claunégalo, Vivestido

À première vue, ça ne veut rien dire. Et même en creusant un peu, le sens n'est pas très évident. Mais si vous séparez les syllabes par des virgules, vous obtenez le début des noms des douze premiers empereurs romains (en comptant César, je vous l'ai déjà dit) :

cés, César
au, Auguste
ti, Tibère
ca, Caligula

clau, Claude
né, Néron
gal, Galba
o, Othon

vi, Vitellius
ves, Vespasien
ti, Titus
do, Domitien

Si ça vous amuse, vous pouvez continuer encore :

Netrajhadan
ne, Nerva
tra, Trajan
ha, Hadrien
an, Antonin

Etc.

Maintenant, allez chercher une encyclopédie pour compléter la liste
jusqu'à ce que votre tête n'en puisse plus d'apprendre des enchaînements
de syllabes sans queue ni tête.

◎ *Le premier vrai empereur romain était Octave,*
plus connu sous le nom d'Auguste. ◎

COMMENT
AVOIR L'AIR DE TOUCHER SA BILLE EN ART

C'est facile de passer pour une bête en art (en tout cas bien plus que d'en faire accroire en science). J'ai rencontré des as de la tchatche qui pouvaient disserter des heures sur l'art sans que le fait de ne pas y connaître grand-chose les gêne le moins du monde. L'un d'eux m'a un jour montré un dessin de Picasso qu'il avait fait d'après nature. Horrible. Pourtant, il écrivait beaucoup d'articles sur le sujet. Donc, évitez d'avoir l'air décontenancé et personne ne remarquera votre supercherie.

L'ART DANS LES GRANDES LIGNES

◊ *Grec et romain.* De superbes vases et autres sculptures de dames sans bras. Plein de temples et tout ça. De belles mosaïques aussi.

◊ *Médiéval (vers 1200-1400).* C'est là que la peinture a décollé. Son sujet de prédilection : la Bible et encore la Bible. Les tableaux sont dénués de toute perspective (ou sens de la 3-D), ce qui leur donne un air un peu bizarre.

◊ *Renaissance.* Elle commence au XVᵉ siècle en Italie. Des portraits à n'en plus finir, mais qui respectent enfin la perspective. Au siècle suivant, les huiles sur toile supplantent la peinture sur bois.

◊ *Maniérisme.* Un rejeton de la Renaissance, souvent caractérisé par des hommes au poitrail dénudé et un réalisme très m'as-tu-vu.

◊ *Baroque.* Des peintures gigantesques, chargées, noires de monde, qui fourmillent de références classiques (surtout des tas de femmes qui se tortillent, et aussi des gens qui jouent du luth).

◊ *Rococo.* Début du XVIIIᵉ siècle, tout en courbes dans le grand style Louis XV. Des tas de rideaux et de housses de coussins comme aux 3 Suisses, mais plus moderne en apparence.

◊ *Néoclassique.* Les paysages ont la cote. Des figures d'athlètes ou des tableaux en plein air pondus en série, ainsi que des portraits guindés d'hommes empâtés aux côtés de leur femme, rarement jolie.

◊ *XIXe siècle.* La peinture en tubes est enfin disponible. Un siècle chargé, d'abord avec les préraphaélites anglais tout ce qu'il y a de plus bohèmes. Vers la fin, les impressionnistes assouplissent à la fois le fond et la forme : beaucoup de femmes aux poitrines nues avec des meules de foin au second plan. Le passage de relais est assez rapide : Manet, Monet, Degas, Seurat, Van Gogh, Cézanne, Gauguin, Matisse... ils se succèdent pour nous conduire gentiment à l'époque moderne.

◊ *XXe siècle.* Ça devient complètement dingue. Expressionnisme, fauvisme, cubisme, futurisme, dadaïsme, néoplasticisme, surréalisme, expressionnisme abstrait, Op Art, Pop Art, art conceptuel et j'en passe. Les artistes deviennent des « marques » mondiales, comme Picasso, Dalí, Hockney, Warhol et autres Bacon.

◊ *XXIe siècle.* Une époque de prix artistiques sponsorisés, de concours et de controverses préméditées dans le supplément du dimanche. Qu'on nous rende les femmes aux poitrines dévêtues !

◉ *La Tate Gallery a été fondée par le négociant en sucre Henry Tate.* ◉

COMMENT
IDENTIFIER UN INSIGNE
SUR LA QUEUE D'UN AVION

———✦———

Autrefois, identifier un avion grâce à l'insigne sur sa queue était un jeu d'enfants, mais aujourd'hui ça va et ça vient dans tous les sens, ça change tout le temps. Pour autant, vous aimeriez bien pouvoir lancer de temps en temps un défi à votre jet-setter de voisin quand vous vous trouvez le nez collé à la vitre de l'aéroport. Qu'à cela ne tienne. Voici une sélection des insignes les plus intéressants, avec illustrations à l'appui.

1 *Aer Lingus.* Forme anglicisée de l'irlandais *Aer Loingeas*, qui signifie « flotte aérienne ». On est chez les Irlandais, donc leur insigne aérien est vert et doté d'un trèfle. Qu'est-ce qu'il vous faut de plus ?

2   *Aeroflot.* Autrefois, la compagnie était réputée pour ses hôtesses à barbe. Ça a peut-être changé depuis, mais leur insigne affiche toujours le rouge, le bleu et le blanc du drapeau russe.

3   *Air Canada.* La feuille d'érable rouge est apparue sous différentes formes sur les avions d'Air Canada. Vous voilà donc averti : si c'est une feuille d'érable, c'est une flotte canadienne.

4   *Air France.* Un motif classique de bandes diagonales bleues et blanches, magnifiées par une bande rouge discrète en bas. Très français.

5   *Air Nouvelle-Zélande.* Le Koru est le symbole maori de la fougère qui se déroule. Il est toujours en blanc sur les nouveaux modèles.

6   *Alitalia.* Là encore, un thème nationaliste : le rouge, le blanc et le vert du drapeau italien. On les voit arriver à des kilomètres à la ronde ; un peu comme les mains aux fesses.

7   *British Airways.* Encore des drapeaux. Une section assez bien stylisée du drapeau britannique, flottant au vent sur la queue de l'avion. On a tout de suite le sentiment d'être entre de bonnes mains.

8   *Cathay Pacific Airways.* Je n'ai aucune idée de ce qui est représenté ! Un oiseau sans tête, peut-être ?... Légèrement énigmatique, si vous voulez mon avis. Pour vous, c'est Hong Kong.

9   *Easy Jet.* Tout en orange, excepté un mot en blanc : *easyJet*, petit « e » et grand « J ». Pas très original mais facile à repérer.

10 *Japan Airlines.* Un cercle rouge, comme sur le drapeau de l'empire du Soleil-Levant, englobe le tout. Un design qui coûte sans doute des millions.

11 *Qantas.* J'ai bien peur qu'il s'agisse d'un kangourou. Par conséquent, aucun prix d'originalité. Seul fait étonnant, c'est qu'on ne l'ait pas dessiné à l'envers.

12 *Ryanair.* Sans doute le moins bon dessin de l'histoire des insignes d'avions. Après des heures passées à me creuser la cervelle, j'ai opté pour une harpe volante. C'est assez nul, je vous le concède !

13 *Scandinavian Airlines.* Un « SAS » blanc sur fond bleu foncé. Ça a un côté assez militariste. Un message clair et indiscutable, qui signifie : « Je fais ce que j'ai à faire. »

14 *Singapore Airlines.* Un oiseau pâle stylisé sur fond bleu, à peu près aussi bien dessiné que les autres oiseaux des compagnies aériennes. C'est-à-dire pas très bien.

15 *Swiss.* Après la faillite de Swissair en 2001, son successeur Swiss n'a fait que peu de changements côté insigne. Encore un drapeau national, mais un des plus simples et des plus chic de la région.

16 *Thai Airways International.* Tout en courbes et extrêmement violet. Sans compter que les hôtesses sont assez agréables à regarder.

17 *United Airlines.* Après des années de problèmes financiers (comme pour bon nombre de compagnies), United a récemment lancé un nouvel insigne d'uniforme basé sur l'ancien. Un peu plus stylisé ? Oui, sûrement.

18 *Virgin Atlantic.* Tape-à-l'œil, au bord de la vulgarité, mais affichée avec subtilité, la marque Virgin est sans ambiguïté.

◉ *Le premier vol des frères Wright ne dépassait pas l'envergure d'un 747.* ◉

COMMENT
COMBATTRE UN TAUREAU

La tauromachie est une activité bien plus *fun* que collectionner les timbres, et ça ne prend qu'une demi-heure environ. Cette performance s'exécute après le déjeuner, en trois actes. Le premier commence par l'entrée en piste du matador dans son habit de lumière moulant, suivi de ses assistants, le tout au son du paso-doble habituellement joué au clairon.

ACTE I

◇ D'abord, le taureau est lâché dans l'arène, et votre second lui agite sa cape jaune et magenta sous les naseaux. Jusque-là, vous vous contentez de regarder.

◇ Ensuite c'est à votre tour de jouer : vous effectuez une série de *passes*, dont chacune porte un nom tordu, la plus notoire étant la *veronica*. Toutes ces passes sont assez difficiles à décrire ; donc, le plus simple pour un débutant comme vous reste encore d'agiter votre cape à distance, en veillant à garder certaine zone bien précise de votre pantalon à une distance respectueuse des cornes qui vous font face. Oubliez le ballet artistique pour l'instant.

◊ Très vite, vous verrez arriver les picadors à cheval. Leur boulot est de charger le taureau sur leurs chevaux cuirassés pour lui planter dans le cou une sorte de lance qui l'oblige à garder la tête baissée pendant tout le troisième acte.

◊ La fin du premier acte est annoncée par le son du clairon, et les picadors se font escorter en dehors de l'arène. C'est l'heure d'une petite clope, mais en cachette.

ACTE II

◊ C'est la partie la plus facile, pendant laquelle la plupart des matadors laissent tout simplement leur équipe épuiser le taureau tandis qu'ils endossent leur armure pour la finale. Je vous recommande d'en faire autant. Restez en retrait et profitez-en pour envoyer un texto à votre copine ou un truc du genre.

◊ L'acte s'achève par l'entrée d'un autre de vos assistants, le *banderillero*, qui a pour mission de piquer dans les épaules du taureau les jolies *banderilles*, des petits bâtons terminés par un harpon et recouverts de papier de couleur.

ACTE III

◊ Ce dernier acte s'appelle la *faena*. Au son du clairon toujours plus bruyant, vous ôtez votre drôle de chapeau noir (le *montero*) et dédiez la mort du taureau à une personne en particulier dans la foule en lui tendant le galurin. Si vous l'offrez à tout votre public, posez simplement le chapeau par terre.

◊ C'est la phase la plus artistique du combat, au cours de laquelle vous devez exhiber votre bravoure et votre adresse en jouant avec un bout de tissu rouge fixé à un bâton (la *muleta*). Vous portez également l'épée fatale (l'*espada*). Le moment est venu de solliciter quelques applaudissements en vous agenouillant devant le taureau, par exemple. Vous devez l'inciter à foncer sur vous en éloignant la *muleta* de vos parties au dernier moment. Avec un peu de chance, l'animal ne vous encornera pas : les sortes de couloirs sur les bords de l'arène sont le meilleur endroit où détaler si votre petit doigt vous dit que vous n'allez pas tarder à vous retrouver en mauvaise posture.

◇ Quand vous êtes prêt pour la mise à mort, assurez-vous que le taureau regarde la *muleta* et non pas vos parties. Ensuite, penchez-vous au-dessus de ses cornes, en lui faisant face, et enfoncez le *montero* entre ses omoplates. Pardon, pas le *montero*, c'est le chapeau… mais l'*espada*. L'épée, quoi ! En-fon-cez l'*es-pa-da*, vous dis-je. C'est le moment le plus risqué, alors mieux vaut croiser les doigts. Voire les jambes.

◇ Si l'épée s'enfonce jusqu'au manche (*estocade*), en principe le taureau s'effondre et expire. Mais si la lame tombe sur un os, vous devrez sans doute avoir recours au *descabello* pour l'achever. Cet acte vise à sectionner la moelle épinière à l'aide d'une épée caractérisée par son manche cruciforme.

Le type qui m'a expliqué tout ça avait l'air d'un grand fan. J'ai bien écouté, j'ai pris des notes, mais tout ça m'a paru après coup bien injuste pour le taureau. Pas très *fair-play*, comme disent les British ! Mais il y a des gens qui aiment…

◉ *L'ultramoderne Palais omnisports de Metz a été baptisé Arènes de Metz.* ◉

LE PARFAIT HOMME D'EXTÉRIEUR

SPORTS, PASSE-TEMPS ET JEUX DE PLEIN AIR

Évitez soigneusement de faire du sport :
il y a des gens qui sont payés pour ça.

STEPHEN LEACOCK

COMMENT
PAGAYER DANS UN CANOË

Ne vous laissez pas abuser par l'aisance du chef indien qui remonte tranquillement son petit ruisseau. Cette sérénité dissimule des années de bouillonnements et des bordées de jurons avant que notre homme soit parvenu à percer les mystères qui entourent l'art de pagayer. Les consignes qui suivent ne s'adressent pas aux experts du genre, mais à leurs disciples. Elles ne vous permettront pas de vous attaquer aux rapides aussitôt votre lecture achevée mais elles devraient vous éviter la terrible humiliation du type qui tourne en rond et qui pleurniche pour qu'on lui vienne en aide.

La méthode

1 Enfilez votre gilet de sauvetage. Ça peut prendre un moment, même en s'y mettant à deux.

2 Montez dans le canoë. En soi, c'est déjà tout un art qui implique de se faire bien mouiller. Entraînez-vous d'abord un peu avant de passer à l'étape suivante. C'est d'ailleurs le moment de vérifier que vous êtes bien monté dans un canoë et non dans un kayak : un des bouts de votre pagaie doit se terminer par une pale plate ; si elle possède deux pales croisées autour du manche, c'est que vous êtes dans un kayak. Sortez de là tout de suite.

3 Mettez-vous à genoux ou assis au milieu du canoë, face à l'avant de l'embarcation (la proue). Dans le premier cas, des genouillères vous rendront la position plus confortable.

4 Empoignez la pagaie de la main droite, les phalanges tournées vers l'extérieur, à environ 60-90 centimètres du bas du manche, et placez votre main gauche en haut, les phalanges vers l'extérieur.

5 Étendez le bras le plus loin possible, sans faire d'embardée et sans noyer la pale. Tenez le manche à la perpendiculaire, comme quand vous bêchez votre jardin, mais surtout pas de biais comme une rame d'aviron. Et rappelez-vous : pas d'embardée !

6   Maintenez toujours le haut de la pagaie au-dessous du niveau de vos yeux et tirez sur votre main droite en ramenant la pale vers vous, sans dépasser vos fesses. Avancez la main gauche pour contrer le courant. Ne faites pas l'erreur de suivre la courbe de la coque : pagayez en ligne droite. Et inutile de bêcher l'eau : vous ne faites que gaspiller votre énergie et plomber le canoë.

7   Tandis que le canoë avance, ressortez la pale en l'amenant à la parallèle de la surface de l'eau, puis revenez à la position de départ et recommencez le mouvement. Encore et encore et encore. Si vous avez peur d'avoir un gros bras et un gringalet, changez de temps en temps la pagaie de côté ; les gestes sont à peu près les mêmes – c'est la position des mains qui change.

Par un jour de beau temps, ces instructions devraient vous permettre de maintenir le cap et la tête hors de l'eau. Mais si le vent souffle, trouvez-vous un autre passe-temps.

◉ *Il n'y a ni rivière ni lac en Arabie Saoudite.* ◉

COMMENT
CHASSER LES FOSSILES

S i je devais changer de personnalité et choisir entre le type qui dégote des capsules de bière avec son détecteur de métaux et le mec qui découvre une nouvelle espèce de dinosaures d'un coup de marteau, je n'hésiterais pas longtemps. Si vous êtes comme moi et que vous préférez la seconde option, voici quelques astuces pour vous transformer en paléontologue d'un jour.

HISTOIRE DE LA TERRE EN QUELQUES MOTS

Notre planète est âgée d'environ 4 600 millions d'années et les couches de roches qui la composent retracent sa chronologie. Les fossiles sont plus récents puisqu'ils sont apparus il y a *seulement* 570 millions d'années. On peut les classer en trois grandes « ères » biologiques : le paléozoïque (de *paleos*, « ancien », en grec), le mésozoïque (de *mesos*, « moyen »), et le cénozoïque (de *cenos*, « récent »). Pour compliquer les choses, on divise encore ces ères en onze périodes, dont les noms génèrent de fascinantes recherches : prenez un dictionnaire. Ça commence par la période cambrienne et ça s'étire dans le temps jusqu'au quaternaire en passant par le jurassique (tout le monde connaît) ou le crétacé (nouvelle évolution des dinosaures). Après, l'âge de glace (là encore, tout le monde connaît) a commencé et les humains sont apparus.

DE LA NATURE DU FOSSILE

Pour former un fossile, comment ça se passe ? D'abord l'animal meurt et ses parties molles se décomposent. Avec le temps, des sédiments se déposent sur les parties dures, comme les os ou les dents. Au bout de plusieurs milliers d'années, ces sédiments se transforment en roche. Autrement dit, ils se fossilisent. Mais la fossilisation ne peut se produire que sous l'eau ; donc, le moindre dinosaure fossilisé a terminé sa vie dans la flotte.

VOTRE ÉQUIPEMENT DE CHASSEUR DE FOSSILES

◇ *Un carnet et un crayon*
◇ *Une loupe*
◇ *Une bonne paire de bottes imperméables*
◇ *De gros outils (voir plus bas)*
◇ *Une Thermos de chocolat*
◇ *Des binocles et un bon chapeau contre les chutes de pierres*
◇ *Un sac solide pour les grosses trouvailles*

Les fossiles peuvent se trouver dans des roches sédimentaires à découvert, comme le shale (une roche sédimentaire très fine), le calcaire et le grès. Des départements comme la Marne ou la Gironde en sont assez largement pourvus. Gardez-vous quand même d'escalader des falaises croulantes et ne partez pas à la chasse aux fossiles tout seul, à la tombée de la nuit, par un temps affreux, dans un endroit affreux. Bref, soyez raisonnable une fois de temps en temps.

Les dépôts récents sont plus mous et peuvent se détacher ou se soulever à l'aide d'un simple couteau. On peut aussi trouver des dents et des petits ossements en passant le sable au tamis (si on est en bord de mer, bien sûr) et même découvrir des spécimens plus petits en faisant clapoter doucement le tamis dans l'eau. Discutez avec d'autres collectionneurs pour glaner quelques conseils (c'est d'ailleurs une bonne façon de faire des rencontres). Enveloppez vos trouvailles les plus fragiles et mettez-les dans une petite boîte pour les transporter.

Pour les fossiles plus anciens, il vous faudra un marteau ou un piolet. L'idéal, c'est un marteau de géologue : en acier trempé, il est muni d'une tête plate d'un côté et se termine en forme de ciseau de l'autre. Pour le poids, un marteau de 1 à 1,5 kilo suffit dans la plupart des cas, mais vous aurez peut-être besoin d'un outil plus lourd (entre 3 et 6 kilos) pour les roches plus dures.

Déloger un gros fossile d'une roche coriace sans l'endommager (le fossile, bien sûr) demande un peu d'expérience. Avant de dévoiler un énorme alosaure, assurez-vous que le travail est vraiment réalisable et que vous n'allez pas abîmer le fossile. Si vous vous surprenez à préparer un plâtre pour mouler votre trouvaille, c'est que vous êtes sur le point de dépasser le stade du paléontologue amateur.

Tenez votre carnet de notes à jour et étiquetez chaque fossile en détaillant la zone où vous l'avez trouvé ; sa valeur scientifique diminue si vous n'avez pas pris note de l'endroit où la chose a été déterrée.

Enfin, une dernière recommandation en passant : défoncer à grands coups de piolet, et sans aucun discernement, un site naturel d'une exceptionnelle beauté, ce n'est peut être pas une très bonne idée.

Une fois rentré chez vous, nettoyez bien vos trouvailles mais sans essayer d'enlever trop de couches : les fossiles sont souvent plus beaux encastrés dans leur roche d'origine.

◉ *Avec 27 mètres de long, le brachiosaure est le plus grand fossile de dinosaure retrouvé à ce jour.* ◉

COMMENT
FABRIQUER UN CERF-VOLANT AVEC TROIS FOIS RIEN

D'après mes observations, la pratique du cerf-volant consiste la plupart du temps à jurer, courir, tirer, déchirer et piétiner. Pour les plus coriaces d'entre vous, voici une méthode fiable et surtout peu coûteuse pour fabriquer un cerf-volant. Bon prince, je vous donne aussi quelques conseils pour le faire voler.

Les fournitures
◇ *Un rouleau de ficelle de jardinage*
◇ *Un couteau aiguisé*
◇ *Une grande règle ou un mètre ruban*
◇ *Un peu de colle PVA*
◇ *1 mètre carré de papier assez épais*
◇ *Du papier gommé adhésif*

◇ *Deux boîtes de corn-flakes pleines*
◇ *Des baguettes rondes de 5,5 millimètres de section : une de 90 centimètres de long, une de 1 mètre*
◇ *Une pédale de vélo*
◇ *Quelques rubans de couleur (ou des morceaux de sacs-poubelle, au choix).*
◇ *Du fil de Nylon*

1 Faites une entaille en longueur aux deux extrémités de chaque baguette pour y loger la ficelle (mais faites attention avec ce couteau, bon sang !).

2 Posez la baguette longue à plat, les entailles bien parallèles à la table. Avec la baguette courte, faites une croix en la disposant à la perpendiculaire de la baguette longue, à un quart d'un des bouts, avec les entailles bien parallèles à la table là aussi. Mettez un peu de colle sur le raccord pour que ça tienne et ajoutez une ficelle pour que ça tienne encore mieux. Servez-vous des boîtes de céréales pour maintenir l'ouvrage à angle droit pendant la suite du travail.

3 Coupez un bout de ficelle suffisamment long pour faire le tour du cerf-volant, en laissant un peu de rab. Faites une petite boucle de 2,5 centimètres environ avec une des extrémités de la ficelle et fixez-la en haut du cerf-volant en roulant la ficelle autour de la baguette. Insérez ensuite la ficelle dans l'entaille, puis coincez-la dans le côté droit de l'espar horizontal (le bout droit de la petite baguette). Descendez jusqu'à la base de la baguette la plus longue, faites une boucle comme en haut, coincez la ficelle, puis remontez jusqu'au bout gauche de la petite baguette et glissez la ficelle dans l'entaille. Terminez en enroulant bien la ficelle à son point de départ, c'est-à-dire tout en haut de la grande baguette : la ficelle doit être bien tendue mais il ne faut pas que les baguettes soient tordues. Coupez ce qui dépasse.

4 Étalez le papier sur la table et posez l'ossature dessus. Découpez les contours du cerf-volant en laissant un bord de 3,5 centimètres.

5 Repliez ces bords sur la ficelle et fixez-les avec de la colle PVA diluée. Mouillez quelques morceaux de papier gommé adhésif et

collez-les ici et là pour renforcer l'armature ; moins vous en mettez, plus le cerf-volant sera léger. Le papier doit être assez tendu quand vous avez terminé.

6 À présent, vous allez fabriquer ce qu'on appelle la *bride*. C'est là que votre ligne de retenue sera attachée. Coupez un morceau de ficelle d'environ 1,20 mètre, que vous fixez par un bout à la boucle du haut et par l'autre à la boucle du bas. Faites ensuite une petite boucle juste au-dessus de l'endroit où les baguettes se croisent : c'est là que vous fixerez la ligne de retenue.

7 Maintenant, la queue : nouez un bout de ficelle à la boucle du bas et accrochez-y quelques rubans de couleur tous les 10 centimètres environ. La longueur optimale d'une queue est une question d'expérience. Pour commencer, prévoyez une queue qui fasse à peu près cinq fois la hauteur du cerf-volant : vous pourrez la raccourcir ensuite. Plus la queue est lourde, plus le cerf-volant est stable, mais aussi plus il est lourd (donc difficile à faire décoller).

8 Testez l'équilibre du montage en laissant le cerf-volant pendre par sa ficelle : s'il a l'air de traviole, rajoutez un peu de papier gommé pour faire contrepoids. Une fois sur le terrain, vous devrez continuer à ajuster le cerf-volant car il n'y en a pas deux qui se ressemblent.

La ligne de retenue

Pour un cerf-volant, un fil de polyester ou en fibre de Nylon est parfait. Sinon, vous pouvez utiliser de la ficelle de jardin comme autrefois, mais ça augmente la force de traction. Une pédale de vélo, ou tout simplement un morceau de carton rigide, constitue un bon moulinet.

Paré pour le vol

Sans vent, un cerf-volant ne peut pas décoller et encore moins voler. Le mieux, c'est un vent modéré et constant, d'une force comprise entre 8 et 20 km/h. Les vents plus forts risquent de déchirer le papier et les petites brises peineront à le faire voler. Si vous êtes obligé de courir pour maintenir le cerf-volant dans les airs, c'est sans doute que le vent n'est pas assez fort ou pas assez constant.

Sans sa ligne de retenue, le cerf-volant voltigerait dans tous les sens comme un vulgaire sac plastique. Donc, d'une certaine manière, c'est la ligne qui fait voler l'engin. Comme le vent ne peut pas propulser le cerf-volant plus loin que le bout de la ligne, il (le vent) est dévié vers le bas, produisant une force montante en parfait accord avec les lois de Newton.

Les terrains sans arbres constituent les meilleurs sites de lancement. Évidemment, vous éviterez les zones câblées et truffées de pylônes. Et sauf à vouloir passer au JT, ne faites pas voler votre cerf-volant sous l'orage ou sur les pistes d'Orly.

1   Tenez-vous dos au vent (un vent constant) et demandez à un copain de lancer *doucement* le cerf-volant.

2   Quand ce dernier est dans les airs (ça peut prendre entre 1 minute et plusieurs heures), relâchez suffisamment de ligne pour qu'il atteigne une bonne hauteur. La force d'ascension diminue avec une ligne plus longue à cause de la tension exercée ; inversement, avec une ligne trop courte, le cerf-volant perd en stabilité. Une hauteur de quatre étages est idéale mais rien ne vous empêche de le faire monter plus haut.

3   Si le vent tombe, rembobinez lentement la ligne pour augmenter la force d'ascension.

Les jours de grand vent, vous pouvez nouer la ligne à un poteau et pique-niquer pendant que le cerf-volant serpente tout seul dans les airs. Pour le faire redescendre, il suffit de rembobiner la ligne et de l'attraper quand il est à portée de main. Idéalement, avant qu'il ne se fracasse au sol...

Les accrocs peuvent se réparer à l'aide de papier gommé ou, mieux, de colle en aérosol (en plus, ça sent drôlement bon).

◉ *Les hommes ont six fois plus de risques que les femmes d'être frappés par la foudre.* ◉

COMMENT
ÉVITER DE SE FAIRE MORDRE
PAR UN SERPENT

Dans nos contrées, le seul serpent dangereux qui risque de vous mordre est une banale vipère, mais vous avez sans doute déjà vu ces émissions de télé où un homme en tenue de brousse attrape d'énormes reptiles par la queue et décrit, tout en les manipulant avec un vulgaire bout de bâton, les épouvantables effets de leur toxines mortelles. Cette expérience est divertissante quand on est confortablement assis dans un fauteuil, mais on n'aimerait pas la tenter face à une vipère rhinocéros. En fait, la plupart des rencontres avec des serpents à la morsure fatale sont le fruit du hasard – souvent, on marche dessus par inadvertance. Voici quelques règles pour éviter de vous faire mordre en territoire ennemi.

La morsure idiote

Les serpents adorent les endroits sombres, comme les branches creuses ou les trous. Si vous laissez tomber un billet de 10 euros dans une fente mal éclairée, ne soyez pas assez stupide pour y plonger la main à la recherche du biffeton : vous avez de grands risques de vous faire mordre.

La morsure du promeneur

Les serpents raffolent des herbes hautes, alors évitez de marcher dans ce type d'endroits ou dans des sous-bois épais. De manière générale, faites très attention où vous mettez les pieds.

La morsure nocturne

Si vous savez qu'il y a des serpents dangereux dans le coin, faites preuve d'un peu de bon sens : ne dormez pas près des herbes hautes, des sous-bois, des rochers ou des arbres. Placez plutôt votre sac de couchage dans une zone dégagée et enveloppez-vous dans un morceau de voilage ou une moustiquaire. Cela empêchera les serpents un peu trop curieux d'aller fouiner dans votre pyjama. Par contre, faites attention aux lions.

LE SERPENT EMBUSQUÉ

Supposons qu'il y ait un arbre abattu en travers de votre chemin. Qu'est-ce que vous faites ? Vous l'enjambez ? Erreur ! Les serpents adorent rester tapis derrière les branches cassées ou les rondins de bois moussus. Montez plutôt sur le rondin et examinez l'autre côté avant de redescendre. Si vous voyez un serpent, demandez-lui de partir ou changez d'itinéraire. Ou bien retournez lire dans la voiture, c'est moins fatigant.

RAMASSER UN SERPENT

N'importe quoi.

RAMASSER UN SERPENT MORT

Certains adorent brandir leur serpent fraîchement abattu et se faire photographier pour immortaliser leur exploit dans leur album photo. Ne tombez pas dans le panneau : plus d'un explorateur d'opérette s'est fait mordre les roubignoles à ce petit jeu. Car le système nerveux d'un serpent fraîchement tué peut être encore très actif et l'animal conserve quelque temps d'excellents réflexes. Si vous devez agiter un serpent, coupez-lui d'abord la tête d'un coup de couteau.

EN CAS DE MORSURE

Si ça devait vous arriver, j'espère surtout que vous ne serez pas tout seul, sinon vous aurez des ennuis. Les victimes de morsures doivent rester parfaitement immobiles et être transportées d'urgence à l'hôpital. La plupart des venins se propagent par le système lymphatique et le moindre mouvement accélère l'empoisonnement. On peut ralentir ce processus en posant un bandage modérément serré en amont de la morsure et une attelle de fortune.

Ne cherchez pas à inciser la plaie ou à sucer le venin ni à poser un garrot sur le membre atteint : ça ne fera qu'empirer les choses. Au contraire, restez bien immobile, gardez votre calme et votre sang-froid.

Demandez à vos amis :

◇ de vous éloigner du serpent ;

◇ d'identifier vite quel type de bestiole vous a mordu (mais ce n'est pas toujours possible) ;

◇ de vous enlever montre et bijoux ;

◇ de poser rapidement un bandage (un vêtement ou une serviette fera l'affaire) ;

◇ de vous conduire d'urgence à l'hôpital en veillant à ce que vous bougiez le moins possible.

⊙ *Les médicaments contre la tension artérielle ont été développés à partir de venin de serpent.* ⊙

CONSTRUIRE UN PLUVIOMÈTRE SANS SE PRENDRE LA TÊTE

Il pleut ? Pas de souci, il y a toujours un tas de choses sympas à faire. Pour commencer, vous pouvez vous installer dans la remise au fond du jardin et écouter la pluie tambouriner sur le toit de tôle : c'est parfait pour se détendre. Mais si vous cherchez une activité un peu plus stimulante, avec un peu de bricolage, la confection d'un pluviomètre est pour vous. C'est facile à faire et ça ne demande pas beaucoup de matériel.

LES FOURNITURES

◇ *Une grande bouteille en plastique propre*

◇ *Un marqueur*

◇ *Un couteau assez tranchant ou des ciseaux*

◇ *Du ruban adhésif*

◇ *Une règle*

LA MÉTHODE

1 Découpez le haut de la bouteille au niveau du replat et décollez l'étiquette.

2   Retournez le haut de la bouteille (donc goulot en bas) sur la partie inférieure et scotchez le raccord avec du ruban adhésif. Cela permet de réduire l'évaporation et de filtrer un peu la pluie.

3   Versez 2,5 centimètres d'eau dans la bouteille et marquez ce niveau à o. Continuez à graduer la bouteille par tranches de quart et de demi.

4   Placez le pluviomètre dehors. Vous pouvez lui fabriquer un support avec un cintre plié que vous accrochez à une clôture pour que personne ne le renverse, ne le boive ou ne le balance négligemment.

5   Essayez de noter tout ce qui se passe pendant 1 mois. Il y a quelques années, un tel dispositif aurait produit quantité de résultats judicieux, mais avec le réchauffement de la planète vous n'obtiendrez peut-être rien, pas une goutte, ou alors 7 ans de pluie en 5 minutes. Mais ça, je n'y suis pour rien.

◉ *Record de précipitations : 1,80 mètre en 24 heures à Foc-Foc sur l'île de la Réunion.* ◉

COMMENT
YODLER COMME UN VRAI TYROLIEN

Le yodle est un chant montagnard traditionnel très répandu en Autriche, en Bavière et en Suisse. Il s'est développé à partir des braillements des bergers tyroliens à travers les échos des rochers escarpés et des gorges enneigées. Pratiqué le plus souvent par des hommes, ce chant consiste à moduler brusquement le ton en alternant la voix de poitrine et la voix de tête.

Beaucoup de personnes ont déjà essayé, une fois dans leur vie, de yodler. S'asseoir brutalement sur un vélo sans selle, renverser de l'eau glacée sur son pantalon ou recevoir une balle de tennis bien forte dans les roupettes génère autant de variantes courantes, quoique involontaires, de cet art. Cependant, pour les plus sérieux, la difficulté de trouver un endroit où pratiquer le yodle peut constituer un obstacle au progrès. La solitude de la voiture est idéale mais l'espace est plutôt exigu, tandis que la salle de bains est un peu trop aseptisée, même si elle donne de bons résultats sur le plan acoustique.

L'apprentissage de la technique utilisée par les yodleurs chevronnés n'est pas aussi compliqué qu'autrefois. De nombreux disques sont disponibles sur le marché et on peut même, dans certains cafés, écouter des artistes en culottes bavaroises chantant des medleys à pleins poumons.

Pour commencer

Le secret du yodle est de piger l'histoire de la « voix de tête », autrement dit de la voix de fausset. Si ce registre aigu se situe en dehors de la tessiture masculine normale, il s'atteint pourtant assez facilement : il est typique de la voix que les pères utilisent pour parler à leur bébé. Certaines personnes imaginent qu'une voix de fausset est le signe d'un caractère efféminé ou d'une stérilité d'eunuque, mais rien n'est plus faux. On a vu plus d'un yodleur viril accoudé au bar après son spectacle, commandant des bières d'une vigoureuse voix de baryton, avant de rentrer chez lui pour retrouver sa femme et ses dix gosses.

Pour commencer, entraînez-vous à chanter avec votre voix de tête pendant que vous vaquez à vos occupations. Quand vous aurez pris le coup, essayez de passer brusquement de votre « voix de poitrine » à la voix aiguë du yodleur. Pas très facile mais on y arrive si on s'applique.

Ceux qui savent lire le solfège peuvent se lancer dans la lecture des quelques phrases qui suivent, incontestablement les plus connues au monde. Histoire de faciliter la vie à tout le monde, je les ai mises en *do* majeur, mais vous pouvez changer le ton selon votre tessiture. Les deux dernières notes doivent se yodler avec la voix de tête ; l'intervalle entre les octaves est typique de l'art du yodle.

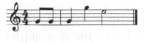

Lalala—ï—ou !

Tout le monde a compris ? Maintenant, passons à la phrase suivante. Là encore, seules les deux dernières notes se chantent avec une voix de fausset.

Lalala—ï—ou !

Vous voyez où je veux en venir ? Quand vous maîtrisez le « Lalala-ï-ou », passez au *Berger solitaire* (*Lonely Goatherd*) en essayant de concurrencer Julie Andrews dans *La Mélodie du bonheur*. Inutile de yodler tant que vous ne parvenez pas à imiter son fameux « Yea, oh de lay, lalala-ï-ou ». Seules les syllabes *ï* et *ou* sont chantées avec la voix de tête.

Vous aurez remarqué qu'on ne peut pas s'empêcher de taper du pied au son des notes tyroliennes. C'est parce que l'accent porte sur le temps faible de la mesure : les fameux flonflons qui confèrent une syncope à la mélodie. Exactement comme en reggae, en fait.

Et maintenant, en avant la musique ! Voici l'air populaire le plus connu au monde (sauf en Chine – ça va de soi) :

Lalala—ï—ou ! Lalala—ï—ou ! Lalala—ïï—ou !

Cette fois, vous êtes paré. En principe, rien qu'au son de votre démonstration vocale, des images de pâturages, de famille pittoresque et de berger solitaire devraient apparaître comme par magie, même si vous êtes sur le périph'.

◉ *Le cartilage thyroïdien est plus connu sous le nom de « pomme d'Adam ».* ◉

COMMENT
FAIRE SON INTÉRESSANT
AVEC UN BRIN D'HERBE

Imaginez une fin d'après-midi d'été à la campagne, au moment où on s'apprête à remballer le panier de pique-nique. C'est le moment idéal pour jouer quelques tours à l'assemblée avec un brin d'herbe. Vos amis trouveront ça très divertissant et cela vous épargnera la corvée de rangement.

LE SINGE QUI HURLE

Placez vos mains en prière, un long brin d'herbe coincé en hauteur entre les phalanges de vos pouces. Maintenant, formez un « o » avec la bouche et appuyez fermement les pouces contre vos lèvres. Soufflez fort à travers l'ouverture en amande : le brin d'herbe vibrera comme une clarinette, produisant un hurlement strident. Pas très mélodieux, d'accord, mais c'est parfait pour attirer l'attention des copains situés sur l'autre rive du lac. Ou pour embêter votre petite sœur.

LE BRIN D'HERBE QUI MONTE, QUI MONTE

Sur le morceau d'herbe que vous venez de ramasser se trouvent des milliers de filaments presque invisibles qui partent tous dans la même direction. Si vous pincez très légèrement le brin entre le pouce et l'index, en faisant bouger rapidement le pouce de haut en bas, l'herbe se mettra à grimper mystérieusement vers le haut (si elle redescend, c'est que vous l'avez mise à l'envers).

La démonstration est stupéfiante pour ceux qui ne connaissent pas le truc, et tout le monde voudra en faire autant. Pour épater encore plus vos copains, expliquez-leur l'astuce.

L'ATTRAPE-BOUE

Fixez un morceau de boue bien compact à la base d'un brin d'herbe pas plus long que votre doigt. Tenez l'herbe par son extrémité face à votre victime, la boule de boue suspendue entre son pouce et son index légèrement écartés et tendus. Pariez avec lui qu'il n'arrivera pas à attraper le brin d'herbe avec ces deux doigts si vous le lâchez sans prévenir. Neuf fois sur dix, la personne échoue car il y a toujours un temps de retard entre le moment où vous lâchez le brin d'herbe et celui où les yeux, le cerveau et les nerfs de votre interlocuteur enregistrent la chute de l'objet et commandent aux doigts de se refermer.

LE CANON NASAL

Quand personne ne vous regarde, ramassez un long brin d'herbe et roulez-le en une petite tige bien ferme, juste assez large pour s'enfoncer dans votre narine droite. Tassez-la bien avec votre pouce. Quand vous êtes prêt, attirez l'attention de vos amis en criant : « Regardez, des crottes de nez volantes ! » Fermez la narine vide (la gauche, en principe) en appuyant dessus avec votre index gauche et éjectez la boule d'herbe en soufflant bien fort par le nez. À condition d'être propulsée avec suffisamment de puissance, la tige devrait faire un vol plané étonnant. Mouchez-vous quand même avant parce que personne n'aime recevoir de la morve dans le visage.

◉ *Le rhume des foins touche presque 20 % de la population française.* ◉

LA VRAIE BONNE MÉTHODE POUR FAIRE UN FEU DE CAMP

Bien avant l'invention du petit écran et du chauffage central, les hommes avaient l'habitude de s'asseoir le soir autour du feu et de raconter des histoires. Aujourd'hui, ils perpétuent en partie ce rituel en calcinant des saucisses sur un barbecue, revêtus d'un costume primitif composé d'un tablier ridicule et d'une casquette tout aussi aberrante. Les récits folkloriques de la forêt ont fait place aux histoires de football, de voitures, de bière, de femmes et de rots.

Donc, un des savoirs fondamentaux que tout jeune homme qui se respecte doit acquérir, c'est la technique du feu de camp.

CONSTRUIRE LE FEU DE CAMP

Préparez-le méthodiquement, en procédant par étapes. Pas besoin d'un feu géant ; quelque chose de petit fera très bien l'affaire. Les grands feux de jardin deviennent vite incontrolables, embrasant les clôtures et les voitures des voisins, menaçant des forêts entières. Choisissez un endroit sûr, en marquant le périmètre du feu par un cercle de pierres.

Avant de commencer, lisez toutes mes instructions pour évaluer les différentes tailles de bois que vous aurez besoin de ramasser.

1   Disposez au milieu du cercle deux bûches de la taille d'un avant-bras, parallèles l'une à l'autre et en les espaçant de la largeur d'environ deux rondins.

2   Ramassez une poignée de petit bois. Il vous faut des brindilles à peu près aussi grandes que votre pied et qui se cassent en produisant un craquement bien sec. Vous en trouverez facilement au pied des arbres, où elles auront été protégées des intempéries. Ne cédez pas à la tentation de les remplacer par des écorces sèches, qui ont tendance à crépiter et à faire des étincelles. Ce serait dommage pour la remise du voisin.

3   Placez le fagot (bien serré) de petit bois entre les rondins, à la perpendiculaire, comme pour former la barre horizontale d'un H.

4   Faites deux autres tas de brindilles que vous placez de part et d'autre du premier petit fagot pour faire comme un petit toit. Laissez assez de place pour pouvoir allumer plus tard le fagot de petit bois qui se trouve en dessous (dessin 1).

5   Placez deux bûches de la même taille que les premières à la perpendiculaire, à chaque extrémité de votre H, et comblez le vide avec des bouts de branches pas plus gros que le cercle que vous pouvez faire en rabattant votre index sur votre pouce (dessin 2).

6   Ajoutez encore du petit bois, cette fois parallèlement aux bûches de la base. Le fait d'alterner l'orientation des couches (nord-sud puis

est-ouest) permet de laisser l'air circuler entre le bois. Terminez par quelques rondins plus épais qui se consumeront lentement quand le feu aura bien pris (dessin 3).

7   Avec des branches fines et longues comme votre bras, faites une sorte de tipi tout autour de votre tas de bois. Puis ajoutez quelques gros rondins de même longueur mais aussi épais que votre jambe (dessin 4).

8   Disposez encore quelques rondins autour du tipi, en laissant une ouverture pour allumer le feu.

9   Une fois que vous avez attiré l'attention de tout le monde sur votre savoir-faire, penchez-vous et allumez le petit bois avec une allumette, puis refermez l'ouverture. N'utilisez ni morceaux de carton ni essence à briquet pour lancer le feu. Ce serait de la triche et de toute façon ça risque d'étouffer le feu. C'est donc vous qui seriez perdant…

10   Maintenant, il ne vous reste plus qu'à contempler les volutes de fumée qui s'échappent de la cheminée. En quelques minutes seulement, un magnifique embrasement illuminera votre campement.

Pour éteindre le feu à la fin de la soirée, versez une grande quantité d'eau dessus, puis agitez les morceaux de braise avec un long bâton. En pleine nature, rabattez toutes les branches encore intactes et arrosez le tout abondamment.

COMMENT
PATINER EN MARCHE ARRIÈRE SANS AVOIR L'AIR RIDICULE

Se retrouver pour la première fois de sa vie au beau milieu d'une patinoire publique n'a rien d'une sinécure. Tandis que les glisseurs expérimentés tournoient joyeusement tout autour de vous, vous flageolez prudemment sur les côtés en vous cramponnant de toutes vos forces à la rambarde. Et comme vous aimez brûler les étapes, vous soupirez intérieurement : « Si seulement je savais patiner en arrière, je pourrais être le roi de la glisse, même sur un étang gelé ! »

D'ABORD PATINER EN AVANT
Pas moyen d'y couper : vous êtes obligé d'apprendre à patiner en avant pour pouvoir patiner en arrière. Enfilez vos patins et faites d'abord quelques pas ailleurs que sur la glace pendant 5 minutes, histoire de vous habituer à cette drôle de sensation. Quand vous vous sentez prêt, entrez

sur la patinoire. N'essayez pas de marcher normalement : au mieux, vous allez faire quelques mètres en oscillant gracieusement comme une geisha sur ses socques ; au pire vous allez vous retrouver par terre en 2 secondes. Mais dans les deux cas vous aurez l'air bête. Au contraire, tenez-vous bien droit, les pieds rapprochés, et orientez les orteils du pied droit vers l'extérieur pour que les patins forment presque un angle à 90 degrés, le pied droit légèrement derrière le gauche. Prenez appui sur votre patin droit pour créer l'impulsion qui vous permettra d'avancer sur le patin gauche. Aussitôt, levez le patin droit puis, quand le gauche a cessé de glisser, reposez le pied droit sur la glace en le dirigeant vers l'avant.

À présent, tournez votre pied gauche vers l'extérieur et prenez appui dessus, comme vous l'avez fait précédemment avec le pied droit. Pousser-glisser : voilà à quoi se résume le patinage. L'apprentissage de ces mouvements devrait réduire le risque de faux pas, de chutes et de hurlements, qui sont généralement le lot de tous les débutants. Si vous tombez, essayez de vous laisser aller vers l'avant en relâchant vos muscles ; bras et genoux amortiront la chute. La glace est dure, et une chute en arrière est un bon moyen de s'ouvrir le crâne.

Certains patineurs débutants, en particulier les enfants, se retrouvent à arpenter la patinoire en quelques heures de pratique seulement. Alors

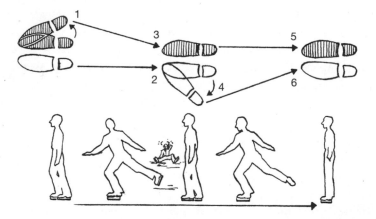

ne vous laissez pas décourager par les éclats de rire moqueurs qui ponctuent un énième atterrissage sur vos fesses trempées. Et songez qu'autrefois les débutants s'appuyaient au dossier d'une chaise de cuisine pour apprendre les mouvements. (Pour rire, imaginez un peu la patinoire envahie par des centaines de chaises poussées par des centaines de malhabiles…) Si vous vous appliquez, vous devriez finir par glisser à peu près correctement, le nez au vent, la tête haute et les genoux bien fléchis.

PATINER EN ARRIÈRE

Considérons que vous savez désormais patiner en avant et que vous êtes fin prêt pour tenter la marche arrière ; ce n'est pas plus compliqué que la marche avant. Pour commencer, rassemblez vos pieds sur la glace, genoux bien pliés, puis écartez vos pieds en avançant d'abord le talon, jusqu'à ce que vous commenciez à aller dans la direction souhaitée. Vous devriez être bientôt capable de patiner en arrière assez vite, un pied après l'autre. À présent, vous pouvez vous concentrer sur votre façon de glisser. Prenez appui sur un pied puis sur l'autre, en tournant les orteils du second vers l'intérieur tandis que l'autre glisse normalement. N'oubliez pas de jeter un coup d'œil par-dessus votre épaule pour éviter de foncer dans les gens. Simple, non ?

◎ *À l'origine, le hockey sur glace se jouait avec un palet en bouse de vache congelée.* ◎

COMMENT
JOUER DU LASSO
COMME UN VRAI COW-BOY

Expliqués pour la première fois par Hérodote il y a 2 500 ans, les tours de lasso (Hérodote employait un autre nom mais le résultat est le même) ne fascinent plus grand monde aujourd'hui. Pourtant, un lancer accompli par un expert est un beau spectacle, et le maniement de la corde un passe-temps subtil pour un jeune homme. Pour vous introduire à cet art, voici une description du tour le plus élémentaire, la boucle plane, lequel, une fois maîtrisé, vous ouvrira les portes d'un monde passionnant tout en cordes. Inutile de porter un stetson pour manier le lasso. Et n'oubliez pas : c'est une activité de plein air. Qui ne se pratique donc pas dans une maison bourrée de porcelaines. Sauf si ce n'est pas la vôtre, de maison !

LES FOURNITURES

Un lasso, tout simplement. Soit une corde tressée d'environ 4 mètres de long, de poids moyen, mesurant à peu près 1 centimètre de diamètre, munie d'un fouet d'un côté et d'une sorte d'œillet (*honda*) de l'autre. La corde doit être flexible sans risquer de s'entortiller. Pour faire le *honda*, nouez un petit bout de corde à l'un des bouts et formez une boucle, le fouet à l'autre extrémité étant ensuite enfilé à travers cet œillet.

LA BOUCLE PLANE

Ce tour est appelé ainsi car la corde est lancée sur un plan horizontal, comme une crêpe qui tournoie dans les airs parallèlement au sol. Jetez un œil au dessin : c'est comme ça que vous devez vous positionner.

La main gauche tient la boucle avec souplesse pour que celle-ci tournoie adroitement dès que vous la lancez. La portion de corde glissée dans le *honda* mesure à peu près la même taille que le rayon de la boucle ; le tout se tient avec la main droite.

ACTION !

Lancez la main droite dans le sens contraire des aiguilles d'une montre, tout en relâchant la corde pour qu'elle tournoie avant de toucher le sol. La boucle doit rester petite, et la vitesse faible. Tenez la corde de la main droite, suffisamment loin de vous pour ne pas la prendre dans les jambes. Avec cette main, décrivez un cercle en l'air, dans le sens contraire des aiguilles d'une montre :

remarquez comme la boucle, soutenue par
la portion de corde que vous tenez, s'ouvre sous
l'effet de la force centrifuge (dessin). Autre constat :
la boucle a une fâcheuse tendance à s'emmêler et à
s'entortiller – je vous l'accorde. Mais ce problème
est facile à éviter si vous laissez l'extrémité de
corde que vous tenez se dérouler librement
dans la paume de votre main.
Il y a beaucoup de choses
à mémoriser. Alors
entraînez-vous pas à pas,
jusqu'à ce que vous ayez
le coup de main.

◉ *La règle d'or du cow-boy est de ne jamais s'accroupir*
quand on porte des éperons. ◉

LA VRAIE BONNE MÉTHODE
POUR ATTRAPER UN PAPILLON

L es papillons se font de plus en plus rares aujourd'hui, exception faite
des piérides du chou qui se ramassent à la pelle. Pour attraper un
papillon, il vous faut :

◇ *Une journée chaude*
◇ *Un filet*
◇ *Un pot à confiture avec un couvercle*
◇ *Des papillons dans le jardin*

Le filet à papillons est un article très spécifique mais les trucs bon
marché vendus sous le nom de filet de pêche sont tout à fait adaptés à la
chasse aux papillons. Ils présentent quand même deux inconvénients : ils

sont fabriqués dans une matière plastique de mauvaise qualité et assez rigide, et ils sont souvent trop petits.

Une fois muni d'un filet (vous pouvez même le fabriquer, si ça vous amuse), lisez ces lignes car il y a un tour de main à prendre pour attraper un papillon. Et c'est un peu plus compliqué que vous ne l'imaginez sans doute.

Quand vous avez repéré votre proie, agitez votre filet en balayant les airs sur les côtés. Dès que le papillon est pris au piège, faites pivoter rapidement votre main de façon que l'ouverture du filet se retrouve face au sol et forme une « poche ». C'est pour empêcher la bestiole de ressortir – un problème récurrent avec les filets trop petits et les débutants. Glissez gentiment le papillon dans le pot à confiture.

Vous pouvez à présent prendre votre temps pour examiner le truc mais, sauf urgence, sans jamais le prendre avec vos doigts. Les papillons sont très fragiles et leur existence est déjà assez pénible sans que vous alliez abîmer la poudre colorée qui recouvre leurs magnifiques ailes ou que vous leur cassiez les pattes par mégarde.

Rendez sa liberté à votre papillon dès que vous avez fini de l'observer. C'est une sensation assez grisante.

◉ *C'est Steve McQueen qui jouait le rôle principal dans le film* Papillon, *de Franklin J. Schaffner.* ◉

COMMENT
ENVOYER DES SIGNAUX
SÉMAPHORIQUES

D'accord, envoyer des signaux par drapeau est dépassé aujourd'hui, alors qu'il suffit d'un portable pour envoyer des vidéos à son copain perché au sommet de l'Himalaya. Mais la prochaine fois que vous camperez en pleine nature dans une vallée faisant face à l'épicerie locale, vous serez bien content de pouvoir envoyer un message à la boutique pour qu'on vous réserve une brique de lait ou quelques œufs.

LE MANIEMENT DU DRAPEAU

Vous allez épeler votre message par groupes de lettres (d'habitude, ce sont des mots), en agitant adroitement les bras, une lettre après l'autre, et en ramenant les drapeaux à la position de base après chaque groupe. Si un bras est déjà dans la bonne position pour la lettre suivante du groupe, il ne doit pas bouger pendant que vous repositionnez l'autre bras.

Supposons que vous transmettiez le mot *lait*. Jetez un œil aux dessins de la page précédente et vous remarquerez que le bras droit garde presque toujours la même position, sauf pour le T, tandis que le bras gauche fait tout le boulot. Bizarrement, chaque lettre du mot *fesses* nécessite en revanche d'agiter les deux bras dans tous les sens.

À la fin de votre message, envoyez les lettres AR en tir groupé. Si votre message a bien été reçu, vous recevrez un R en réponse.

TRUCS ET ASTUCES

Les deux drapeaux doivent être identiques, avec deux couleurs qui tranchent sur le fond naturel (arbres, roches, etc.). En général, les fanions sont carrés et divisés dans la diagonale.

◇ Pendant la transmission, tenez-vous bien droit et glissez le mât des drapeaux dans vos manches, en posant l'index le long du manche.

◇ Pour former une nouvelle lettre, positionnez vos bras dans la position exacte pour ne pas entraîner de confusion : « Je me sens bien mieux aujourd'hui » peut rapidement se transformer en « Je me sens bien vieux aujourd'hui ».

◇ Entre des lettres doubles, ramenez vos mains le long du corps, les mâts plaqués contre les jambes. Envoyez les doubles lettres au coup par coup mais au même rythme.

◇ Pour les lettres ne nécessitant qu'un seul bras, ne bougez pas l'autre drapeau, mais ramenez-le devant vous et maintenez-le immobile.

◇ Surtout, évitez de vous entraîner devant un miroir. Vous risquez d'apprendre les lettres à l'envers et ça va vous rendre dingue.

◉ *Chappe, l'inventeur du sémaphore, a aussi créé le premier télégraphe.* ◉

COMMENT
PRENDRE DU PETIT GIBIER
AU COLLET

V ous êtes bien plus assuré de faire un vrai festin si vous savez poser judicieusement collets et autres pièges que si vous restez à l'affût des heures durant avec une carabine, les fesses transies de froid. Quand on chasse, il faut connaître sa proie et adapter ses pièges en conséquence. Par exemple, on ne ramasse pas des lapins dans un bras de mer. Tout comme les hommes, les animaux ont leurs logis, leurs tavernes et leurs cantines, lesquels sont reliés les uns aux autres par des pistes précises. Posez vos pièges et vos collets près de ces endroits, idéalement dans les zones marquées par les indices suivants :

- ◊ *Les empreintes*
- ◊ *Les petites crottes*
- ◊ *Une végétation rongée ou érodée*
- ◊ *Les nids et autres abris*
- ◊ *Les points d'eau et les « garde-manger »*

Vous dégagez une odeur forte – ne l'oubliez jamais. Alors fumez votre piège au-dessus d'un feu pour masquer votre parfum et ne pas effrayer votre proie. L'urine animale et la vase ou la boue constituent aussi de bons moyens de brouiller les pistes : couvrez-vous-en les mains. Mais jamais avant le dîner !

Camouflez votre piège de la façon la plus naturelle possible et en faisant tout ce qu'il faut pour y attirer votre proie. Le beurre de cacahuètes et le sel ont beaucoup de succès auprès des mammifères : vous pouvez les appâter en en parsemant un peu aux alentours. Cela dit, les animaux ne sont pas stupides. Ils se tiendront à l'écart d'une végétation récemment bousculée ou d'un sol fraîchement retourné. Si vous devez creuser un trou, enlevez la terre bêchée de la zone.

LE NŒUD COULANT DE BASE

Le mieux, c'est d'utiliser du fil de métal souple. Commencez par faire un œillet : rabattez une extrémité sur elle-même pour la doubler et nouez-la fermement. Enfilez l'autre bout du fil dans la boucle et testez sa solidité en y insérant deux doigts et en faisant coulisser la bride. La boucle devrait se resserrer lentement.

LE COLLET

C'est un nœud coulant installé sur une piste ou à l'entrée d'un terrier, l'extrémité longue étant maintenue en place par un piquet. Le nœud doit être suffisamment large pour glisser bien au-dessus de la tête de l'animal ; il va se refermer progressivement quand votre proie va s'agiter pour se libérer. Les petites brindilles, les brins d'herbe et les feuilles mortes sont idéals pour le camouflage.

LE MÉCANISME DU COLLET

Déterrez un petit arbrisseau et faites-le ployer en le maintenant bien tendu à l'aide d'un morceau de corde relié à un piquet planté à angle aigu dans le sol. Posez le nœud coulant à plat sur le sol autour du piquet ; sur ce dernier, attachez solidement quelques appâts. Les petits animaux vont tirer dessus jusqu'à ce que le piquet se déloge : l'arbrisseau se redresse alors brusquement et soulève tout aussi brusquement le piège, dont le nœud coulant se referme sur le garrot de votre victime. Vous n'aurez pas le temps de dire ouf que Jeannot Lapin sera fait comme un rat.

LA BOUTEILLE D'APOTHICAIRE

Commencez par creuser un trou dans le sol et placez-y une bouteille au goulot étroit. Rebouchez le trou avec de la terre de façon que le haut de la bouteille soit juste en dessous de la surface. Placez quelques pierres autour du goulot et recouvrez-le d'une petite voûte de gros morceaux d'écorces ou autres (mais il faut que ce soit léger), soutenue au-dessus du sol par les pierres. Les souris du coin ne tarderont pas à venir trouver refuge sous cet abri avant de dégringoler dans le trou. Quand vous approchez pour vérifier votre capture, enfoncez un bouchon dans le goulot avant de déterrer la bouteille, au cas où un serpent se serait tapi à l'intérieur.

◎ *Les lapins pratiquent la coécotrophie, c'est-à-dire qu'ils mangent leurs excréments.* ◎

COMMENT
JOUER AU CONKER

C omme il y a une certaine ressemblance entre les mots *conker* et *conquérant*, une tradition fait remonter à Guillaume le Conquérant un des jeux les plus pratiqués par les petits Anglais dans les cours de récré. En fait, *conker* signifie tout simplement « marron ». Cette noble et ancienne pratique a traversé la Manche pour faire des adeptes en Dordogne où est née la première Fédération française de *conker*. Quand je vous dis que c'est du sérieux !

LES RÈGLES

Deux joueurs, tenant chacun à bout de bras un lacet auquel est suspendu un marron percé, frappent tour à tour le marron de l'autre jusqu'à ce que l'un d'eux éclate (le marron, bien sûr, pas l'adversaire).

Le *teneur*, c'est-à-dire celui qui reçoit le coup, doit maintenir son marron immobile pendant que le *frappeur* (donc l'adversaire) tire ; ce dernier a le droit d'immobiliser le marron à la main si besoin. Si le teneur fait tressauter son marron au moment du tir, son adversaire gagne un coup gratuit. Mais il existe un désaccord récurrent concernant les coups manqués, pour savoir si un tir raté est irrévocable ou si le frappeur a droit à un deuxième ou un troisième essai. En France, chaque joueur a droit à trois frappes consécutives.

Quand les ficelles s'emmêlent au cours d'une frappe (c'est fréquent), le premier joueur qui crie « Mêlée ! » rejoue un coup. Si un marron tombe ou est renversé par terre pendant la partie, le frappeur doit crier « Tampon ! » et piétiner très vite le marron. Mais si le teneur dit « Pas de tampon ! » le premier, le frappeur n'a pas le droit de piétiner le marron. Courtoisie du jeu oblige, la moindre triche à ce stade engendre opprobre et mépris envers le saligaud quia osé.

Le tournoi se poursuit jusqu'à ce qu'un des marrons éclate, le marron gagnant « encaissant » les points du marron abattu, auxquels on ajoute un point supplémentaire. Donc, si un marron avec un score de 0 (autrement dit nul) l'emporte sur un marron à 22 points, il devient un marron à 23 points. Mais si un marron à 6 points bat un 22 points, il devient un 29 points. Simple, non ? Des marrons aux scores géants font parfois l'objet d'un marché parallèle, même si les exploits dudit marron sont rarement vérifiables – ce qui nous force à croire sur parole son propriétaire. Mais seul un goujat oserait mentir sur le score de son marron.

Préparation, tactique et conseils

◊ Pour choisir les marrons, plongez les postulants dans un seau d'eau. Les plus denses vont couler : c'est ceux-là qu'il faut choisir.

◊ Ciblez le type qui possède un marron plus petit et plus mou que le vôtre. La taille est un gros atout.

◊ Les marrons sphériques à bord plat, surnommés « couteaux à fromage », ont l'avantage de cogner comme une machette. Cet « avantage » est tout à fait hypothétique, étant donné que, lorsqu'il pend, ce type de marron présente une surface plane très facile à frapper.

◊ Conserver son marron toute la nuit dans du vinaigre, le vernir ou le cuire au four sont souvent considérés comme des falsifications, mais rarement comme de la triche. Les gains sont, dans tous les cas, discutables.

◊ Le trou qui permet d'accrocher le marron à la ficelle est assez délicat : il faut le percer avec une petite vrille fine pour éviter qu'il favorise un éclatement dudit marron.

◊ Les marrons de l'an passé, voire plus âgés encore, peuvent se révéler férocement imbattables. Rien ne vaut un vieux marron pure race bien ferme suspendu à un gros lacet pour frapper son adversaire de terreur.

Les marrons « à succès » sont parfois « mis » en arrêt de travail, dès qu'ils montrent des signes de détresse. Je me souviens d'un III points qui avait été rapidement écarté suite au développement d'une fêlure dans sa triste carapace marron. Je me demande encore ce qu'il est devenu.

◉ *Le championnat du monde de* conker *a lieu le deuxième dimanche d'octobre en Angleterre.* ◉

UN KIT DE SURVIE DANS UNE BOÎTE DE CONSERVE

P erdu dans la jungle ou coincé sur une île déserte ? Un kit de survie est la solution à vos problèmes. Le vrai bon kit de survie doit vous fournir tous les objets indispensables pour construire un abri, recueillir de la nourriture, faire du feu, purifier l'eau et la stocker, émettre des signaux de détresse, donner les premiers soins… Il doit donc contenir tout ce qu'il vous faut pour tenir au moins 3 jours.

LE CONTENU

◇ Une boîte à tabac, à gâteaux ou à bonbons, au choix, mais en métal. Elle doit pouvoir tout contenir ; en plus, l'intérieur du couvercle est très réfléchissant et peut servir à faire signe aux sauveteurs.

◇ Du papier alu plié en carré, à partir duquel vous pourrez façonner une petite cuvette pour recueillir l'eau et la faire bouillir, pour cuisiner, vous laver et boire.

◇ Un sifflet bien bruyant de votre choix. S'il prend trop de place, dépêchez-vous d'apprendre à siffler avec un brin d'herbe (page 125).

◇ Une petite paille à boire contenant de l'eau de Javel pour purifier l'eau : vous coupez une paille en plastique et vous scellez les bouts après avoir mis le liquide. Ça vous fournira environ 8 gouttes ; I goutte doit suffire pour stériliser 50 centilitres d'eau.

◇ Un préservatif pour stocker de l'eau (vous pourrez l'utiliser pour d'autres activités si c'est votre jour de chance).

◇ Une douzaine d'allumettes trempées dans de la paraffine – ce qui leur permet de rester complètement sèches. Sans compter que vous pouvez manger les restes de cire.

◇ Un morceau de bougie. Utilisation multiple : éclairage *waterproof*, lubrifiant, denrée alimentaire...

◇ Trois rustines de 2,5 centimètres carrés : ça fait un allume-feu absolument incroyable.

◇ Trois boules de coton recouvertes de vaseline : pour remplacer le petit bois, faire un tampon de premiers secours, faire office de lubrifiant. Encore un outil multifonction...

◇ Un crayon de bois. Pratique pour écrire des messages, mais surtout parce que sa mine est un excellent lubrifiant, et ses copeaux peuvent servir pour allumer du feu.

◇ Trois comprimés antihistaminiques vendus sans ordonnance et trois antiturista. Pour que les réactions allergiques et la déshydratation cessent de vous handicaper.

◇ Un petit rouleau de ruban adhésif chirurgical *waterproof*. Outre ses utilisations multiples pour les premiers secours, ce ruban peut servir pour des réparations de base et fera office d'attrape-mouches en cas de grande disette. De quoi vous fournir un peu de protéines.

◇ Un morceau de sucre. À utiliser avec le ruban chirurgical pour attraper des abeilles et autres insectes pour le dîner. La soupe d'abeille est très nourrissante.

◇ Six épingles de nourrice. Pour les réparations d'urgence sur les vêtements ou pour vous aider à consolider un peu votre abri. Elles sont aussi très efficaces comme hameçons ; fixez-y simplement une chenille et un morceau d'alu, et c'est tout bon.

◇ Un bouillon-cube, juste pour donner du goût aux horribles trucs que vous êtes obligé de manger.

◇ Un petit couteau suisse. Pour dépecer, vider, débiter, etc. Muni d'une paire de pincettes, c'est encore mieux : comme ça, vous pouvez vous épiler les sourcils quand vous êtes désœuvré.

◇ Un cordon de parachute multifil de 3 mètres de long. Comme il ne tiendra pas dans la boîte, vous l'enroulerez autour. Au départ, cet accessoire doit vous servir pour suspendre votre abri de fortune entre deux arbres, mais il peut aussi vous aider à accrocher vos aliments hors de portée des animaux et ses fils intérieurs sont parfaits pour les petits travaux, pour construire des pièges et surtout pour pêcher. Comme fil dentaire, ça marche aussi très bien.

FAIRE UN FEU AVEC LES OUTILS DE VOTRE KIT DE SURVIE

Rassemblez une grosse pierre plate, du papier d'alu, une allumette paraffinée et quelque chose sur laquelle la faire craquer : une pierre rugueuse, par exemple. Pliez le morceau d'alu en coupole pour faire un pare-vent et maintenez-le en place à l'aide de votre grosse pierre plate. Préparez une boule de coton recouverte de vaseline sur laquelle vous rabotez quelques copeaux du bois de votre crayon. Enfin, assemblez un fagot de petit bois bien sec. Vous voilà paré.

1 Grattez la cire sur la tête de l'allumette et mangez-la.

2 Craquez l'allumette sur la pierre rugueuse et lancez-la à l'intérieur du pare-vent.

3 Tenez une rustine au-dessus de l'allumette pour l'enflammer.

4 Posez votre rustine en flammes sur les copeaux de crayon.

5 Soufflez dessus. Une fois que les copeaux s'embrasent, transférez-les sur le fagot.

Faire du feu sous un pin bien sec pourra vous fournir une belle balise lumineuse car l'arbre tout entier va prendre feu. Mais évitez si possible d'incendier toute la jungle.

BON À SAVOIR

◇ N'oubliez jamais que l'alcool est l'ennemi numéro un de la survie. Il déshydrate, diminue la température du corps (en ouvrant des vaisseaux sanguins annexes) et ralentit les réflexes.

◇ Si vous vous retrouvez perdu dans la jungle, *restez où vous êtes*. Si vous ne pouvez pas éviter de faire un déplacement – par exemple, pour aller chercher de l'eau –, apprenez à vous servir de votre montre comme d'une boussole (voir page 3).

◎ *Le vrai Robinson Crusoé, Alexander Selkirk, a passé quatre ans tout seul sur son île.* ◎

LE SUMO POUR DÉBUTANTS

A rt distingué de la lutte japonaise, le sumo consiste à pousser son adversaire hors d'un cercle étroit ou à l'obliger à toucher le sol avec une partie du corps autre que la plante des pieds. Coups de poing, coups de pied, tirage de cheveux ou prise en main des parties inférieures sont formellement interdits. Percer les éminents mystères de cet art nécessite plusieurs années d'apprentissage, mais les débutants peuvent s'y attaquer de front sans trop de difficultés et devenir rapidement compétents. Surtout les plus corpulents.

LA CONDUITE DE BASE

Le *dohyo* constitue la zone de combat, délimitée par un cercle d'un diamètre de 4,55 mètres. Avant de pénétrer dans le cercle, vous devez taper des pieds et des mains pour chasser les mauvais esprits, en soulevant les pieds bien haut puis en pliant les jambes. Pour faire bonne mesure, lancez une poignée de sel sur le *dohyo* pour le purifier.

Une fois ces cérémonials d'ouverture accomplis, dévisagez d'un air imposant l'autre *rikishi* (lutteur) en face de vous. Pas évident quand on porte le chignon et un simple *mawashi*, l'espèce de string-ficelle qui vous entoure la taille et passe entre vos jambes pour masquer votre embarras.

Le combat débute au signal du *gyoji* (arbitre), mais seulement quand votre adversaire et vous avez indiqué que vous étiez prêts. Cette politesse est encouragée par une amende de 100 000 yens (750 euros) pour quiconque commence le combat avant que son adversaire soit prêt.

Une fois que vous avez fait signe à l'arbitre, ce dernier présente l'autre face de son *gunbai* (éventail) et donne l'ordre de commencer le combat. Ce n'est pas le moment de rêvasser, sinon vous serez *out* sur-le-champ.

Après avoir touché le sol avec vos deux poings pour accepter le combat, la partie commence. C'est là que vous vous jetez littéralement sur votre rival ; vos deux têtes se percutent et résonnent comme une balle de pétanque sur une poêle à frire mais faites comme si de rien n'était. Pendant que vous vous débattez pour vous dégager de l'énorme carcasse de l'autre type (on se prend beaucoup par les bras et par le *mawashi*, dans ce sport), le *gyoji* continue à hurler : « *Nokotta !* », une sorte de cri de guerre incitant les lutteurs à continuer. Même si vous avez l'impression d'être dans une sacrée impasse, l'arbitre doit vous inviter à poursuivre en criant : « *Yoi, hakkeyoi !* »

Les combats peuvent être de courte durée ; en compétition, on se contente d'accumuler les victoires (ou les défaites) et le type qui a fait le meilleur score devient le vainqueur absolu.

La préparation physique

Ne croyez pas ceux qui prétendent que les sumos comprimeraient leurs testicules dans leur canal inguinal pour éviter de se blesser. Franchement, vous avez déjà essayé ? Portez un pagne sous votre ceinture : ça vous protégera amplement. De toute façon, votre adversaire n'a pas le droit d'attraper vos *mae-tatemitsu*, cette partie de votre anatomie que vous dissimulez sous le *mawashi* et qui n'est déjà plus de première jeunesse.

Si vous parvenez à devenir très gros en peu de temps, ça peut être un avantage, même pour un débutant. Les lutteurs de sumo maigrichons ont toujours l'air un peu triste et sont systématiquement mis K.O. par les mastodontes, dont le centre de gravité est très bas.

Catégories de poids des sumos

◇ *Poids léger :* moins de 100 kilos
◇ *Poids moyen :* moins de 150 kilos
◇ *Poids lourd :* plus de 150 kilos

Pour gonfler, il vous suffit de faire comme les authentiques *sumotori* : avalez tous les jours des gros plats de riz collant. Au début, la prise de poids est très lente, puis un jour votre corps cesse de résister et se met à enfler comme un ballon pourvu d'un tuyau de gaz dans le derrière. Mais sachez que les lutteurs de sumo ont presque tous du diabète de type 2. C'est le prix à payer pour devenir énorme. Dans ces conditions, il vaut peut-être mieux s'en tenir aux échecs.

◉ *Avant les combats de sumo, des primes sont offertes au vainqueur par des sponsors, avec un défilé de banderoles à leur image.* ◉

LA VRAIE BONNE MÉTHODE POUR LANCER UN BOOMERANG

Le boomerang est une formidable contribution des Aborigènes d'Australie à l'art de la chasse. Conçus comme outil de chasse pour assommer à distance son repas, les premiers boomerangs revenaient uniquement quand ils n'atteignaient pas leur cible. Le boomerang est d'une redoutable efficacité : sa courbure et son profil en aile d'avion (bombé au-dessus et plat en dessous) lui assurent sa stabilité et sa portance (le fait qu'il peut se maintenir en l'air), mais comme il s'agit aussi d'un projectile, la vitesse lui donne de la puissance tandis qu'il se dirige vers les malheureux kangourous. Au retour, par contre, la vitesse diminue progressivement et vous le récupérez sans vous faire mal. C'est l'avantage…

FABRIQUER UN BOOMERANG

On peut bricoler différents types de boomerangs : en croix ou en triangle, et même en V comme ceux des Aborigènes. Un boomerang en bois taillé dans un tronc d'arbre au niveau de la jonction avec une grosse racine vous donnera un angle de courbe compris entre 95 et 110 degrés.

Je vous donne la méthode pour fabriquer un boomerang de base en croix : c'est simple à construire et facile à tailler. Mais attendez-vous à recommencer plusieurs fois avant d'être totalement satisfait.

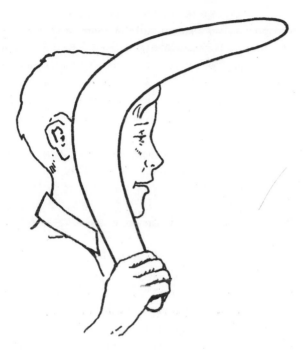

Les fournitures

- *Une boîte de céréales (vide)*
- *Des ciseaux*
- *Une agrafeuse*

La méthode

1 Sur une boîte de céréales, dessinez deux bandes parfaitement identiques de 21 centimètres sur 2,5.

2 Découpez ces bandes, en courbant joliment leurs angles, un peu comme l'abaisse-langue du médecin.

3 Assemblez les bandes en formant une croix et agrafez-les au centre.

4 Pliez légèrement les bords de chaque pale à 2 centimètres du bout. Et voilà, le boomerang est prêt à être lancé.

L'ART DE FAIRE REVENIR UN BOOMERANG

Le secret pour arriver à faire revenir un boomerang repose sur trois facteurs essentiels : 1) l'entraînement, 2) l'entraînement et 3) l'entraînement. Comme n'importe quel objet lancé, les boomerangs sont soumis aux lois du mouvement de Newton. Au cas où ça vous intéresse, l'inertie de rotation, l'effet Bernoulli, la précession gyroscopique et la force centripète sont également impliqués.

Un boomerang doit toujours être lancé à la verticale. À mesure qu'il tournoie, l'extrémité des pales bouge plus vite que le centre – d'où une différence de portance qui explique la trajectoire typiquement incurvée de l'objet.

1   Placez-vous en extérieur, sur un terrain dégagé, loin des gens sans chapeau.

2   Le bras levé contre l'oreille, empoignez fermement le boomerang par le bout d'une pale de façon qu'il pointe vers le ciel, les extrémités pliées dirigées vers vous.

3   Visez le sommet des arbres à une distance d'environ 180 mètres et expédiez l'engin à la verticale en cassant le poignet et en terminant votre lancer avec le bras plaqué contre la jambe.

Vous pouvez envoyer le boomerang dans le vent mais c'est assez difficile pour les débutants si le vent n'est pas très fort. Et les jours où ça souffle vraiment, optez pour le boomerang d'intérieur.

LE MINI-BOOMERANG

Découpez dans votre boîte de céréales un boomerang incurvé à l'ancienne d'environ 7 centimètres de long (dessin). Une des extrémités doit être légèrement plus large, et donc plus lourde, que l'autre.

Pour le lancer, tenez le boomerang à la verticale entre votre index et votre pouce gauches, en l'inclinant très légèrement sur la gauche. Donnez alors une petite chiquenaude en haut de la pale avec votre majeur droit. Sinon, vous pouvez aussi le glisser sous l'ongle de votre index gauche et essayer de le lancer à l'horizontale. Inclinez-le vers le

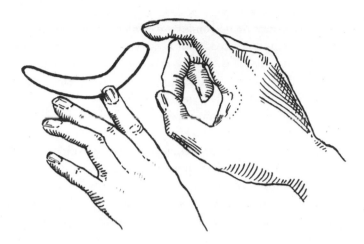

haut à environ 45 degrés avant de l'expédier d'une chiquenaude avec votre index droit.

Si ça ne marche pas, ne vous énervez pas : un rejet colérique avec lancer violent pourrait bien vous valoir un splendide *retour à l'envoyeur*, et la bosse qui va avec.

☾ *Les kangourous se badigeonnent de leur propre salive pour se rafraîchir.* ☽

COMMENT
CONSTRUIRE UNE LUGE
QUI GLISSE VRAIMENT

Pour goûter vraiment aux joies de la luge, pas besoin d'un modèle compliqué. Les meilleures sont façonnées au marteau dans une plaque de tôle ondulée, elles font merveille sur la neige et la glace et sont aussi très efficaces sur la neige fondue et sur la boue.

CONSTRUIRE UNE LUGE

Dégotez une plaque de tôle ondulée d'environ 2,5 mètres sur 60 centimètres et retirez tous les clous et les vis avec une paire de pinces. Enlevez la rouille avec une brosse métallique et une grande quantité... d'huile de coude. La tâche est un peu pénible mais elle réchauffe vraiment sous une bise cinglante. Ensuite, un bon coup de papier de verre à gros grain, puis un autre à grain moyen, et enfin un dernier à grain fin, et voilà votre luge qui scintille. D'accord, un coup de ponçage vous aurait permis d'enlever le plus gros ! Pour le polissage final, un chiffon gras est idéal. Votre luge est maintenant prête à être façonnée au marteau.

Pour cette étape, les meilleurs marteaux sont ceux munis d'une grosse tête large ; si vous possédez une cintreuse à métal thermique, c'est encore mieux. Autrement, arrangez-vous avec votre meilleur copain (il faut bien quelqu'un pour vous tenir la tôle) et le propriétaire du poteau d'angle à 15 mètres de votre maison.

Façonnez l'extrémité de la plaque de métal à grands coups de marteau en la pressant autour du poteau pour former la proue arrondie de la luge. Vous devez essayer d'imiter la forme des babouches : pointues à l'avant mais tout en élégance. Une ligne régulière signifie une descente plus rapide et moins risquée ; alors soignez le travail. Les tests seront le meilleur indicateur de performance et il y a des chances pour que vous soyez obligé de faire de nouveaux réglages entre deux descentes.

Munissez-vous d'une paire de gants très épais pour vous cramponner à l'avant ou aux flancs de la luge car le métal, ça ne pardonne pas, surtout quand il fait froid. Un morceau de ficelle de jardinage solidement attaché à travers deux trous percés à l'avant constitue une poignée pratique pour remonter le monstre en haut de la colline. Mais n'essayez pas de vous y tenir pendant la descente : vous pourriez vous cisailler les doigts.

Sur une surface bien humide, on peut atteindre une vitesse de pointe élevée, autant que sur le Cresta Run de Saint-Moritz, et on peut même faire une descente aux flambeaux en demandant au passager avant de tenir la torche. N'essayez jamais de stopper l'engin avec les pieds ou les mains : ils se casseraient net comme des gressins. Si vous déplacez imperceptiblement votre centre de gravité en vous penchant à gauche ou à droite, la direction peut varier légèrement. Mais pas beaucoup. Très honnêtement, ce n'est pas vous le capitaine ici, c'est la luge. Vous pouvez toujours vous entraîner pour apprendre à maîtriser l'engin ; mais rappelez-vous que, une fois lancé, la seule chose à faire est de croiser les doigts et de penser à votre prière…

◎ *Le plus gros bonhomme de neige de tous les temps mesurait 34 mètres.* ◎

COMMENT
FAIRE DE BEAUX RICOCHETS

P armi les dix films que vous devez absolument avoir vus, je citerais *Les Briseurs de barrages*, de Michael Anderson, un grand classique des films de guerre avec tout plein d'effets spéciaux et d'explosions. Le « personnage » principal de ce film, c'est une arme assez particulière, une « bombe rebondissante » qui fait d'affreux carnages pendant la Seconde Guerre mondiale. Larguée par avion, cette « briseuse de barrages » ricoche sur l'eau avec précision jusqu'à sa cible. L'amiral Nelson avait eu recours à un procédé similaire pendant la bataille de Trafalgar en tirant ses boulets de canons à quelques mètres seulement de leurs cibles pour leur permettre de rebondir sur la grande bleue et finalement de transpercer à la verticale la coque des navires français.

Boulets de canons, galets à ricochets, même combat. Tout comme l'angle de trajectoire, le secret d'un ricochet réussi repose sur la vitesse et la rotation. Selon un expert, la vitesse maximale peut atteindre 40 kilomètres à l'heure à raison de 14 rotations par seconde (entre nous, j'ai du mal à comprendre comment on fait pour calculer tout ça). Le record mondial actuel est de 40 ricochets mais il est rare que les plus chanceux dépassent 6 ou 7 rebonds, même après un entraînement sérieux.

LES MEILLEURES PIERRES À RICOCHETS

Pour avoir une chance de réussir, il faut déjà avoir le bon projectile. Les meilleures pierres à ricochets sont lisses, de la taille d'une paume de main, plutôt plates, triangulaires mais surtout pas rondes, et elles doivent posséder une face inférieure légèrement incurvée. Côté poids, elles ne seront ni trop lourdes, ni trop légères. Ça vous aide ? Le mieux, c'est encore de faire des essais. Les galets en ardoise ou en silex lissés par la mer sont excellents mais il y a aussi eu un record mondial remporté avec un morceau de calcaire.

Pour trouver des pierres appropriées, allez sur les plages qui se trouvent à proximité de falaises. Mais le lancer est préférable sur les lacs ou les grands étangs, sauf à avoir devant soi une mer d'un calme absolu. Rappelez-vous : la vague est l'ennemi numéro un du ricochet.

LA TECHNIQUE

Quand la pierre touche l'eau, elle est « repoussée » à la surface grâce à la densité du liquide. En fait, c'est un peu le principe du ski nautique. La force de cette poussée est proportionnelle à la vitesse au carré de la pierre (ou du skieur). Mais chaque ricochet est plus court et plus abrupt que le précédent car la pierre subit une déperdition d'énergie (contrairement au skieur tiré par son hors-bord).

Le facteur essentiel à la réussite d'un ricochet, c'est l'angle dans lequel le caillou atteint la surface de l'eau. D'après des spécialistes tout à fait sérieux, le meilleur angle est de 20 degrés. Avec une approche aussi précise, le caillou ne peut que ricocher, même si c'est votre mère qui le lance (à savoir très lentement et avec des moulinets ridicules).

Une pierre qui heurte la surface de l'eau dans un angle inférieur à 20 degrés (donc plus près de l'horizontale) rebondit quand même, mais elle perd presque toute son énergie au contact de l'eau. Au-dessus de 45 degrés, c'est-à-dire presque à la perpendiculaire, la pierre ne ricoche pas ; elle fait juste plouf et (pardon d'avance pour la comparaison peu brillante) tombe à pic comme un vulgaire caillou. Dans le téléguidage de retour d'une navette spatiale, c'est une des étapes qui exige la plus grande vigilance : un angle trop aigu et la fusée repart directement d'où elle vient, en ricochant dans l'atmosphère.

LE LANCER

Tenez-vous droit, les pieds écartés, perpendiculaires à l'eau. Tenez le caillou à l'horizontale, bien serré entre le pouce et le majeur, le coude à 10-12 centimètres de la hanche. Votre index (l'élément moteur) doit reposer sur le bord du caillou. À présent, cassez le poignet en arrière et lancez la pierre d'un geste vif, dans un angle de 20 degrés comme je vous l'ai déjà expliqué plus haut. C'est juste quand vous lâchez prise que votre index transmet une impulsion au caillou, lequel s'empresse de rebondir sur la surface de l'eau.

◉ *Certaines séquences de* Star Wars *sont inspirées des* Briseurs de barrages. ◉

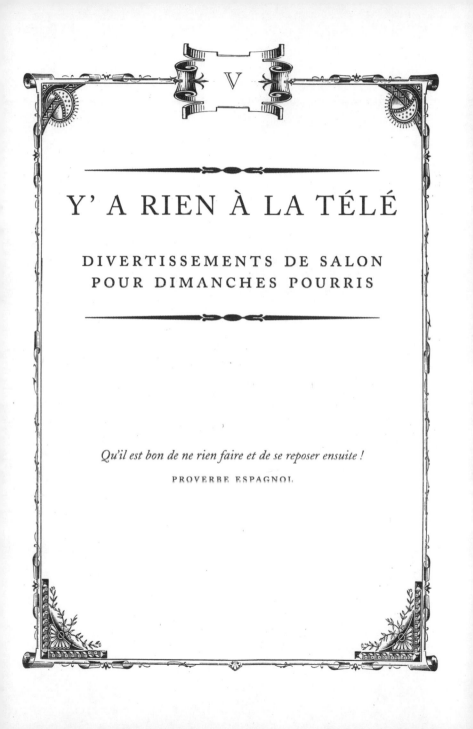

V

Y' A RIEN À LA TÉLÉ

DIVERTISSEMENTS DE SALON
POUR DIMANCHES POURRIS

Qu'il est bon de ne rien faire et de se reposer ensuite !

PROVERBE ESPAGNOL

LES FOURCHETTES ACROBATIQUES

C e tour de passe-passe n'est pas tout jeune mais, étonnamment, peu de gens le connaissent. Datant de cette lointaine époque où nous ne peinions pas encore comme des esclaves toute la journée pour nous écrouler le soir devant la télé, vautrés comme des sacs de patates, cette distraction rencontrait un franc succès autour de la table familiale.

Le but du jeu consiste à caler une pièce de monnaie entre les dents de deux fourchettes que l'on fait tenir en équilibre sur le bord d'un verre. Le résultat défie la logique et la préparation est presque aussi amusante que le dénouement.

LE MATÉRIEL
- *Une pièce*
- *Deux fourchettes*
- *Un verre (un grand, c'est bien)*

Le coup des fourchettes acrobatiques marche mieux avec une grosse pièce, de 50 centimes par exemple ; avec les petites fourchettes, une pièce de 10 centimes convient bien. La taille de la pièce dépend en fait du poids des fourchettes et de l'écart entre les dents. Quelques essais sont donc nécessaires. Comme à chaque fois que vous voulez surprendre, une bonne préparation est indispensable.

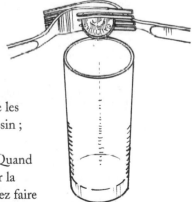

En premier lieu, glissez la pièce entre les dents des fourchettes, comme sur le dessin ; la tâche est un peu délicate mais elle ne manquera pas d'intriguer le public. Quand tout est en place, faites tenir la pièce sur la tranche, sur le bord du verre. Vous devrez faire de nombreux ajustements pour atteindre l'équilibre, qui dépend du poids des fourchettes et de leur distance par rapport au centre de gravité du mobile. Pour vous aider, vous pouvez plier légèrement les couverts récalcitrants.

Le dispositif est plus stable qu'il y paraît. Pour augmenter le suspens, remplissez le verre de liquide qu'il faut transvaser dans un autre verre sans faire tomber les fourchettes ni la pièce. Faites couler le liquide sur le bord opposé à celui où se trouve la pièce. Avec un peu d'application, vous serez bientôt capable de faire glisser le liquide dans votre gosier…

Pour les téméraires, voici deux autres variantes :

1 L'ALLUMETTE EN FLAMMES

Quand vous maîtrisez parfaitement le tour avec une pièce de monnaie, essayez avec une allumette. Dès que le dispositif est en équilibre, faites flamber l'allumette. Elle va brûler jusqu'au bout et s'éteindre quand la flamme atteindra le bord du verre, mais tout le machin va rester en équilibre. Le résultat est étonnant, voire improbable. Si vous soufflez doucement sur le manche d'une des fourchettes, le tout va osciller sous la brise sans tomber.

2 L'ŒUF ET LE BOUCHON

Prenez un bouchon en liège et creusez légèrement un des bouts pour pouvoir faire tenir le bouchon sur un œuf. Plantez une fourchette de chaque côté du bouchon, comme pour faire des bras. Placez le bouchon sur l'œuf (mettez celui-ci tête en bas pour que le bouchon repose sur la base arrondie) ; moyennant quelques ajustements, vous devriez être en mesure de lâcher les fourchettes. Mettez ensuite l'œuf en équilibre sur le goulot d'une bouteille de vin, avec le bouchon et les fourchettes par-dessus. Normalement, ça peut tenir…

◉ *Au Moyen Âge, les fourchettes n'avaient que deux dents.* ◉

JOUER AUX BILLES
AVEC DES TÊTARDS EN ALU

Les têtards en alu, c'est le summum des divertissements quand on s'ennuie. On les fabrique en moins de deux et leur façon de glisser en ondulant est assez séduisante. Et c'est fou ce qu'on peut inventer comme histoires pour les faire jouer ensemble.

COMMENT ÇA MARCHE

1   Piquez un rouleau de papier alu dans la cuisine.

2   Trouvez quelques billes. Tout le monde en possède au moins une poignée, le plus souvent planquées au fond du tiroir à bazar, au milieu d'une pince à linge, d'une paire de lunettes oubliée, d'un vieux téléphone portable et d'un trousseau de clés. Deux billes chacun, c'est suffisant.

3   Mettez les billes dans un bol et asseyez-vous à la table (c'est le moment d'ouvrir une cannette).

4   Chaque participant doit déchirer un morceau d'aluminium rectangulaire mesurant *grosso modo* la longueur de son majeur et à peu près deux tiers de cette mesure en largeur. Ne vous en faites pas si l'ensemble est un peu difforme et si les bords sont irréguliers : on n'est pas là pour faire des origamis.

5   Pour fabriquer le têtard, prenez une bille et placez-la sur la table devant vous. Chiffonnez sommairement le papier sur la bille, pas tout à fait au milieu pour qu'elle forme la « tête », le reste de l'aluminium restant évasé à l'arrière, comme la queue d'une comète.

6   Ajustez l'aluminium tout autour de la bille et travaillez un peu la queue pour lui donner une forme de têtard. Si une petite « jupe » aplatie se forme au niveau de la tête, c'est normal : elle va renforcer la stabilité de votre larve.

7   À présent, donnez une pichenette à votre têtard. Avec un peu de chance, le papier ne devrait pas être trop serré sur la bille – ce qui lui permettra de rouler doucement sous sa coquille. S'il est trop

ajusté, tripotez-le un peu pour assouplir le truc. Le têtard est parfaitement au point quand vous pouvez le faire avancer en le faisant onduler sur la table.

LA PÉTANQUE OVARIENNE

Ce jeu de têtards est prévu pour 4 à 10 joueurs. Si vous avez un parquet bien ciré ou un sol stratifié, vous pouvez lancer une formidable pétanque ovarienne. Il faut donc que vos têtards ressemblent un minimum à des spermatozoïdes. Les règles sont simples :

1   D'abord, faites de la place sur le sol en éloignant enfants, tapis, tables et journaux.

2   Placez les joueurs autour du périmètre de la pièce et posez un coussin par terre au milieu. Il fait office d'ovule : en clair, c'est la cible de vos spermato-têtards.

3   Dès que vous en donnez l'ordre, chaque joueur essaie d'atteindre le coussin en lançant une seule fois son têtard. Les joueurs qui échouent sont déclarés « stériles » et éliminés aussitôt. Les joueurs restants recommencent.

4   Le dernier en lice gagne la partie et offre sa tournée.

◉ *Les premières billes en verre ont été créées au XIXe siècle.* ◉

COMMENT
SE FAIRE UN PANTALON AVEC DES SERVIETTES DE BISTROT

S i vous savez vous confectionner un pantalon avec des serviettes de bistrot, vous multipliez vos chances de survie dans les situations les plus délicates, comme la chute malencontreuse d'un verre de vin rouge sur votre jean alors que vous avez rendez-vous avec la fille de vos rêves...

1 La première chose à faire, c'est de vous procurer un kit de couture contenant des aiguilles, du fil et des mini-ciseaux.

2 Ensuite, il vous faut une provision de serviettes en papier. Donc, direction le bistrot le plus proche. Selon votre taille et l'épaisseur de vos jambes, comptez entre 12 et 15 serviettes. Les couleurs foncées sont plus flatteuses, surtout pour les personnes un peu fortes ; le vert et le marron sont plus appropriés pour la campagne.

3 Quand vous aurez récolté assez de serviettes, éclipsez-vous aux toilettes, où vous pourrez tranquillement vous atteler à l'ouvrage. Commencez par tomber le pantalon, installez-vous confortablement sur la cuvette et préparez une aiguillée de fil de coton doublé.

4 En commençant par les chevilles, enveloppez une serviette autour de votre jambe. Si vous êtes plutôt bien bâti, vous risquez de ne pas avoir assez de serviettes et vous allez peut-être devoir vous contenter d'un short. Dans ce cas, positionnez la serviette à l'horizontale (format à l'italienne, comme on dit pour les livres) pour avoir plus de largeur. Et n'oubliez pas : pour le confort de tous, faites ça bien ample.

5 Piquez ensemble les angles inférieurs de la serviette et faites un nœud. Faites une couture en remontant le long de la jambe, sans vous préoccuper de l'allure de vos points – c'est le dernier de vos soucis. Ensuite, cousez une autre serviette à la première en faisant le tour de votre jambe, à l'horizontale cette fois. Continuez comme ça jusqu'à ce que vous ayez un tube de serviettes autour de la jambe, des chevilles à l'entrecuisse. Faites de même pour l'autre jambe.

6 Pour que le pantalon soit confortable, la mesure la plus importante est la profondeur de l'entrejambe. Pour être sûr de faire ça correctement, commencez par coudre ensemble plusieurs serviettes pour former une longue bande que vous placez autour de votre taille, comme un pagne. Selon le tombé (c'est-à-dire la hauteur des serviettes), vous devriez être en mesure d'assembler le bas de cette pièce avec le haut des jambes et il doit vous rester assez de « tissu » en haut pour le rouler sur les hanches. Si vous faites ça assis, vous aurez forcément assez de longueur.

7   Pour finir, découpez un trou à l'entrejambe (dessin). Sa largeur dépend de votre morphologie : faites des essais en tenant compte de votre confort. Découpez ensuite dans une serviette un morceau assez large pour couvrir ce trou, en laissant assez de place pour y loger vos parties, puis cousez-le sur le pantalon au niveau de l'entrecuisse (bouchez bien tous les trous entre les jambes) et ajustez-le aussi en haut.

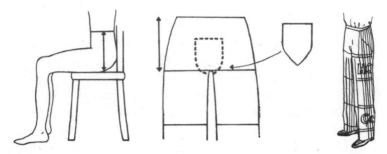

8   À présent, l'ensemble devrait être plutôt confortable. Quoique un peu insolite. Enfilez vos chaussettes et vos chaussures : vous voilà tiré d'affaire. Les pantalons tombent mieux si les serviettes sont épaisses. Comme certaines sont très absorbantes, évitez de sortir sous la pluie si vous ne voulez pas vous transformer en éponge ambulante.

COMMENT
FABRIQUER UN BÂTON
DE PLUTARQUE

L'armée spartiate n'avait pas accès aux logiciels de cryptage actuels. De toute façon, pour rédiger leurs messages secrets pendant leurs campagnes militaires contre les Grecs, les soldats de Sparte n'avaient besoin que d'un dispositif simple et rapide, qui pouvait être déchiffré sans problème par le destinataire.

Ils ont donc mis au point la scytale. Le message est écrit sur une fine bande de parchemin que l'on enroule autour d'un cylindre de bois. Un moyen rapide, facile et surtout très fiable.

Pour coder le message, l'expéditeur roulait d'abord le papier en hélice autour de son bâton, avant d'inscrire le texte dessus. Ensuite, il le déroulait et l'envoyait par messager. Le destinataire pouvait lire le texte en enroulant le parchemin sur un cylindre de même diamètre que celui de son correspondant. Si le message tombait aux mains de l'ennemi, le déchiffrage prenait des heures, sauf à disposer d'un bâton exactement de la même taille.

LE MATÉRIEL
- *Deux cylindres de même diamètre*
- *Du papier, des ciseaux et du ruban adhésif*
- *Un feutre*

Les manches à balai, rouleaux d'essuie-tout, cannettes de boisson et autres tubes peuvent faire de très bons bâtons de Plutarque. Vous aurez aussi besoin d'une longue bande de papier d'environ 2,5 centimètres de large. Découpez-la dans une feuille A4 en scotchant bout à bout plusieurs lanières.

POUR RÉDIGER LE MESSAGE
Avec un morceau de Scotch, fixez une extrémité de la bande sur le cylindre, puis enroulez le papier autour du cylindre en faisant en sorte que les bords ne se superposent pas. Enlevez tout le papier qui dépasse à l'autre bout et fixez cette extrémité avec du ruban adhésif.

Écrivez le message à l'horizontal sur toute la longueur de votre bâton, sachant que les bords du papier font office de séparateurs entre les lettres. Quand vous arrivez au bout, pivotez le bâton dans l'autre sens et commencez une deuxième rangée en dessous. Laissez un espace entre chaque mot (ou un Z si vous êtes vraiment pervers).

Quand vous avez terminé, retirez la bande de papier : votre texte est un vrai charabia. Pour déchiffrer votre message, votre destinataire doit enrouler la bande autour de son bâton de Plutarque jusqu'à ce que les lettres s'alignent.

SUBTILITÉS

Vous pouvez embrouiller l'ennemi en faisant alterner une ligne de texte avec une ligne de lettres écrites au hasard. Sinon, la substitution de lettres (A pour B, B pour C, C pour D, etc.) permet aussi de compliquer sérieusement la lecture... Encore plus tordu : écrivez dans une autre langue, par exemple en grec ancien...

COMMENT
FABRIQUER UN PÉRISCOPE

Les Grecs, toujours eux, avaient un mot pour chaque chose. *Périscope* vient de *peri*, « autour », et de *scopeïn*, « regarder ». En gros, un périscope, c'est un tube qui comporte, à chaque extrémité ouverte, un miroir à 45 degrés. Les rayons lumineux entrent par une des extrémités de l'objectif, sont dirigés à l'autre bout du tube par un des miroirs puis orientés vers l'œil de l'observateur par l'autre miroir.

Avant 1902, date à laquelle a été inventé le premier périscope naval, les sous-marins devaient refaire surface pour que l'équipage puisse voir par les hublots ce qui se passait au-dessus. Pas vraiment discret...

LES FOURNITURES
◆ *Deux briques de jus d'orange*
◆ *Un morceau de papier*
◆ *Deux petits miroirs carrés*
◆ *Un couteau aiguisé*
◆ *Du ruban adhésif*
◆ *Une règle*
◆ *De la Patafix*
◆ *Un crayon*

POUR LA FABRICATION

1 Découpez le haut de chaque brique de jus d'orange et jetez-le. Ensuite, scotchez les briques ensemble par leur partie ouverte pour former un long tube de section carrée. Attention ! plus le tube est long, plus l'image finale est petite.

2 Les deux miroirs doivent être positionnés à 45 degrés, chacun à un bout du tube, en face des objectifs qui sont découpés sur les parois opposées des deux briques assemblées. En clair, vous devez découper un trou sur une face du tube et un autre sur la face opposée, à l'autre extrémité du tube. Pour que l'angle des miroirs soit parfaitement juste, posez le tube à la verticale sur le papier et dessinez les contours en faisant des lignes bien droites. Découpez ce patron et pliez-le en deux dans la diagonale pour faire un triangle.

3 Pour calculer les dimensions des objectifs (les trous), tracez une ligne horizontale à 6,5 millimètres d'une des extrémités du tube. Placez un des côtés courts du triangle de papier sur cette ligne et tracez une diagonale sur le tube en suivant le côté long du triangle.

4 À présent, placez le côté long du triangle contre la ligne horizontale : un de ses côtés courts longe la diagonale que vous avez dessinée. Faites alors une marque sur la brique à la pointe inférieure du triangle et tracez une ligne horizontale passant par ce point.

5 Faites une entaille le long de cette ligne horizontale en vous arrêtant à 6,5 millimètres des bords. Découpez aussi une fente de même longueur sur la ligne horizontale du haut puis terminez le trou de l'objectif en faisant deux fentes verticales sur les côtés.

6 Faites glisser un des miroirs à l'intérieur du tube, en le plaçant en biais dans un angle de 45 degrés. Scotchez-le bien sur les côtés pour le faire tenir et placez éventuellement des gros morceaux de Patafix dans les coins.

7 Découpez un second objectif à l'autre extrémité du tube, sur la face opposée, en suivant les mêmes consignes pour les mesures. Placez l'autre miroir. C'est prêt. Maintenant, vous pouvez mater la voisine par-dessus la clôture du jardin sans que son frère menace de vous mettre son poing dans la figure.

COMMENT
FAIRE UN PAQUET-CADEAU
EN ORIGAMI

U ne sobre boîte en origami est un objet d'une beauté brute plus difficile à concevoir que le réceptacle sophistiqué décrit dans ce chapitre, dont les volants camouflent astucieusement le moindre défaut du pliage. Sous sa forme la plus simple, l'art de l'origami repose sur des pliages élémentaires. Par conséquent, même si vous êtes plutôt maladroit, vous devriez être en mesure de mener à bien ce petit numéro.

LES FOURNITURES
◇   *Une feuille de papier carrée unie (ou fantaisie – ça marche aussi)*
◇   *Des bonbons*

LA MÉTHODE

1   Pliez deux fois la feuille en diagonale, en joignant les deux coins opposés de façon à former un X à l'intérieur du carré (dessin 1).

2   Ouvrez la feuille et rabattez soigneusement les quatre coins extérieurs vers le centre pour former un carré plus petit. Retournez le pliage et faites pareil de l'autre côté pour obtenir un carré encore plus petit (dessin 2).

3   Rabattez chaque coin du milieu vers l'extérieur en marquant bien les plis (parallèles au bord du carré). Vous remarquerez que tous les plis forment un petit carré à l'intérieur de votre carré de papier (dessin 3).

4   Retournez votre pliage. Le carré n'est pas parfaitement plat mais il rebondit légèrement. Prenez un des coins libres au milieu et repliez-le vers l'extérieur en accordéon, en marquant bien les plis. Faites la même chose avec les trois autres coins (dessin 4).

5   Mangez quelques bonbons.

6   Vient à présent le dénouement : glissez votre index à l'intérieur d'un des triangles et pincez le papier par l'extérieur entre le pouce

et l'index de l'autre main. Pressez le plus possible pour former un triangle pointant vers l'extérieur (dessin 5). Répétez le procédé avec les autres poches triangulaires.

7   Pour finir, tirez légèrement sur les « pieds » pour les mettre en place et ajustez l'ensemble du pliage pour un résultat bien net.

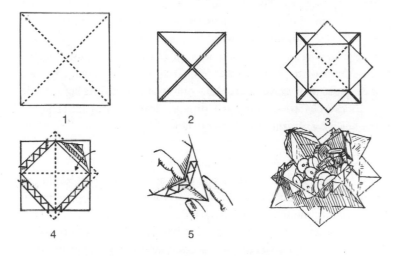

Les filles sont toujours fascinées quand on effectue un tel pliage devant elles. Glissez un petit cadeau à l'intérieur du paquet ; des bonbons, par exemple, ou une bague de fiançailles. C'est un emballage joli qui, en plus, coûte trois fois rien.

◎ *Le mot japonais* kami *est le même pour désigner « Dieu » et « le papier ».* ◎

COMMENT
CHANGER DE VISAGE
EN TRENTE SECONDES

Imaginez que vous soyez acteur sur un tournage où vous vous trouvez coincé dans un ascenseur ou au milieu d'un brasier gigantesque, en compagnie d'individus typiques des seconds rôles. Cette fine équipe compte généralement une veuve abrutie par l'alcool, qui débite des insanités, planquée sous son affreuse perruque et enveloppée dans son manteau de fourrure, un écervelé hystérique qui pousse des cris tremblotants, un sale type mielleux (bizarrement, c'est toujours un étranger) et un héros viril (vous) au visage taillé à la serpe.

Tout va bien tant que notre héros agit sans peur et sans reproche. Mais ça devient plus difficile quand les personnages se retrouvent assis en rang d'oignons, à débattre du sens de la vie autour d'une bougie. Macho Man va vite perdre pied ! Ce qu'il lui faut, c'est quelques tours de passe-passe pour égayer les foules. Quoi de mieux qu'une bonne série de grimaces ? L'effet est instantané, drôle et divertissant. Pour l'équipement, vous n'avez besoin que de vos doigts.

BATMAN

C'est incontestablement la grimace la plus facile à faire avec les doigts. Commencez par former deux cercles avec vos pouces et vos index, en écartant au maximum les autres doigts. Retournez vos mains de façon à toucher le menton avec vos majeurs. À présent, plaquez les ronds sur vos yeux : annulaires et auriculaires se placeront automatiquement sur votre mâchoire. Jetez un œil dans le miroir : Batman en personne !

FU MANCHU

Les aventures de Fu Manchu écrites par Sax Rohmer seraient sans doute jugées franchement racistes aujourd'hui mais ce n'est pas une raison pour ne pas tirer profit du personnage. Commencez par enlever un de vos lacets de chaussure et coincez-le entre votre lèvre supérieure et votre nez, tout en le laissant retomber de chaque côté de votre bouche comme une fine moustache. Ensuite, faites la grimace en plissant vos yeux façon asiate, et hop ! vous voilà devenu l'énigmatique Fu Manchu. Un abat-jour conique en raphia en guise de chapeau de coolie et une robe de chambre chic en soie permettent d'accentuer la vraisemblance.

Le Klingon de Star Trek

Le froncement de sourcils permanent des Klingons est délicat à imiter pour un adulte mais un volontaire de 7 ou 8 ans y parvient sans problème. Posez votre main sur sa tête, la paume tournée vers le bas et les doigts écartés sur son front. À présent, abaissez vos doigts jusqu'à ses sourcils en appuyant vers le bas : cela aura pour effet de plisser son front d'un air malveillant. Très *Klingon*.

Picasso

Un petit numéro rapide conseillé aux binoclards. Demandez d'abord à votre public : « Vous voulez que je vous imite Picasso ? » Une fois que tout le monde vous a répondu « Oui ! » d'un seul cri enthousiaste, inclinez légèrement vos lunettes sur la droite, de sorte que la monture du verre gauche repose sur l'arête de votre nez, l'idée étant que vous ressembliez à un des célèbres portraits cubistes du peintre.

Quand je fais cette petite grimace de rien du tout, ça déclenche toujours l'hilarité générale. Au cours des ans, ça m'a valu de nombreux fous rires, bien plus que tous les autres trucs compliqués.

COMMENT
DESSINER DES OMBRES CHINOISES

Il y a longtemps, de nombreuses jeunes femmes aux ombrelles tournoyantes faisaient immortaliser leur svelte silhouette par l'habile ciseau du portraitiste installé sur le front de mer. De nos jours, le charme du truc s'est plutôt rompu, l'équivalent moderne étant le Photomaton blafard de l'ado boutonneux brandissant un sachet de chips, hilare. Raison de plus, me direz-vous, pour faire renaître le portrait en ombres. Ce n'est ni compliqué ni très cher, et l'équipement est très simple. Alors, qu'est-ce que vous attendez ?

LES FOURNITURES
- ◇ *Quelques grandes feuilles de papier Canson*
  (des noires et des blanches)
- ◇ *Un crayon gras mais bien taillé*
- ◇ *Des ciseaux*
- ◇ *De la colle*
- ◇ *De la Patafix*
- ◇ *Votre grand-mère*
- ◇ *Une lampe*

LA MÉTHODE

1 Attendez la tombée de la nuit.

2 Fixez une feuille de Canson noire au mur.

3 Placez une chaise de profil devant cette feuille, entre le mur et une table.

4 Posez une lampe sur la table, l'idéal étant un de ces modèles avec un bras amovible.

5 Faites asseoir votre grand-mère (ou n'importe qui d'autre, du moment que votre modèle est capable de rester immobile quelques minutes). Elle doit s'asseoir de profil, évidemment, sinon vous allez vous retrouver avec une silhouette en forme d'ampoule, mais surtout pas avec un portrait. Si vous ne voyez qu'une grosse tache grise, c'est que votre lampe est trop éloignée ou que votre sujet n'est pas assez près du mur. Jouez avec la lumière et la place du modèle jusqu'à ce que vous soyez satisfait ; il vous faut distinguer le profil dans le détail.

6 Quand votre grand-mère est bien en place selon vos souhaits et que vous lui avez clairement fait comprendre qu'elle ne doit pas bondir à chaque fois que son portable sonne, dessinez soigneusement son ombre au crayon.

7 Quand vous avez terminé, découpez les contours du dessin en faisant bien attention aux détails comme les lunettes, les mèches de cheveux, etc. Ne les négligez pas : ils rendent le portrait très vivant.

8 Maintenant, il vous suffit de coller votre portrait noir sur une feuille

de Canson blanc, et c'est terminé. Si votre trait de crayon est visible, retournez la feuille sur l'autre face avant de la coller. C'est fou comme un profil à l'envers est différent mais demeure pourtant très reconnaissable.

Si vous vous fabriquez un pantographe (ci-dessous), vous pouvez réduire la taille des figures et faire des formats miniatures sur du papier plus fin.

◉ *Étienne de Silhouette était ministre des Finances sous Louis XV.* ◉

COMMENT
FABRIQUER UN PANTOGRAPHE

C et instrument de dessin est utilisé depuis des siècles pour copier, agrandir ou réduire des travaux artistiques un peu plats. Il fonctionne selon les lois géométriques d'Euclide et on dit que Léonard de Vinci s'en serait servi pour reproduire son propre travail et reporter ses dessins sur des toiles.

Le pantographe est un parallélogramme flexible, formé de « tiges » articulées. Le premier bras est fixe par rapport au support, le bras central est prolongé par un petit pointeur et le dernier est muni d'un crayon. Ces « bras » s'articulent facilement, de sorte que, si on déplace le pointeur sur une ligne ou un diagramme, le crayon reproduit le tracé sur une autre feuille de papier. Voici la méthode pour vous fabriquer un pantographe maison.

LES FOURNITURES
◇　*Une boîte en carton*
◇　*Un crayon bien taillé*
◇　*Des ciseaux aiguisés ou un couteau*
◇　*Quatre attaches parisiennes*
◇　*Une petite vis*
◇　*Un petit tournevis*

◇ *Un clou*
◇ *Un marteau*
◇ *Du ruban adhésif*
◇ *Une fine feuille de contreplaqué de la taille d'une carte à jouer*

LA FABRICATION

1   Dans le sens des ondulations du carton, découpez quatre bandes d'environ 3 centimètres de large sur 30 de long.

2   Assemblez-les comme sur le dessin et faites une marque pour les trous : les chiffres qui figurent sur le schéma donnent les écarts en centimètres entre les trous.

3   Percez les trous avec la pointe du crayon ; c'est le seul cas où une certaine flexibilité est autorisée.

4   Insérez les attaches parisiennes par en dessous.

5   Vissez la vis dans le carton.

6   Scotchez le contreplaqué sur la table, sur la gauche du pantographe, en vérifiant quand même que le propriétaire de la table n'y voit aucun inconvénient. Remerciez-le et promettez de tout nettoyer après. C'est ce qui s'appelle faire preuve de psychologie.

7   Plantez le clou dans le carton pour le fixer dans le contreplaqué. Pas besoin de taper comme un forcené : il ne s'agit pas de défoncer la table.

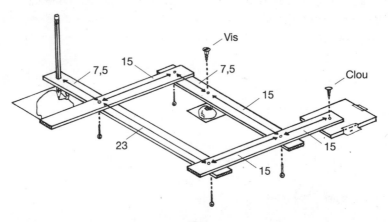

COMMENT UTILISER LE PANTOGRAPHE

1   Placez le crayon dans son embout ; vous pouvez utiliser du Scotch
    pour le maintenir en place.

2   Ajustez la vis de façon qu'elle frôle la table : elle doit faire office de
    pointeur.

3   Choisissez un dessin à agrandir et placez-le sous la vis.

4   Glissez une feuille de papier blanc sous le crayon et mettez-la bien
    en place : le pointeur doit pouvoir couvrir toute la surface du des-
    sin et le crayon doit pouvoir se promener sur toute la feuille de
    papier. Quand c'est bon, scotchez le dessin et la feuille de papier à
    la table.

5   Pour agrandir le dessin, tenez délicatement le crayon et, sans tordre
    l'instrument, suivez le tracé du pointeur sur l'original tandis que
    vous maintenez le crayon sur la feuille.

Il y a un tour de main à prendre, qui dépend en partie des spécificités de
votre pantographe, mais en principe ça doit marcher. Si vous souhaitez
réduire l'original, permutez simplement la position du crayon et de la vis.
Les expériences répétées vous apprendront à agrandir ou à réduire
davantage vos dessins.

COMMENT
JOUER AU PIVOT

Les jeux à boire sont vieux comme Hérode, notamment le diabolique
110 mètres pastis pratiqué par des générations de Marseillais un peu
sportifs… On place une chaise tous les 10 mètres sur laquelle on pose un
verre de pastis bien dosé. Le jeu consiste à faire ce parcours en un
minimum de temps. Le jeu commence à devenir franchement drôle
passé le septième verre : c'est là qu'on voit tout l'intérêt de la chaise car
plus personne, à ce stade, n'est en état de se baisser pour récupérer les
verres au sol…

Moins agité en apparence, le pivot est un jeu à boire venu des États-Unis qui reflète le caractère compétitif de cette nation. Chaque équipe compte au moins 4 joueurs mais les équipes plus nombreuses ont un avantage certain.

LES RÈGLES DU JEU

1   Les équipes se font face autour d'une table et on tire à pile ou face pour savoir laquelle commence. Les joueurs de la première équipe essaient chacun à son tour d'envoyer une pièce de monnaie dans une grosse chope de bière placée au centre de la table. Ils doivent projeter la pièce d'une pichenette avec le pouce, en gardant la main sur la table. Ils n'ont droit qu'à un lancer.

2   Quand tous les joueurs d'une équipe ont effectué leur tour, l'équipe adverse prend le relais. L'équipe gagnante est celle qui a réussi la première à placer quatre pièces dans la chope et les perdants doivent boire le contenu de la chope. Mais pas n'importe comment.

3   L'équipe gagnante choisit parmi les perdants un joueur désigné comme le « pivot ». Tous les membres de son équipe doivent boire chacun à son tour une lampée de bière sans décoller les lèvres de la chope. Celui qui rate passe la chope à son coéquipier de gauche.

4   Le pivot boit en dernier et son rôle consiste à terminer la chope, quel que soit le contenu restant : une gorgée de salive brune ou une carafe pleine. Il a le droit de décoller ses lèvres de la chope à n'importe quel moment mais il doit impérativement la vider en moins de 2 minutes, tandis que ses adversaires le chahutent.

5   L'équipe du pivot doit prendre des décisions à la fois stratégiques et tactiques au cours du jeu pour déterminer la quantité de bière qu'ils vont lui laisser, selon sa taille et sa capacité à encaisser la bibine. C'est ainsi que les équipes supérieures en nombre de joueurs ont un avantage à ce stade du jeu.

6   Quand la chope est vide, on la remplit de nouveau et on recommence le jeu.

Le jeu du pivot est particulièrement conseillé pour se détendre avant une épreuve difficile, comme passer quelqu'un à la guillotine ou avoir un entretien d'embauche pour un poste de contrôleur aérien.

⦿ *Hippocrate recommandait de boire de la bière pour renforcer le cœur et les gencives.* ⦿

UN CHAPEAU EN PAPIER EN VINGT SECONDES

S'il y a bien une chose qu'on veut éviter quand on essaie de se fabriquer un chapeau en papier, c'est d'en passer par une interminable séance d'origami. Une fois que vous aurez appris les pliages de base, vous pourrez fabriquer un chapeau en 20 secondes, montre en main.

LES FOURNITURES
⬥ *Une feuille de journal (plus elle est grande, mieux c'est)*
⬥ *Du Scotch*

LA MÉTHODE
1   Ouvrez la page de journal à plat sur la table, le pli central à l'horizontale. Rabattez le journal vers vous en marquant bien le pli.

2   Maintenant, ramenez le bord gauche sur le droit, comme si vous fermiez un livre. Marquez bien le pli vertical puis rouvrez la feuille (dessin 1).

3   Ensuite, rabattez le coin gauche vers le milieu et marquez bien le pli en diagonale. Répétez l'opération avec le coin opposé. Vous devez obtenir un petit chalet au toit pentu (dessin 2).

4   Attrapez la bande inférieure qui dépasse de votre triangle et ramenez-la sur ce dernier.

5   Retournez le pliage et faites exactement la même chose de l'autre côté (dessin 3).

6   Pliez les angles qui dépassent et faites-les tenir avec du Scotch pour empêcher que le chapeau se défasse (dessin 4).

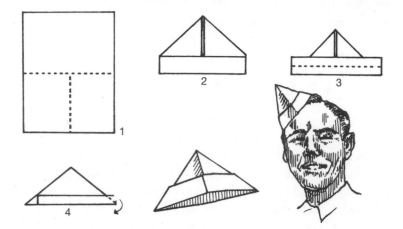

Si le chapeau est petit, il peut se porter comme un calot militaire, en le faisant pointer vers l'avant ; plus grand, on le pose de travers sur son crâne, comme le galurin de l'amiral Nelson.

◉ *Le chapeau d'Elephant Man mesurait 90 centimètres de diamètre.* ◉

COMMENT
FAIRE POUSSER UN ORANGER À PARTIR D'UN PÉPIN

L'oranger est une plante robuste à feuillage persistant, qui apprécie les journées chaudes et les nuits fraîches. Si on s'en occupe bien, il pousse comme un bienheureux dehors pendant l'été ; moyennant quelques soins, une bonne dose d'attention et un ou deux rempotages, il pourra mesurer 1,80 mètre en quelques années seulement. Mais ne comptez pas trop qu'il vous donne des fruits, sauf si vous êtes un as de l'agrumiculture.

LES FOURNITURES
- ◇ *Un ou deux pépins d'orange*
- ◇ *Un pot à confiture*
- ◇ *Deux poignées de compost pour semis*

LA PLANTATION

◇ Vous pouvez planter et faire fructifier votre pépin d'orange à n'im porte quel moment de l'année, mais il vaut mieux choisir le début du printemps pour le mettre en terre : la jeune pousse pourra ainsi tirer profit des jours plus longs et des belles heures de lumière et de chaleur.

◇ Pour commencer, disposez quelques fragments de coquillages ou des petits cailloux au fond du pot pour le drainage et saupoudrez environ 5 centimètres de compost par-dessus. Votre plante ne va pas vivre éternellement dans ce pot mais elle sera bien contente de passer ses premières années dans du compost à semis. Pour la suite, demandez conseil à la jolie pépiniériste de la jardinerie locale.

◇ Semez un ou deux pépins d'une orange mûre dans le compost, mais pas trop profond. Arrosez légèrement. Rappelez-vous que la pluie qui tombe du ciel n'est jamais très froide : donc, ne traumatisez pas la jeune pousse en l'aspergeant d'eau glacée du robinet. Veillez aussi à ne pas trop mouiller le compost : les pépins n'apprécient pas trop.

◇ Fermez hermétiquement le pot avec un sac en plastique fixé par un élastique et placez-le près d'un radiateur, à proximité d'une fenêtre ensoleillée. Attendez. La température idéale se situe entre 16 °C et 21 °C. La germination commence au bout de 2 semaines mais elle peut prendre jusqu'à 2 mois. Dès que les feuilles sont ouvertes, extrayez les plus beaux plants avec une fourchette et transférez-les dans un autre pot (pas trop grand). Placez le tout dans un sac en plastique attaché pas trop serré autour du pied par une ficelle et arrosez avec de l'eau tiède tous les 3 ou 4 jours ; vérifiez régulière ment que la terre ne se dessèche pas. Au bout d'une saison de crois sance, le plant aura poussé de quelques centimètres et devrait dépasser du sac plastique.

◇ Votre jeune oranger aime le plein soleil et un arrosage généreux. Par contre, il n'aime pas beaucoup les courants d'air les premiers mois. Arrosez-le deux fois par mois en été et vaporisez un peu d'eau tiède sur ses feuilles de temps à autre.

◇ Au bout d'une saison de croissance, le plant devrait dépasser largement du sac en plastique.

LE PÉTEUR PROFESSIONNEL

On peut trouver facilement des gadgets électroniques qui reproduisent à la perfection les bruits de pets mais ils restent assez chers. Nettement moins onéreux mais tout aussi efficace, le cintre en métal est un bon vieux truc d'écolier. Ça vous dit d'essayer ?

LES FOURNITURES
◇ *Un cintre en métal*
◇ *Une paire de pinces coupantes*
◇ *Deux grands élastiques épais*
◇ *Une grosse rondelle (de la taille d'une pièce de 50 centimes)*

LA MÉTHODE

1 Coupez le crochet du cintre et jetez-le. Déroulez le cintre pour obtenir un fil en métal de 30 centimètres de long.

2 Pliez ce fil pour former un U bien d'équerre.

3 Travaillez les bouts à la pince pour former de chaque côté une sorte d'œillet ouvert et incurvé vers l'extérieur. Les œillets doivent être assez larges pour qu'on puisse y glisser un élastique plié en deux (dessin 1).

4 Enfilez un élastique dans la rondelle en le doublant sur lui-même. Attrapez les deux boucles de l'élastique et lâchez la rondelle pour la faire osciller comme un pendule. À présent, glissez les deux boucles d'élastique dans un des œillets.

5   Enfilez l'autre élastique dans la rondelle et attachez-le de la même manière que le premier de l'autre côté du U (dessin 2). Vous devez obtenir un dispositif identique à celui de notre dessin.

6   C'est là que ça devient intéressant : faites tourner la rondelle sur elle-même jusqu'à ce que les élastiques soient tendus à fond.

7   En tenant la rondelle de la main gauche, faites glisser le bas du U sous votre fesse droite ; asseyez-vous fermement dessus pour maintenir le truc immobile.

8   Abaissez maintenant votre fesse gauche sur la rondelle mais attendez pour retirer vos doigts que la rondelle soit parfaitement coincée entre votre fesse et le siège.

9   L'engin est désormais bien calé contre le siège. Relâchez doucement la pression sous votre fesse gauche, et la rondelle va se dérouler à une vitesse folle, lâchant un long *prouuuuut* très réaliste. N'ayez pas peur de vous pencher en avant pour rendre la chose encore plus réaliste, surtout si vous grimacez en même temps.

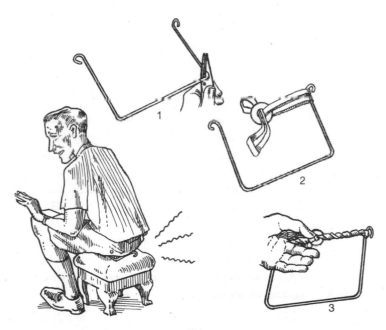

Pour ce truc, les meilleurs sièges sont ceux qui sont recouverts de vinyle, comme les banquettes des vieux bistrots ou des anciens wagons de métro ou de bus. Un fauteuil en cuir de député, un siège de metteur en scène ou un banc d'église bien dur produisent également des résultats très probants et toujours monstrueusement bruyants.

◉ *Les élastiques se conservent plus longtemps au réfrigérateur.* ◉

COMMENT
ENLEVER SON SLIP
SANS RETIRER SON PANTALON

C e tour est sans doute moins impressionnant que de tenter de se libérer d'une camisole de force en étant suspendu par une corde en feu au-dessus d'une fosse pleine de crocodiles, mais c'est nettement moins dangereux. Avec un peu d'entraînement, cela peut même devenir un passe-temps très amusant.

La clé du succès reposant sur l'élasticité, optez pour un slip en Lycra. Les caleçons en popeline sont nuls et, d'après mes propres expériences, les slips avec un Y sur le devant sont les meilleurs.

LES RÈGLES
Vous avez le droit de vous pencher, d'étirer ou d'entortiller votre slip. Par contre, pas question de déchirer le plus petit bout de tissu. Augmentez vos chances en portant un pantalon bien ample et un slip trop grand. Quoique... Dans une certaine mesure, ce conseil est peut-être une incitation à tricher.

LA MÉTHODE
1   Tenez-vous droit, les jambes légèrement écartées, dans la position militaire du « repos ».

2   Glissez l'index et le majeur droits dans la jambe gauche du pantalon, côté couture intérieure, et remontez le plus haut possible en

tirant sur la main droite avec la main gauche. Vous allez ainsi dénuder votre cuisse.

3   Étendez le bras à l'intérieur du pantalon pour pouvoir saisir le tissu de votre slip entre l'index et le majeur. Si vous avez du mal, poussez bien votre bras gauche sous la ceinture du pantalon.

4   Attrapez votre slip entre les doigts de la main droite, tirez sur le tissu jusqu'à ce que la ceinture glisse sur votre hanche gauche (sous votre pantalon) et que la jambe gauche du slip apparaisse à l'extérieur de la jambe du pantalon.

5   Rabattez la jambe du slip et sa ceinture par-dessus votre genou gauche plié. Maintenez le slip dans cette position, juste le temps de souffler un coup.

6   Tout en gardant la jambe gauche pliée, enlevez votre slip par le pied. Relâchez-le de façon qu'il remonte par-derrière dans votre pantalon. Attention à l'élastique de la ceinture : comme il est très tendu, en se relâchant il risque de faire remonter le pantalon à la vitesse grand V, au risque de blesser vos bijoux de famille.

7   À partir de là, ça doit aller comme sur des roulettes. Remontez la main dans la jambe droite du pantalon pour attraper le tissu de votre slip et le faire glisser le long de votre jambe avant de l'enlever par le pied dans un geste théâtral.

Pour remettre votre slip, inversez l'ordre de ces mouvements. Le plus simple, c'est quand même de l'enfiler normalement, comme n'importe quel mec ordinaire.

◉ *Un homme a essayé de faire passer un boa constricteur en France en le cachant dans son slip.* ◉

LES SECRETS DU MORSE

T ous les petits garçons du monde en viennent un jour à se demander comment communiquer avec l'extérieur pour réclamer du secours maintenant qu'ils se retrouvent coincés dans un conduit en béton fermé aux deux extrémités... La réponse est simple à priori : il suffit de taper en morse contre la paroi du conduit. Mais en dehors de *ti ti ti* et *ta ta ta*, la plupart des gens sont archinuls en morse. Voici donc les principes de base de ce langage. Comme ça, la prochaine fois que vous serez enfermé dans un conduit, vous pourrez taper sans peine un truc du genre : « Ça pue ici. » (« -.-..- .—...-. ..-.-... »)

L'ALPHABET MORSE

Le code morse attribue les signes les plus courts aux lettres les plus utilisées. Le meilleur moyen de retenir cet alphabet, c'est de regrouper les lettres de la façon suivante :

Les simples		Les inversées	
E .		A .–	–. N
I ..		B –...	...– V
S ...		D –..	..– U
H		F ..–.	.–.. L
T –		G ––.	.––W
M – –		Q ––.–	–.––Y
O – – –			

Les sandwichs		Les non-inversées
K –.–	R .–.	C –.–.
P .––.	X –..–	J .–––
		Z ––..

Une bonne façon d'apprendre le morse consiste à nommer *ti* les points et *ta* les traits, en mettant l'accent sur les *ta* pour imiter le bruit de la pioche du mineur au fond de son trou. La lettre F fera donc *ti ti ta ti*. Une fois que vous avez appris les lettres simples, essayez d'envoyer et de lire des mots composés avec ces lettres, comme *me*, *te*, *mite*, *mot*, etc. Ensuite, passez aux lettres inversées et créez des mots à partir de ces lettres, en les combinant à celles que vous connaissez déjà.

Quand vous maîtrisez l'alphabet morse et que vous êtes capable de former des mots entiers sans hésiter, vous pouvez commencer à taper des phrases simples comme : « Le chien a mordu le monsieur. » Mais n'essayez pas de brûler les étapes. Mieux vaut savoir dire sans faute « Allez chercher maman » que « Matériel d'extraction requis au plus vite ».

LES RÈGLES CAPITALES

◇ Marquez la fin de chaque lettre par un *ta*.

◇ Un trait est toujours trois fois plus long qu'un point.

◇ Ne mettez pas d'espace entre les points et les traits d'une même lettre. L'abréviation HS, par exemple (pour hors sujet), se transcrit « .... » en morse. Mais si les espaces sont mal placés, on peut avoir ceci : « . .. . ». Ce qui donne « isi », ce qui ne veut strictement rien dire.

◇ Avec un peu de patience, vous devriez être en mesure de transmettre des messages tels que : « La situation devient franchement pénible et les autres passagers se plaignent du martèlement incessant. Transmettez-moi tout de suite votre numéro de portable. »

◇ Terminez chacun de vos messages par les lettres AR.

COMMENT
FABRIQUER UN ARBRE EN PAPIER PLUS HAUT QUE VOUS

Fabriquer au pied levé un arbre en papier qui touche presque le plafond intrigue les foules et ce tour remporte toujours un franc succès auprès des enfants lors des goûters d'anniversaire. Si vous utilisez des prospectus, vous ne vous ruinerez pas en équipement.

LES FOURNITURES

◇ *Un journal*

◇ *Un sol de cuisine*

◇ *Un bâton de colle*
◇ *Un élastique*
◇ *Une paire de ciseaux*

LA PRÉPARATION

1 Pour les spectateurs, vous aurez juste l'air de rouler une feuille de papier journal pour en faire un arbre. Mais, comme beaucoup d'autres choses dans la vie, le procédé n'est pas aussi simple qu'il en a l'air et vous devrez vous livrer d'abord à quelques menues préparations.

2 Premièrement, mettez-vous par terre sur le sol de la cuisine avec votre journal. Ouvrez-le à plat et étalez six à dix pages pour faire une longue bande verticale. Le format des feuillets de journaux varie pas mal aujourd'hui ; quelques essais seront donc nécessaires pour obtenir la hauteur souhaitée pour votre arbre.

3 Collez le bas de la première page au haut de la suivante, en les superposant assez largement pour faire un raccord solide. Continuez ainsi jusqu'à ce que votre bande fasse toute la longueur de la cuisine (plus si vous voulez un arbre vraiment immense).

4 Dès que la colle a séché, roulez le papier en un cylindre assez serré, en laissant suffisamment de place pour glisser facilement votre index dans le tube. Ensuite, collez les bords.

5 À l'aide de ciseaux aiguisés, faites deux fentes de part et d'autre du cylindre, jusqu'à la moitié du tube. Si cette opération aplatit un peu l'ensemble, ce n'est pas très grave : l'étape suivante dissimulera ce défaut.

6 Prenez une autre feuille de journal, roulez-la autour du cylindre et collez le bord ; pour finir, arrangez soigneusement l'ensemble.

LA PERFORMANCE

1 Faites votre entrée comme si de rien n'était, en brandissant votre rouleau de papier.

2 Glissez négligemment l'élastique autour du cylindre pour faire mine de le faire tenir.

3   Déchirez la feuille de journal en suivant les entailles du cylindre et laissez retomber les bandes de papier de chaque côté du tube.

4   Tenez le tronc de l'arbre de la main gauche et glissez votre index droit à l'intérieur du cylindre. Tournez le doigt plusieurs fois dans ce trou en tenant fermement le cylindre : cela permet d'écarter les bandes de papier.

5   Pour donner un peu plus de hauteur à votre arbre, vous pouvez le planter sur un support d'essuie-tout.

◉ *Avec un tirage de 800 000 exemplaires,* Ouest-France *est le premier quotidien français.* ◉

MAQUILLAGES MAISON À EFFETS SPÉCIAUX

Parmi les grands classiques des maquillages à effets spéciaux hollywoodiens, des gorges tranchées aux visages ravagés par la vieillesse en passant par les diaboliques têtes pivotantes, certains voient le jour dans les garages et autres antichambres de jeunes passionnés qui les ont inventés. Le doyen de cet art est sans aucun doute Dick Smith, dont les expériences avec l'alginate à empreintes dentaires, les faux cheveux et les produits de cuisine ordinaires ont abouti à des effets innovants dans des films d'anthologie comme *Le Parrain* ou *L'Exorciste*. Préparer son maquillage à effets spéciaux est un bon moyen de s'amuser des heures durant.

LA CICATRICE EN SCOTCH

Pour faire une affreuse cicatrice très convaincante, collez un bout de Scotch (propre) sur votre main ou sur votre visage (ou à n'importe quel autre endroit qui vous sied). Plus la bande d'adhésif est large, plus la cicatrice sera grosse. Appliquez le Scotch puis épongez-le doucement avec de l'eau. Au bout d'un moment, la Cellophane au dos se détache toute seule, en laissant uniquement la partie collante. Plissez délicatement la peau le long de la bande afin de rapprocher ses bords, lesquels vont se coller fermement l'un à l'autre et produire une épouvantable blessure ; l'effet est très spectaculaire sur la joue. Pour que ça ait l'air « frais », ajoutez un peu de (faux) sang.

Le mastic en caoutchouc

Ce produit malodorant, vendu en pot avec un pinceau spécial, agit comme le latex que les professionnels de Hollywood utilisent pour créer des nez prothétiques et autres appendices hideux. Appliquez le mastic en pointillé sur le dos de votre main et faites-le sécher au sèche-cheveux pour créer un effet de vieillissement ou de peau malade. Saupoudrez quelques mèches de cheveux pour un effet loup-garou.

Si vous enfoncez votre doigt ou votre nez dans un morceau de pâte à modeler tendre et que vous enduisez ensuite votre modelage avec du mastic en caoutchouc, vous obtenez un horrible doigt bosselé et flétri ou un pif difforme. Pour créer des verrues, enfoncez la pointe d'un crayon mal taillé dans la pâte à modeler et appliquez un peu de vaseline sur l'empreinte avant de la badigeonner de mastic. Quand c'est sec, époussetez avec du talc (c'est important) et décollez. Ensuite, vous pouvez poser la verrue sur votre visage en la faisant tenir éventuellement avec un peu de mastic ; chipez un peu de fond de teint à votre sœur pour obtenir la même nuance que celle de votre peau. La méthode est la même pour les furoncles.

Le mastic en caoutchouc se nettoie avec du savon et de l'eau.

Du faux sang à la Dick Smith

Au début des années 1960, le faux sang utilisé dans les films était préparé avec du pigment rouge et de la glycérine. Il avait l'aspect de la peinture, son goût était infect et sa composition dangereuse. Dick Smith a donc commencé à faire des essais avec du sirop de sucre roux et des colorants alimentaires pour créer une texture plus savoureuse et plus translucide. Cette recette nettement supérieure a été utilisée la première fois dans le film *Macadam Cowboy* et a très vite été adoptée par l'industrie cinématographique.

D'ordinaire, le sang a une couleur rouge vif brillante. Sur la peau, il semble translucide et chaud, mais il est beaucoup plus sombre et opaque dans une éprouvette. Faites l'expérience en mélangeant des colorants alimentaires rouge et jaune avec du sirop de sucre roux et ajustez les proportions pour obtenir le résultat que vous recherchez ; l'opacité du sang peut s'intensifier en ajoutant davantage de colorant. Pour tester votre essai, vous pouvez vous piquer le doigt avec une épingle et comparer la couleur de votre sang avec celle de la mixture.

Les colorants alimentaires peuvent tacher : évitez de faire vos préparations sur des surfaces fragiles ou précieuses. Et prenez garde de ne pas en absorber en trop grandes quantités : ce n'est pas extra pour la santé.

Le sirop de sucre roux a tendance à perler anormalement quand il coule sur la peau ou sur du tissu. Smith a donc complété sa mixture avec un agent mouillant pour tirage photo. Si vous décidez d'en faire autant, ne le mettez surtout pas dans votre bouche.

◎ *Le sirop de sucre roux est un dérivé non cristallisé du sucre.* ◎

L'ART DE MANIER LE BALAI

On ne peut plus explicite comme titre, non ? Tout ce qu'il vous faut, c'est un balai.

1 LA PHILOSOPHIE À L'AUSTRALIENNE

Je ne sais pas d'où ce jeu tient son nom mais il fait bien passer le temps. Un groupe de joueurs portant tous un numéro différent entoure la personne désignée comme « maître du balai », laquelle tient un balai en équilibre sur son index, côté poils vers le haut (les poils du balai, bien sûr). Elle appelle un numéro en même temps qu'elle enlève son doigt. Le joueur appelé doit aussitôt essayer de rattraper le balai avant que les poils touchent le sol. S'il réussit, il retourne à sa place ; sinon, il devient le maître du balai.

2 Saute-balai

Un jeu idéal quand on est trois ou quatre copains désœuvrés. Tenez le balai devant vous à l'horizontale, avec les deux mains, en le plaçant au niveau des genoux. Enjambez-le, un pied après l'autre. Inversez immédiatement le mouvement pour revenir à la position initiale. Et ainsi de suite. Vous allez assez rapidement regretter de vous être lancé dans ce jeu idiot… Dès que l'un de vos pieds touche accidentellement le balai, vous voilà éliminé. Passez le relais au suivant. Si vous jouez avec des filles, vous pouvez imposer la règle du « balai déshabilleur » : on retire un vêtement à chaque fois qu'on touche le balai du pied. Enfilez plusieurs couches avant de commencer et entraînez-vous.

3 Comment casser d'un coup de manche à balai un bâton en équilibre sur deux verres

D'abord, enfoncez une épingle à chaque extrémité d'une grosse baguette en bois de 1,5 mètre de long. Posez les deux épingles sur deux verres à vin placés sur deux chaises solides. Soulevez le manche du balai au-dessus de votre tête (comme sur le dessin) et rabattez-le d'un coup formidable au milieu de la baguette : elle doit se briser en deux en laissant les verres intacts. En fait, la force du coup pulvérise le bâton avant que son énergie ait eu le temps de se reporter sur les verres. En principe…

4 Le détecteur de moches

Tenez un balai par l'extrémité de son manche et agitez lentement son bout touffu autour du visage de vos invités, en vous arrêtant devant un type suffisamment cool pour ne pas se vexer. Dites-lui : « Devinez ce que c'est ? » Si ce dernier hausse les épaules, répondez : « C'est un détecteur de moches. Et vous savez quoi ? Ça marche. » Ça fait toujours rire. Une petite mise en bouche divertissante avant le jeu suivant.

5 L'abominable balai du bedeau bedonnant

Ce jeu ancien qui peut vite devenir agaçant est un de ces passe-temps qui fonctionnent sur un « secret » que tous les participants ne connaissent pas (ou ne comprennent pas).

Faites asseoir les gens en cercle et demandez à quelqu'un de vous passer le balai. Martelez 5 fois le sol avec, en disant : « Gare à l'abominable balai du bedeau bedonnant ! » Passez-le sur votre gauche en donnant pour instructions à votre voisin de faire et dire strictement ce que vous venez de faire. Le « secret » consiste à recevoir le balai de la main gauche et à le passer de la main droite pour faire le truc du martèlement. Mais la plupart des gens le prennent de la main droite ; quand quelqu'un se trompe, les joueurs dans la confidence doivent hurler : « Croquemitaine, Croquemitaine, Croquemitaine ! » Le jeu continue jusqu'à ce que tout le monde se fasse avoir ou s'en aille, dégoûté.

6 L'AGNEAU À L'ABATTOIR

Remplissez d'eau un bol en plastique et tendez un balai à un volontaire. Tenez-vous debout sur une chaise et expliquez à vos convives que la pression de l'air est plus faible au plafond qu'au sol. Tout le monde acquiesce. Placez le bol contre le plafond et demandez à votre victime de le maintenir en place avec le balai. Une fois qu'elle le tient toute seule, descendez de votre chaise et laissez-la se débrouiller. Elle ne tardera pas à avoir mal aux bras et à gémir. Mais évitez de faire ça chez vous...

ÉCRIRE AVEC DE L'ENCRE INVISIBLE SANS SE SALIR

Il y a 2 500 ans, pendant la révolte ionienne, le Grec Histiaeus marqua au fer un message secret sur le crâne rasé d'un esclave et l'expédia à travers les lignes ennemies dès que les cheveux de l'homme eurent repoussé. La dépêche n'était sans doute pas très urgente... Plus récemment, trouvant difficile (et ça se comprend) d'écrire explicitement sur leur sort, des prisonniers de guerre optèrent pour l'encre invisible, utilisant leur sueur et leur salive. Les recettes sont en fait assez nombreuses mais j'ai essayé de vous éviter les formules compliquées qui nécessitent des produits chimiques (comme la phénolphtaléine, tirée de comprimés laxatifs écrasés, ou le ferricyanure de potassium) et je m'en suis tenu aux produits que vous êtes susceptible d'avoir à portée de main.

Ici sont exposées deux méthodes principales pour écrire et déchiffrer des messages secrets. La première dépend de la chaleur, la seconde d'une réaction alcalino-acide.

POUR UNE ENCRE SENSIBLE À LA CHALEUR

◇ *Une feuille de papier blanc*
◇ *Du jus de citron ou d'oignon*
◇ *Une allumette*
◇ *Un fer à repasser*

LA MÉTHODE

1   Pressez le jus d'un citron ou d'un oignon coupé en deux. Trempez l'allumette dans le jus et écrivez votre message sur la feuille. Vous pouvez utiliser votre doigt mais il faut alors que la feuille soit assez grande, ce qui pose un problème si votre complice doit avaler le message après l'avoir lu.

2   Dès que l'encre est sèche (un peu de patience), le papier semble vierge et on peut alors récrire dessus, mais cela demande un peu d'entraînement.

3   Quand on fait chauffer le papier sur un radiateur, près d'une ampoule de 100 watts ou avec un fer à repasser, les mots « cuisent » dans leur jus et finissent par apparaître légèrement en marron.

POUR UNE ENCRE À RÉACTION CHIMIQUE

◇   *Une feuille de papier blanc*
◇   *Du vinaigre blanc*
◇   *Du bicarbonate de soude*
◇   *Un demi-chou rouge*
◇   *Une allumette*
◇   *Une petite brosse*

LA MÉTHODE

1   Trempez l'allumette dans le vinaigre blanc et écrivez votre message comme précédemment, en laissant le papier sécher correctement.

2   Pendant que ça sèche, préparez un « fluide indicateur » en faisant bouillir le demi-chou dans 1 litre d'eau. Cet indicateur fonctionne en changeant de couleur selon l'acidité ou l'alcalinité de votre encre.

3   Jetez le chou et badigeonnez votre message secret de jus. À cause de son acidité, le message apparaîtra en rose.

4   Pour une encre alcaline, utilisez une solution moitié eau et moitié bicarbonate de soude. L'indicateur dévoilera votre message en virant au bleu.

◉ *Les premières encres étaient fabriquées à partir de suie et d'huile de lin.* ◉

COMMENT
FABRIQUER UNE MARIONNETTE DE GUIGNOL

On les appelle des marionnettes à gaine et leur fabrication demande une grande patience. Mais le résultat est gratifiant et ça vaut la peine de se donner tout ce mal.

LES FOURNITURES

◇ *Un morceau de pâte à modeler*
◇ *De la colle à papier peint*
◇ *Un rouleau d'essuie-tout ou de papier toilette*
◇ *Un vieux journal*
◇ *Du papier de verre fin*
◇ *De la vaseline*
◇ *Un couteau très pointu*
◇ *Plusieurs tubes de peinture à l'eau*
◇ *Du tissu fin pour le vêtement*
◇ *De la colle PVA*

LA MÉTHODE

1   La première chose à faire est de façonner une tête avec la pâte à modeler. Pour cela, prenez un morceau de pâte de la taille d'une grosse orange. Pas besoin de s'appeler Rodin : même un abruti est capable de faire une tête ronde en rajoutant des morceaux pour le nez et le menton et en plissant la pâte pour former quelque chose qui ressemble à une bouche. Avec une petite cuillère, creusez deux orbites et modelez deux petites boules pour les yeux ; quand ils sont en place, recouvrez-les légèrement avec des paupières. Essayez de donner un minimum de caractère à votre visage : des joues rondes et une bouche souriante pour un personnage joyeux ; des lèvres pointant vers le bas sur un visage longiligne pour un triste sire, etc. Vous pouvez ajouter des oreilles si vous le souhaitez. Soit vous lais-

ser la tête chauve, soit vous modelez les cheveux avec la pâte à modeler. Et n'oubliez pas le cou : vous en aurez besoin pour fixer la tête de la marionnette à son corps.

2 Les traits peuvent rester grossiers et exagérés. De plus, n'essayez pas de donner des proportions réalistes à votre marionnette. Quand les traits sont approximativement achevés, lissez-les avec le dos d'une cuillère.

3 Une fois que vous avez fini de modeler la tête, préparez la colle à papier peint (regardez le mode d'emploi sur l'emballage) et détachez quelques bandes d'essuie-tout. Enduisez de vaseline la tête de la marionnette avant de la recouvrir de bandes d'essuie-tout trempées dans la colle. Avec une petite brosse un peu dure, étalez délicatement le papier pour marquer les détails, par exemple au niveau des narines ou des plis de la bouche, etc. Posez ainsi cinq couches de papier. Terminez par deux couches de papier journal, avec des morceaux de la taille d'un timbre-poste. Tant que le papier est encore humide, occupez-vous des traits du visage en accentuant les détails avec un outil pointu (le collage les aura sans doute un peu épaissis).

4 Placez la tête sur une assiette et faites-la sécher quelques jours à côté de la chaudière (virez le chat).

5 Décollez le papier de la pâte à modeler en découpant les contours de la tête d'une oreille à l'autre avec un couteau pointu : vous devez obtenir deux parties. Nettoyez l'intérieur en grattant bien la pâte puis reformez le visage en scellant le raccord avec deux ou trois couches de bandes de papier. Laissez sécher complètement.

6 Quand la tête est parfaitement sèche, poncez-la un peu avec du papier de verre pour lisser les défauts éventuels. Le moment est venu de peindre ce visage, et ça c'est drôle. Dessinez proprement les traits (ça n'a pas besoin d'être trop précis) avec de la peinture à l'eau mélangée à un peu de colle PVA (ça empêche que la peinture s'écaille quand elle est sèche.) Vous pouvez aussi protéger la marionnette en la badigeonnant de colle PVA diluée quand vous avez terminé (la colle fait comme un vernis).

7   Si votre personnage est chauve, vous pouvez à présent lui faire un chapeau ou lui ajouter des cheveux, avec de la ficelle, de la laine, de la fourrure ou du papier crépon ; ce qui compte, c'est de les fixer avec beaucoup de colle.

8   Pour le corps, le plus simple est de découper deux morceaux de tissu en forme de T et de les coudre ensemble sur les bords en laissant un trou au centre pour le cou et une ouverture en bas pour y passer la main. Collez le vêtement sur la tête au niveau du cou et faites des mains en carton que vous ajustez au bout des bras. Un fantôme ou un sénateur romain demandent 5 minutes de travail avec un vieux morceau de drap. Mais rien ne vous empêche de faire quelque chose de plus élaboré. À vous de voir.

◉ *Laurent Mourguet a inventé Guignol en 1808 pour gagner de quoi nourrir ses dix enfants.* ◉

L'AGENT SECRET PARFAIT

P remier objectif d'un espion : ne jamais se faire prendre en flagrant délit d'espionnage. Dans son livre *Ma guerre silencieuse*, Kim Philby décrit bon nombre de trucs professionnels de contre-espionnage que ses maîtres soviétiques lui avaient appris à utiliser chaque fois qu'il devait rencontrer secrètement un de ses agents. Des procédés pour la plupart franchement évidents :

◇   S'assurer qu'on est la dernière personne à monter dans le train.

◇   Recourir fréquemment à la technique du « jeter un œil aux alentours pour voir si on n'est pas suivi ».

◇   S'adonner à une activité « qui justifie toujours que vous soyez là où vous êtes ». Par exemple, acheter un chapeau.

◇   Flâner, monter ou descendre des bus, en ayant de temps en temps recours à la technique du « jeter un œil aux alentours pour voir si on n'est pas suivi ».

◇ S'initier au « coup du cinéma », c'est-à-dire prendre place à la dernière rangée d'une salle obscure et s'éclipser discrètement au milieu du film.

◇ Rencontrer son contact dans un restaurant bruyant, animé par une musique d'ambiance.

Ce qui est incroyable, c'est que les techniques de Philby sont toujours d'actualité et constituent le b.a.-ba du guide du parfait espion. Outre les conseils mentionnés ci-dessus, un bon agent secret ne doit jamais oublier ce qui suit :

COURRIER

Un agent suspect verra forcément son courrier ouvert. L'antidote la plus simple est de demander à vos correspondants de scotcher les bords des enveloppes dans lesquelles ils expédient leurs messages secrets et de signer en travers du Scotch avec un stylo à encre indélébile. Rudimentaire mais très efficace.

Si vous-même souhaitez ouvrir une enveloppe scellée, ne la décachetez pas à la vapeur. Insérez plutôt un long crayon dans la fente en haut du rabat et faites-le ressortir de l'autre côté. Ensuite, posez l'enveloppe face contre table, le rabat orienté vers vous, et poussez délicatement le crayon vers l'extérieur en le faisant rouler sur lui-même : la partie collante se détachera sans se déchirer. Vous pouvez lire la lettre, puis la remettre dans l'enveloppe que vous scellez à nouveau sans que personne s'aperçoive de rien.

Quand vous préparez des messages secrets, portez des gants et ne léchez ni l'enveloppe ni le timbre : l'ADN est une preuve accablante. Enfin, postez tous vos courriers secrets depuis une localité éloignée.

CODE SECRET

En matière de cryptographie, le « masque jetable » est le code secret le plus fiable (pour plus de détails, se reporter page 197 ; pour l'encre invisible, page 190).

ÊTRE IMPRÉVISIBLE

◇ Modifiez vos habitudes et intégrez vos activités clandestines à votre quotidien pour compliquer la surveillance routinière.

◇ Utilisez les transports en commun et voyagez avec un passe ou prenez un billet pour une gare située plusieurs arrêts après votre destination. Sur les longs trajets, descendez au dernier moment et n'hésitez pas à visiter des villes inconnues sur un coup de tête et à discuter avec les autochtones.

◇ De nos jours, les caméras de surveillance sont de plus en plus nombreuses dans certains lieux publics. Alors, évitez les rendez-vous dans le métro, les grandes surfaces, les musées, etc. Mieux vaut opter pour les cafés et les restaurants animés.

ALERTER SON CONTACT

Si vous devez communiquer d'urgence avec votre contact, pourquoi ne pas imiter Woodward et Bernstein pendant leur enquête sur le Watergate ? Plantez un drapeau rouge dans un pot de fleurs sur le rebord de votre fenêtre pour avertir Gorge Profonde que vous avez besoin de lui parler.

DÉPENSER DE L'ARGENT

Payez vos achats en liquide, *jamais par carte bancaire.* Et ne retirez pas d'argent au distributeur si vous êtes dans un endroit où vous n'êtes pas censé vous trouver.

TÉLÉPHONER

Autant que possible, utilisez les cabines téléphoniques et coupez votre portable lors de vos déplacements ou bien confiez-le à une personne de confiance et utilisez-le seulement à de rares occasions pour vous inventer un alibi. Achetez des cartes de téléphone. Changez souvent de portable et de numéro.

NAVIGUER SUR LE NET

Allez dans les cybers-cafés, en ayant toujours à portée de main une liste de noms et d'adresses. Les messages secrets peuvent être laissés à vos contacts sur divers sites de petites annonces.

DÉTECTER UNE INTRUSION

Vous pouvez prendre diverses mesures pour détecter si quelqu'un s'est introduit chez vous. Le plus simple, c'est le coup de l'allumette. Fermez votre porte normalement en glissant, juste avant qu'elle se rabatte, un bout d'allumette entre la porte et le chambranle, en bas de la charnière. Quand la porte est fermée, l'allumette est bien coincée dans le chambranle et vous pouvez la casser d'un coup sec pour enlever ce qui dépasse et la rendre invisible. À votre retour, si la porte a été ouverte, le bout d'allumette sera par terre.

◉ *Le siège de la DGSE a été surnommé « la Piscine » en raison de son voisinage avec la piscine des Tourelles, à Paris.* ◉

CODER SES MESSAGES
COMME UN VRAI ESPION

A lgorithme de cryptographie simple et polyvalent, en théorie impossible à casser, le « masque jetable » est un outil idéal pour chiffrer des messages courts entre deux personnes. C'était le dispositif préféré des espions soviétiques basés en Europe de l'Ouest après la Seconde Guerre mondiale. Vu sa flexibilité, on l'utilisait aussi pour crypter les messages transmis *via* le téléphone rouge entre la Maison Blanche et le Kremlin pendant la guerre froide. La méthode est amusante et nécessite juste un papier, un crayon et quelques calculs d'écolier. Le masque ne peut être utilisé qu'une fois (d'où l'adjectif jetable).

PRÉPARATION DU CRYPTAGE

La clé du message est une suite de caractères aussi longue que le message à chiffrer. Pour préparer la clé, mélangez dans un grand pot les 26 carrés de lettres d'un jeu de Scrabble (un seul carré par lettre). À présent, tirez

1 carré, notez sa lettre sur une feuille et remettez-le dans le pot ; recommencez pour obtenir une suite de caractères totalement aléatoire. Si votre message comporte 50 lettres, vous devez tirer 50 carrés. Si vous tirez deux fois la même lettre, notez-la quand même ; le caractère aléatoire de ce procédé lui offre une sécurité absolue.

Pour créer la clé de chiffrement, écrivez les lettres en colonnes, en les regroupant par groupe de 5 (pour y voir clair). Il faut faire deux listes : une pour vous, une pour votre correspondant.

Attribuez ensuite une valeur numérique à toutes les lettres de l'alphabet, de 0 à 25 par exemple. Ainsi, A = 0, B = 1, etc., jusqu'à Z = 25 (et non pas 26 car vous avez commencé à 0, pas à 1). Notez alors le chiffre de chaque lettre en face des lettres que vous avez tirées. Cette liste aléatoire de lettres numérotées s'appelle le masque ou clé.

Comment ça marche

Supposons que les 5 premières lettres de votre série aléatoire soient WLBJK et que le message que vous voulez envoyer soit EH ZUT. Le chiffrement se compose de la façon suivante :

Masque	22 (W)	11 (L)	1 (B)	9 (J)	10 (K)
Message	4 (E)	7 (H)	25 (Z)	20 (U)	19 (T)

Vous additionnez la valeur de la première lettre du masque avec celle de la première lettre du message, et ainsi de suite pour toutes les lettres. Vous obtenez donc :

Masque	22 (W)	11 (L)	1 (B)	9 (J)	10 (K)
Message	4 (E)	7 (H)	25 (Z)	20 (U)	19 (T)
Masque + message	26	18	26	29	29

Si le total d'une colonne est supérieur à 25, on soustrait 26. Ensuite, pour chaque chiffre obtenu, on attribue la lettre correspondante – ce qui nous donne le message à adresser à notre destinataire. Dans cet exemple, on obtient donc :

Masque + message	26	18	26	29	29
– 26 éventuellement	0	18	0	3	3
Message destinataire	A (0)	S (18)	A (0)	D (3)	D (3)

Vous envoyez donc à votre destinataire le message ASADD. Dans un autre pli, vous lui adressez la clé de chiffrement ou masque, c'est-à-dire WLBJK. Sans ce masque, il ne pourra pas déchiffrer votre message. En bon espion que vous êtes, vous ne l'utilisez qu'une fois et vous le détruisez tout de suite ; votre destinataire doit faire de même.

POUR LE DÉCHIFFREMENT
Quand votre contact reçoit votre message, il soustrait le masque au texte du message et ajoute 26 aux chiffres négatifs.

Message chiffré reçu	(A) 0	(S) 18	(A) 0	(D) 3	(D) 3
Masque	(W) 22	(L) 11	(B) 1	(J) 9	(K) 10
Message – masque	– 22	7	– 1	– 6	– 7
+ 26 éventuellement	4 (E)	7 (H)	25 (Z)	20 (U)	19 (T)

On retrouve bien le message initial : EH ZUT. Et maintenant, à vous de jouer.

◉ *Fidel Castro et Che Guevarra ont communiqué*
par le moyen du masque jetable. ◉

COMMENT
FABRIQUER UN HARMONIUM
DE VERRE

Manifestement, Benjamin Franklin avait beaucoup de temps libre : en 1761, comme il était – je suppose – désœuvré, il « inventa » l'harmonium de verre. Cet engin relativement complexe produisait de la musique à partir d'une série de verres à vin. Vous pouvez fabriquer un modèle simplifié si vous disposez de huit verres à pied sous la main. Un jour, dans un bar, j'ai entendu une version remarquable de *Sous le ciel de Paris*, improvisée par un diététicien névrosé et un typographe qui jouait les assistants.

LES FOURNITURES
◇   *Huit verres à pied*
◇   *De l'eau*
◇   *Vos doigts*

LA MÉTHODE
La première chose à faire est d'apprendre à faire tinter les verres. Pour cela, il suffit de mouiller votre majeur et de le faire glisser délicatement sur le bord du verre.

Pour vous entraîner, versez de l'eau dans un verre jusqu'à mi-hauteur et tenez-le par le pied entre l'index et le pouce de la main gauche. Ensuite, trempez le majeur de la main droite dans l'eau et faites-le glisser sur le pourtour du verre, d'un geste rapide et ferme. Il y a un coup de main à prendre mais vous ne devriez pas tarder à produire un son. Le résultat est étonnamment bruyant mais, comme il n'y a aucun son fondamental ici (seulement des harmoniques), la « mélodie » émise a quelque chose d'aérien. Quant à la technique, c'est un peu comme pour le vélo : une fois qu'on connaît le truc, on s'en souvient toute sa vie.

Quand vous aurez pris confiance, alignez vos huit verres à pied et prenez soin de les remplir en variant les quantités d'eau. Chaque verre émettra ainsi un son différent. Moins il y a d'eau, plus la note est haute. Et comme les propriétés physiques varient d'un verre à l'autre, vous devrez certainement faire plusieurs essais. En principe, on remplit à peine le premier et presque entièrement le dernier. Accordez-les sur un diapason, une guitare ou n'importe quel autre instrument pour créer une gamme majeure.

Pour vos premiers essais, choisissez plutôt un air simple et lent, par exemple la comptine *Ah ! vous dirai-je, maman*. Si vous n'êtes pas très habile avec ce type d'accessoire, vous préférerez peut-être battre la mesure sur le verre avec un stylo. C'est plus simple, certes, mais c'est quand même nettement moins impressionnant.

Entraînez-vous un peu à l'écart avant de vous produire devant un cercle d'amis. Il faut avoir les nerfs solides pour écouter *Le Vol du bourdon* massacré pendant une demi-heure sur un assortiment de verres à vin !

VOTRE PREMIER AIR

Numérotez les verres de 1 à 8 en commençant à gauche par la note la plus basse. À présent, utilisez les nombres sous chaque mot pour jouer un air connu.

Ah ! Vous dirai-je, maman
1 1 5 5 6 6 5

Ce qui cause mon tourment
4 4 3 3 2 2 1

Papa veut que je raisonne
5 5 4 4 3 3 2

Comme une grande personne.
5 5 4 4 3 3 2

Moi, je dis que les bonbons
1 1 5 5 6 6 5

Valent mieux que la raison.
4 4 3 3 2 2 1

◎ *C'est Benjamin Franklin qui a inventé les verres à double foyer.* ◎

LE JEU DU CHOU DE BRUXELLES

Sur les mille et un jeux qui ont pu être inventés au fil des siècles, celui du chou de Bruxelles et du drap demeure un des plus divertissants, tout en donnant lieu à des combats acharnés. Les règles sont simples, les accessoires faciles à trouver, et le nombre minimum de joueurs est de 3. À noter que ce jeu convient aux petits comme aux grands enfants.

◇ Dégagez assez d'espace et formez deux équipes de 4 ou 5 personnes qui se font face. Tendez un grand drap et demandez à tous les joueurs d'en empoigner un bout. Quand chacun a saisi un morceau de tissu et que le drap pend entre les joueurs, lancez un chou de Bruxelles au milieu.

◇ Le but du jeu, pour chaque équipe, est de faire sauter le drap pour que le chou rebondisse par-dessus les têtes de l'équipe adverse – ce qui rapporte 1 point. C'est plus difficile qu'il y paraît et cela demande pas mal d'énergie. Veillez à éloigner votre précieux vase chinois et à enlever les binocles.

◇ En cas d'urgence où en présence de joueurs costauds, un bouchon de champagne ou une balle de ping-pong peut faire l'affaire.

◇ Il est essentiel d'avoir un arbitre. Ça tombe bien : c'est vous.

◉ *Née à Bruxelles, Audrey Hepburn parlait néerlandais, flamand français et italien.* ◉

LE LUDION DE DESCARTES

Descartes s'est rendu célèbre en prouvant son existence par ce principe philosophique désormais bien connu : « Je pense, donc je suis. » Personnellement, je ne vois pas le rapport entre le ludion qui porte son nom et sa théorie philosophique, mais bon ! Le ludion de Descartes fait partie de ces distractions analysées dans les manuels de science sur quantité de pages et qui exigent une flopée de vésicules semi-perméables, cornues, alambics et autres permanganates de potassium. Voici une méthode rapide (la mienne) pour en fabriquer un.

LES FOURNITURES

◇ *Une bouteille en plastique de 2 litres*
◇ *Un verre d'eau*
◇ *Une pipette ou un flacon de gouttes pour les yeux*

LA MÉTHODE

1 Remplissez la bouteille d'eau froide en vous arrêtant à peu près à 5 centimètres du haut.

2 Nettoyez les éventuels résidus d'huile dans la pipette (vous pouvez faucher une pipette dans les flacons d'huiles essentielles de votre sœur ou dans les remèdes de l'armoire à pharmacie de votre mère).

3 Pour tester la flottabilité de la pipette (ou ludion), plongez-la dans le verre d'eau. Elle doit tenir debout, mais il y a de grandes chances pour qu'elle flotte à l'horizontale, comme un noyé. Dans ce cas, vous devez augmenter son poids en aspirant un peu d'eau. Vous ne devriez pas mettre bien longtemps pour ajuster les choses afin qu'elle se tienne droit comme un I.

4 Transférez alors le ludion dans la bouteille et vissez le bouchon. Il flottera tel un homme avec un chapeau melon, le sommet de son crâne apparaissant juste au-dessus de la surface de l'eau.

5 Appuyez sur les parois de la bouteille. Des étudiants boutonneux en physique se feront un plaisir de vous rappeler que si l'air peut être comprimé, ce n'est pas le cas pour les liquides. Quand vous pressez la bouteille, l'air est légèrement comprimé, mais pas l'eau : donc, une petite quantité d'eau va entrer de force dans la pipette et l'alourdir légèrement pour finalement la faire couler.

On peut contrôler la vitesse de descente et d'ascension du ludion en modifiant la pression exercée sur la bouteille. Avec ça, vous avez matière à inventer une histoire drôle qui agrémentera votre spectacle.

L'ORCHESTRE À DOMICILE

Pourquoi est-ce qu'il n'y aurait que Sir Simon Rattle et ses semblables à disposer d'un orchestre sous la main ? Si vous avez toujours rêvé d'être chef d'orchestre (du genre Arturo Toscanini, bien sûr), voici une occasion de briller.

LES INSTRUMENTS

- *Un peigne et un morceau de papier sulfurisé*
- *Quelques bouteilles de lait « accordées »*
- *Une boîte à biscuits et deux ou trois ustensiles pour taper dessus*
- *Un arrosoir*
- *Des cuillères*
- *Une règle*
- *Un aspirateur*
- *Une corbeille à papiers vide*
- *Une poignée de musiciens*

LA DIRECTION

- Attribuez un instrument par artiste. Les instruments de la mélodie sont le peigne, les bouteilles de lait et l'arrosoir.
- Remplissez d'eau les bouteilles et accordez-les comme les verres de votre harmonium page 199 ; pour les faire chanter, on tape dessus avec un bâton ou une cuillère.
- Le « peigne à papier » se joue de la manière suivante : enveloppez le peigne dans le papier sans trop serrer et portez-le à la bouche, contre les dents, en fredonnant jusqu'à ce que se produise un son haut perché de mirliton.
- L'arrosoir nécessite seulement de souffler une trille bilabiale contre les trous du bec verseur pour former un gazouillis sonore de baryton *mezzo forte*.
- Les percussions sont composées de la boîte à biscuits et de la corbeille à papiers que vous pouvez frapper avec un fouet, avec vos

doigts, avec des bâtons ou avec une poignée de spaghettis secs (pour l'effet « brosse »). Quant aux cuillères, comme d'habitude, on les tape sur ses cuisses.

◇ Des effets spéciaux remarquables sont possibles grâce à l'aspirateur (essayez de souffler dans le gros tube pour un effet « didgeridoo »). La règle produira un agréable *boing* si on la fait vibrer en la fixant à une extrémité contre le rebord d'une table.

◇ La meilleure façon de jouer, c'est en play-back sur un morceau. En ayant à peine répété, vous serez en mesure de présenter un spectacle digne de l'orchestre philarmonique de Radio France. Veillez juste à éloigner les animaux de compagnie sensibles.

◉ *Le didgeridoo est fabriqué avec une branche d'eucalyptus creusée naturellement par des termites.* ◉

COMMENT
FABRIQUER UN SUPERSONIQUE EN PAPIER

━━◣▨▨◢━━

Il y a un juste milieu entre l'avion en papier destiné à transmettre un message à l'autre bout de la classe (par exemple, « Rendez-vous à la récré derrière le hangar à vélos ») et le superjet en papier conçu pour remporter le premier prix de vitesse, de distance ou d'élégance.

L'avion que je vous propose de fabriquer bat tous les records de fiabilité. Il est prompt à s'envoler, rapide à construire (le pliage est facile à mémoriser) et robuste. Y ajouter un nez bosselé n'ajoutera pas grand-chose à son efficacité.

LA MÉTHODE

1   Déchirez une feuille A4 de votre bloc de papier et pliez-la une fois dans la longueur (dessin 1).

2   Ouvrez-la et rabattez les coins A et B contre le pli pour former une pointe en haut de la page (dessin 2).

3 Tournez la feuille horizontalement, la pointe vers la gauche, et alignez le bord diagonal inférieur sur le pli central. Ce pli central sera le « ventre » de votre avion.

4 Faites la même chose avec le bord diagonal supérieur (dessin 3).

5 À présent, votre feuille doit avoir une forme de flèche.

6 Refermez la feuille le long du pli central de façon que la diagonale soit en haut.

7 Rabattez le coin supérieur droit vers le bas, en faisant un pli bien horizontal et en superposant l'angle supérieur avec l'angle inférieur. Marquer le pli (dessin 4). Faites la même chose de l'autre côté.

8 Retournez le pliage et faites la même chose de l'autre côté.

9 Pour finir, déployez les ailes de telle sorte qu'elles forment un angle à 90 degrés avec le corps de l'avion (dessin 5).

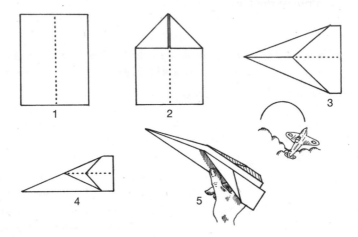

POUR LE DÉCOLLAGE

Une fois lancé, l'avion effectue un vol balistique, provoqué par la propulsion mais soumis aux lois de la pesanteur : en clair, pour faire voler votre engin, vous devez viser haut. Il restera stable, même sous une brise. On ne peut pas en dire autant de tous les avions en papier.

⊚ *La plupart des crashs aériens surviennent au décollage et à l'atterrissage.* ⊚

TRUCS INSOLITES
À FAIRE AVEC UN BALLON

LE CASQUE DE PRÉSENTATEUR TÉLÉ

Gonflez un ballon en tenant deux tasses à café contre ses parois. Le ballon se dilatera dans les orifices des tasses, formant ainsi deux grosses oreilles sur les côtés ; une fois fermé par un nœud, le ballon gardera cette forme. Histoire de réduire les jurons, demandez à quelqu'un de vous filer un coup de main. Vous pouvez ensuite dessiner un visage sur le ballon avec un stylo indélébile pour lui donner la bobine d'un bonhomme coiffé d'un casque. « Madame, mademoiselle, monsieur, bonsoir ! Léon Zitrone à l'antenne pour les informations du jour. » En principe, ça fait toujours rire (surtout les anciens).

LE SCROTUM FANTÔME

Gonflez un ballon et laissez-le se dégonfler trois ou quatre fois jusqu'à ce qu'il soit tout détendu et fripé, puis remplissez-le à moitié avec de l'eau tiède avant de le nouer. Glissez ce sinistre objet dans la poche de veste du témoin avant son discours au mariage de son copain. Je vous laisse imaginer le sourire figé qui se dessinera sur son visage, tandis qu'il glissera la main dans sa poche au milieu de son exposé.

LE BALLON ANTIGRAVITÉ

Frottez un ballon gonflé sur vos cheveux pour créer de l'électricité statique. Maintenez-le contre le plafond un instant ; quand vous le lâcherez, il restera cramponné là-haut pendant des heures. Les enfants adorent.

L'AIGUILLE MOLLE

La première fois que j'ai pris connaissance de ce tour, c'était en lisant l'emballage d'une boîte de céréales, mais s'il est souvent référencé dans les manuels de farces pour débutants, on en entend rarement parler. Dommage car il soulève pas mal d'énigmes.

◇ Présentez deux ballons identiques gonflés et tendez-en un à un spectateur.

◇ Ensuite, montrez-lui deux aiguilles et demandez-lui d'en choisir une. « Vous avez bien fait de prendre celle-ci, que vous lui dites alors. C'est la plus pointue. Il me reste donc la moins pointue. »

◇ Maintenant, vous enfoncez votre aiguille dans le ballon et vous la laissez plantée dedans. Quand votre cobaye essaie d'en faire autant, le ballon éclate.

Le secret consiste à coller discrètement un petit morceau de Scotch sur le côté du ballon avant de commencer la démonstration. Enfoncez l'aiguille dans le Scotch : il empêchera le ballon d'éclater. Un tour assez étonnant, je dois dire.

Pour finir, exhibez votre ballon et son aiguille, puis faites-le éclater avec l'aiguille de votre spectateur, vous débarrassant ainsi des preuves de votre supercherie.

INVASION MARTIENNE
Gonflez un ballon vert en lui donnant une forme longue et fine, et glissez-le dans la boîte aux lettres du curé en criant : « Les Martiens ont débarqué ! » Mes remerciements à Ken Dodd pour cette bonne blague.

◉ *Les frères Montgolfier ont effectué leur premier vol en montgolfière en 1783.* ◉

COMMENT
FABRIQUER UN BAROMÈTRE
━━◉ ◉━━

N ous vivons tous au pied d'une masse d'air qui pèse sur nos épaules. Un baromètre maison, facile à fabriquer, vous le prouve.

LES FOURNITURES
◇ *Un verre droit*
◇ *Du Scotch*

◇ *Un marqueur*
◇ *Une paille à boire en plastique*
◇ *Du colorant alimentaire (facultatif)*
◇ *Un chewing-gum*

LA MÉTHODE

1 Pour commencer, mâchez le chewing-gum.

2 Scotchez la paille à l'intérieur du verre en laissant un peu plus de 1 centimètre entre le fond du verre et le bout de la paille.

3 Remplissez à moitié le verre d'eau et ajoutez quelques gouttes de colorant alimentaire.

4 Aspirez un peu d'eau dans la paille ; quand elle arrive à mi-chemin entre la surface de l'eau et le haut de la paille, pincez le bout pour stopper le flux. Bouchez la paille avec le chewing-gum.

5 Marquez le niveau de l'eau dans la paille avec une bande de Scotch fixée à l'extérieur du verre.

6 Transportez votre baromètre jusqu'à la colline voisine ou, encore mieux, installez-le dans l'ascenseur d'un immeuble très haut et notez le changement de niveau d'eau à mesure que vous montez et descendez.

Le fonctionnement du baromètre s'explique par le fait que l'eau contenue dans la paille est moins comprimée par l'air quand on se trouve en altitude, mais davantage quand on est près du sol.

Vous pouvez faire vos prévisions météo en laissant votre baromètre sur une étagère sombre. Une chute de pression (moins d'eau dans la paille) annonce du vent et un ciel maussade ; une pression plus élevée et davantage d'eau dans la paille est synonyme de beau temps. Enfin, pas toujours. Ce dispositif n'est pas infaillible mais il est quand même à peu près aussi sûr que la bonne femme de la télé.

◉ *Dicton de météorologue : « Quand la fumée retombe, la pluie nous inonde. »* ◉

LA BÊTE À QUATRE DOIGTS

Voici un petit tour rapide à faire un jour de gelées matinales. Ni vu ni connu, enlevez un de vos doigts ou votre pouce de votre gant et repliez-le sous la paume de votre main. Étirez les doigts restants et arrangez-vous pour que le gant ait l'air « normal ». À présent, mettez un copain au défi de déterminer quel doigt du gant ne contient pas de doigt (vous me suivez ?). C'est très délicat de trouver.

En tenant les doigts ou le pouce dans une pose anormale, les joueurs très compétents sont en mesure de tromper l'observateur le plus vigilant qui opte à tous les coups pour le doigt « qui a l'air bizarre ».

Pour compliquer les choses, vous avez le droit de bluffer en n'enlevant aucun doigt ou en en enlevant deux, trois ou plus.

Ce tour est particulièrement drôle à jouer à des étudiants en philo : vous aurez tôt fait de les faire redescendre sur terre.

◉ *C'est en 1758 que les gants médicaux, fabriqués à partir d'intestins de mouton, ont été utilisés pour la première fois.* ◉

COMMENT
FABRIQUER UN POISSON
EN PAPIER QUI NAGE

Ce charmant divertissement est pile ce qu'il vous faut si vous vous retrouvez un jour encerclé par une horde de gamins tout rouges qui viennent d'en découdre avec le château-trampoline plein de chips gonflé dans le jardin et qui cherchent une nouvelle bêtise à faire pour s'occuper. Si vous vendez bien votre truc, en un rien de temps tout le monde sera assis dans le calme, sagement occupé à faire des dessins, des coloriages et des découpages.

Les fournitures

◇ *Du papier*
◇ *Des ciseaux*
◇ *Un petit bidon d'huile*
◇ *Un plat creux rectangulaire ou ovale*

Sur une feuille de papier, dessinez un poisson qui ressemble au modèle ci-dessous. Il doit mesurer *grosso modo* 5 centimètres de long. Si les enfants vous filent un coup de main, organisez un concours du plus joli poisson pour les occuper un moment. Le cercle noir au milieu, 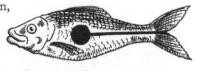 qui est relié à la queue par une ligne noire, est très important.

Découpez le poisson ; découpez aussi le cercle noir et la ligne noire. Versez de l'eau dans le plat et déposez très délicatement le poisson à la surface, sa queue à proximité du bord, en veillant à ce que le dessus du dessin reste sec.

Vient à présent le moment magique. Versez une goutte d'huile dans le trou au milieu du poisson (le cercle noir évidé). L'huile va essayer de se répartir à la surface de l'eau. Pour accélérer ce processus, le mieux est de faire circuler l'huile le long du canal (ligne noire découpée) pour la faire sortir par la queue. Au fur et à mesure, le papier se met à bondir en s'élançant assez vite sur l'eau, dans la direction opposée. Et tous les enfants de pousser des cris extasiés…

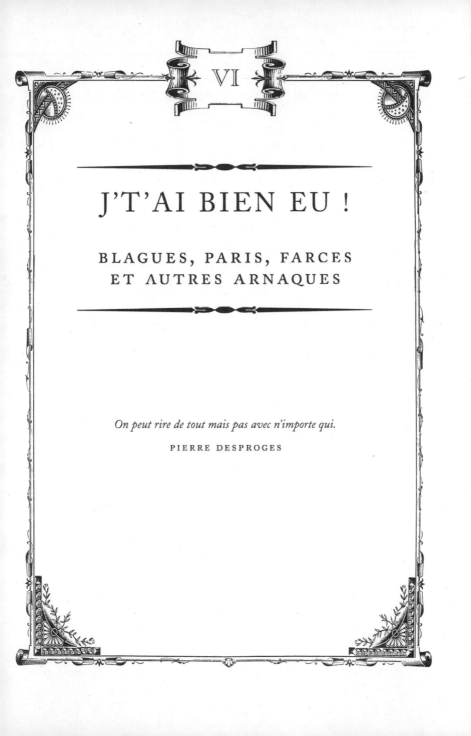

VI

J'T'AI BIEN EU !

BLAGUES, PARIS, FARCES
ET AUTRES ARNAQUES

On peut rire de tout mais pas avec n'importe qui.

PIERRE DESPROGES

TREMBLEMENT DE TERRE
DANS UN LIT

près avoir bu quelques verres avec vos potes, vous êtes allé vous mettre au lit et vous dormez comme un bienheureux quand un ogre géant se met à secouer la planète. Vous vous réveillez avec la nette impression que le ciel vous tombe sur la tête et que votre lit s'écrase au sol dans un boucan du diable. Vous vous redressez, hirsute, en poussant un monumental « Keskessèèèè !!? », le cœur battant à tout va ; la chambre est calme, la porte fermée, mais votre lit penche dangereusement contre le mur et la couette est violemment rabattue. Rien à l'horizon si ce n'est, dans un coin de la pièce, deux bouteilles de bière qui tournoient bizarrement. Vous commencez à regretter de ne pas avoir récité vos prières tous les soirs quand vous étiez petit et vous jurez de mettre un terme rapide à votre vie de débauche.

En fait, vous avez été victime d'un canular orchestré par vos plus fidèles copains. Cette mauvaise blague est particulièrement appréciée des étudiants ou des bandes de potes qui se retrouvent dans un hôtel miteux pour un week-end épicé. Voici comment vous y prendre pour rendre la pareille à vos tortionnaires :

1   Premièrement, identifiez une victime ; souvent, cette dernière se désigne elle-même sans le savoir. Il vous faut quelqu'un qui ait assez bu pour sommoler mais qui ne risque pas de se réveiller pendant le remue-ménage que vous préparez.

2   Quand le type file se coucher, laissez-lui le temps de s'endormir, puis faufilez-vous dans sa chambre avec quelques complices (au moins quatre gars costauds) en emportant avec vous votre équipement, à savoir quatre bouteilles de bière vides.

3   Une fois sur place, il vous faut agir vite et discrètement, genre opération commando. Sans réveiller votre victime, les quatre plus robustes d'entre vous soulèvent le lit tandis que le plus petit et le plus agile glisse prudemment une bouteille de bière debout sous

chaque pied de lit. Dès qu'il a terminé, éclipsez-vous discrètement après avoir reposé doucement le lit sur les bouteilles et refermez sans bruit la porte derrière vous.

Maintenant, ce n'est plus qu'une question de temps. À un moment indéterminé de la nuit, quand le pauvre bougre va se retourner ou changer de position, le lit va se trouver projeté 20 centimètres plus bas dans un formidable fracas, envoyant valser les bouteilles de bière aux quatre coins de la chambre. L'effet musical est détonant, un peu comme si on balançait un bureau sur les instruments à percussion d'un orchestre.

Brutalement réveillé en pleine nuit, dans une position plutôt inhabituelle, mais aussitôt conscient que l'heure du Jugement dernier est proche, même le plus intello des théoriciens sera sacrément pressé de comprendre ce qui vient de lui arriver. Surtout, ne dites rien.

FARCES TRADITIONNELLES

Horace Cole était certes le beau-frère du très sérieux Chamberlain, Premier ministre de Grande-Bretagne de 1937 à 1940, mais c'était aussi un farceur célèbre qui possédait les trois traits de caractère essentiels du blagueur incurable : un anarchisme farouche, une intrépidité absolue et un stupéfiant don d'opportunisme. Aristocrate fortuné, il prenait plaisir à plonger ses amis célèbres dans l'embarras, s'effondrant subitement sur le trottoir londonien en feignant la crise d'épilepsie ou bien arrêtant publiquement une personnalité en l'accusant d'avoir volé une montre qu'il avait pris soin de glisser au préalable dans la poche de sa victime. Croisant un jour un groupe d'ouvriers, il leur commanda de creuser une gigantesque tranchée sur Piccadilly Circus tandis qu'un gentil policier contrôlait la circulation.

La « boule de ficelle » est une de ses plus célèbres trouvailles. En voici le secret, ainsi que celui d'autres farces classiques que vous aurez peut-être envie d'adapter à votre sauce.

LA BOULE DE FICELLE

1   Armez-vous d'un bloc-notes. Un casque et un débardeur voyant vous conféreront davantage d'autorité mais ils ne sont pas indispensables.

2   Accostez un homme d'apparence sympathique au coin d'une rue animée, tendez-lui l'extrémité d'une boule de ficelle et demandez-lui (« s'il vous plaît, Monsieur ») de la tenir un instant.

3   Disparaissez au coin de la rue tout en déroulant la ficelle.

4   Parcourez une bonne distance et accostez une autre personne à priori sympathique (les religieuses sont une valeur sûre). Tendez-lui la ficelle en coupant ce qui dépasse et demandez à votre victime de la tenir pendant que vous allez chercher un truc dans votre voiture.

5   Éclipsez-vous, planquez votre bloc-notes et votre costume, puis revenez discrètement sur vos pas pour observer de loin la suite des événements.

Si la plupart des gens sont d'une patience déconcertante, vos pigeons vont quand même finir par aller à votre recherche en remontant la ficelle. Observez bien la confusion qui se lit sur le visage de vos victimes quand elles tombent nez à nez, chacune brandissant un bout du même morceau de ficelle. Le spectacle est vraiment plaisant...

UN ŒUF AU PLAT DANS LA POCHE

Ce tour se prête davantage aux grandes occasions, quand les gens sont plutôt apprêtés et que la pénombre d'une salle de concert ou de théâtre vous permet de camoufler vos agissements.

1   Faites cuire quelques œufs au plat jusqu'à ce qu'ils soient à point : le jaune ne doit pas couler.

2   Glissez un petit sac en plastique dans votre poche et coupez ce qui dépasse. Plongez dedans vos œufs au plat en les faisant tenir à la verticale.

3   Une fois sur place, avancez-vous furtivement derrière un type assez chic et glissez discrètement un œuf dans la poche de son smoking.

Ça marche aussi avec les sacs à main des femmes et c'est particulièrement jubilatoire de découvrir leurs mines abasourdies quand elles découvrent vos cadeaux anonymes.

LE FIL SANS FIN

Pour que ce tour marche, vous devez porter une veste.

1   Glissez un crayon cassé dans le trou d'une bobine de coton blanc et coincez-le dans la poche intérieure de votre veste de façon que la bobine puisse tourner librement sans sortir de la poche.

2   Une fois qu'elle est bien calée, tirez le fil de coton à l'aide d'une aiguille et piquez-le en haut d'une de vos épaules, dans la doublure de votre veste.

3   Tirez 10 ou 12 centimètres de fil puis enlevez l'aiguille.

À présent, un long fil blanc pend sur votre veste, fil que les gens n'auront de cesse d'essayer de vous arracher toute la journée. Mais à chaque fois qu'ils tirent dessus, plusieurs mètres de fil se débobinent…

LE COUP DE CARABINE SURPRISE

Dans le registre des farces au débotté, difficile de trouver plus impressionnant. En quelques secondes, à l'aide d'une simple feuille A4, vous pouvez fabriquer un dispositif qui produit une détonation assez bruyante pour réveiller un mort.

1   Pliez une feuille A4 en deux dans la longueur puis remettez-la à plat (dessin 1). Rabattez les quatre coins en diagonale sur le pli central (dessin 2).

2   Disposez le pliage à la verticale et fermez-le comme un livre. Ensuite, rabattez la pointe du bas sur celle du haut pour marquer un pli horizontal (dessin 3), puis remettez le pliage à plat.

3   Pliez la moitié inférieure en diagonale (vers la droite) de façon qu'elle borde le pli horizontal (dessin 4) ; faites de même avec la moitié supérieure. Vous devez avoir désormais un losange sous les

yeux (dessin 5). Retournez-le et pliez la partie inférieure vers le haut pour former un triangle (dessin 6).

4   Attrapez le coin droit, en plaçant votre pouce derrière et votre index devant, puis soulevez l'engin à la verticale, le coin légèrement entrouvert dos à vous (dessin 7).

5   À présent, faites claquer le machin d'un geste vigoureux, comme si vous donniez un bon coup de fouet : le rabat intérieur va s'ouvrir brusquement en produisant un bruit sec (dessin 8).

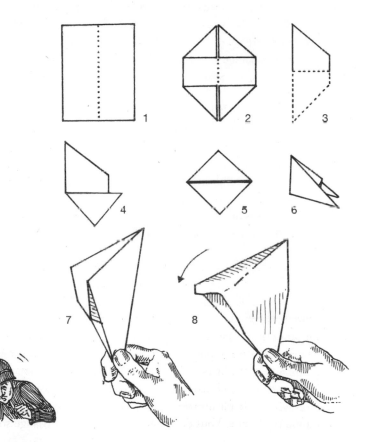

La bombe à pain

Prenez un gros pain blanc entier – un gros pain de mie par exemple – et laissez-le tremper toute une nuit dans un récipient d'eau. Le lendemain matin, le pain aura gonflé et absorbé l'eau jusqu'à la dernière goutte, et il aura une forme grotesque.

Sortez-le en le soulevant prudemment et transportez-le comme un nourrisson avant de le poser sur le rebord d'une fenêtre située en hauteur pour le lâcher dans le vide : le pain s'écrasera comme un flan sur le trottoir, son magma blanc giclant dans tous les sens sur la chaussée. Très efficace pour repeindre la voiture de sport de votre bêcheur de voisin.

La jambe perdue

1 Trouvez une jambe de mannequin (ne faites pas cette tête : vous êtes un adulte responsable, capable de régler ce genre de détail comme un grand).

2 Enfilez une chaussette et une chaussure sur la jambe du mannequin et cachez-la sous votre manteau (long, évidemment).

3 Laissez la jambe dans un cinéma, un train ou le vestibule d'une grande société ou d'une chaîne de télévision, un restaurant, un bistrot, un bâtiment municipal, etc., puis revenez quelques heures plus tard pour la réclamer. « J'ai oublié ma jambe gauche. Est-ce que par hasard vous l'auriez retrouvée ? » Effet garanti : une bonne dose de franche rigolade et de quoi faire perdre son temps à tout le monde.

◊ Autre version : écrivez au stylo indélébile le numéro de téléphone du salon de massage du quartier à l'intérieur de la cuisse et laissez la jambe sur les fonts baptismaux d'une église. Le curé s'en trouvera bien embêté.

◊ Une autre possibilité tout aussi percutante, mais que je n'ai jamais testée, consiste à entasser des bâtonnets de poisson à l'intérieur de la jambe et à y suspendre une étiquette mentionnant le nom et l'adresse d'une connaissance que vous ne portez pas trop dans votre cœur, avec un message en gras qui dirait : RÉCOMPENSE OFFERTE À QUI RAPPORTERA CETTE JAMBE À SON PROPRIÉTAIRE !

LE BONHOMME DE NEIGE FONDU

1   Remplissez une grande enveloppe kraft avec de la mousse à raser.

2   Glissez l'ouverture de l'enveloppe sous la porte fermée à clé d'un copain et tapez du pied sur l'enveloppe boursouflée. La mousse n'a qu'une issue et elle ne manquera pas sa cible : le sol de la chambre en sera recouvert...

Mieux vaut faire ce coup juste avant le retour de votre victime pour que le produit n'ait pas le temps de fondre ou de durcir. Cherchant désespérément à comprendre comment cette satanée mousse à raser a pu pénétrer dans sa chambre fermée à clé, votre copain se trouvera face à un bien étrange mystère.

LE TEST DU PILOTE D'ESSAI

Les apprentis serveurs font souvent les frais de cette mauvaise farce.

1   Choisissez dans un groupe la personne la plus arrogante et expliquez-lui qu'il a été prouvé que la coordination mains-yeux est un signe d'intelligence accrue. Dites-lui que les pilotes d'essai de l'armée de l'air doivent passer ce test avant de pouvoir voler.

2   Demandez-lui de tendre les mains en avant, les paumes tournées vers le sol, et de rester bien immobile.

3   À présent, placez un verre de vin sur chacune de ses mains au niveau des doigts et annoncez-lui alors que le test consiste à enlever les verres sans se tremper ; là, vous vous empressez de reculer.

4   Si vous êtes à la place du malheureux, moyennant une paille dans la poche supérieure de votre veste et un bon coup de dents, vous devriez pouvoir vous sortir de ce mauvais pas. Sinon, c'est très aléatoire.

L'ENRHUMÉ

Cette blague *vraiment* répugnante (j'en conviens) s'accomplit au choix sur un ami ou sur un parfait inconnu. Dans le second cas, il vaut mieux avoir un allié à ses côtés.

1   Trempez un doigt dans un verre d'eau et approchez à pas feutrés dans le dos de votre proie.

2   Éternuez bruyamment en faisant gargouiller vos narines, tout en donnant une petite chiquenaude avec votre doigt humide dans le cou de votre victime.

3   Décampez à toute vitesse.

4   Pour plus de réalisme, ajoutez un peu de guacamole sur le dos de votre main gauche. Quand votre sujet se retournera, prêt à frapper, il vous découvrira le nez sur votre main en train de vous lécher. « Z'en voulez un peu ? », que vous lui dites gentiment en lui tendant la paluche.

GLISSER UNE PATATE DANS UN SAC À MAIN
Ce tour marche avec n'importe quel fruit ou légume, y compris les aubergines.

1   Dissimulez discrètement une grosse patate, un panais, un avocat ou une banane dans votre poche.

2   Dans la pénombre d'une salle de concert, d'un vestiaire, d'une voiture ou d'un bistrot, choisissez votre cible. Le but est de glisser votre objet non identifié dans son sac à main, sa poche de manteau ou sa boîte à gants.

3   Quand les conditions vous semblent favorables, lancez-vous. N'essayez pas d'agir trop discrètement ; au contraire, il vaut mieux y aller au culot.

À condition de faire ça en début de soirée, vous aurez le plaisir d'admirer l'expression déconfite et bouche bée de votre victime quand elle sortira un navet ou un kumquat de son sac à main alors qu'elle cherchait son briquet, son rouge à lèvres ou ses clés. Comment ça, elle est sûre que vous y êtes pour quelque chose ?

COMMENT
FAIRE FLOTTER UN ŒUF

Tendez un verre d'eau à un cobaye et mettez-le au défi de faire flotter un œuf dedans. Faites la démonstration à l'aide d'un autre œuf que vous plongez dans votre propre verre.

La bonne poire essaie, mais échoue. Les œufs n'y sont pour rien – c'est votre eau qui a un truc : vous avez pris soin d'y verser une grande quantité de sel à l'avance pour qu'elle soit plus dense.

◉ *La plus grande omelette du monde a été préparée à Madrid avec 5 000 œufs.* ◉

COMMENT
GOBER UN POISSON ROUGE

De nos jours, les gens feraient n'importe quoi pour passer à la télé mais on se montrait nettement moins bravache dans les toutes premières années du petit écran. À l'époque, des divertissements comme *La caméra cachée* faisaient un tabac. Ces émissions était peuplées d'innocents gredins qui choisissaient des personnes un peu naïves pour pouvoir les filmer alors qu'on les faisait gentiment marcher.

Un des tours les plus mémorables dont je me souvienne était joué par un homme qui avait plongé la main dans un bocal de poissons rouges posé sur le comptoir d'un magasin, avant d'en ressortir un poisson tout frétillant et ruisselant qu'il avait aussitôt englouti, au grand écœurement des passants scandalisés.

LA PRÉPARATION
Si vous connaissez un endroit – restaurant chinois, cabinet médical ou domicile d'un de vos copains – où l'on peut trouver un aquarium ou un bocal à poissons rouges, cette blague est pour vous.

◇ À l'aide d'un couteau bien aiguisé, découpez une longue tranche fine au milieu d'une grosse carotte.

◇ Posez cette tranche sur la table et taillez-la en forme de poisson rouge en vous inspirant au besoin d'une photo pour obtenir des contours précis. Faites un poisson aussi gros que possible pour qu'il soit bien visible.

◇ Autant que je sache, l'étape suivante n'a encore jamais été dévoilée. En premier lieu, vous devez ramollir la carotte en la faisant cuire quelques minutes. Il s'agit seulement de la rendre moins dure que lorsqu'elle est crue. Faites plusieurs essais pour déterminer le bon temps de cuisson. Au final, votre « poisson » sera un peu mou et souple ; il vous reste à lui donner vie en le remuant doucement par la queue. La ressemblance avec un « vrai » poisson est frappante, surtout dans le frétillement.

VOTRE PRESTATION

◇ Dissimulez le poisson-carotte dans la paume de votre main et approchez-vous d'un pas nonchalant du bocal à poissons rouges. Attirez l'attention de vos voisins en fixant obstinément l'eau.

◇ Dès que vous avez retenu l'attention de quelqu'un, plongez brusquement votre poing dans l'eau et ressortez-le en arborant votre « poisson » fringant entre les doigts.

◇ Tenez-le par la queue pour que tout le monde puisse le voir s'agiter dans tous les sens, puis plongez-le brusquement dans votre bouche. Stupeur et confusion parmi les spectateurs ! Le moment est venu de leur faire *avaler* le truc une bonne fois pour toutes en mâchonnant votre poisson avec ostentation.

Vous pouvez pimenter les choses en dégainant une salière de votre poche pour assaisonner votre prise avant de la déguster.

◎ *La perche grimpeuse est capable de marcher sur la terre ferme.* ◎

LE PALINDROME AU DÉFI

U n palindrome est un mot ou un syntagme qui peut se lire indifféremment de gauche à droite et de droite à gauche. Arriver à en trouver un qui marche peut devenir une vraie drogue. Par conséquent, c'est un excellent divertissement pour tuer le temps quand son vol vient d'être annulé ou quand on commence à perdre patience dans une salle d'attente.

Rêver ou *Otto* sont des mots palindromes, « À Cuba Anna a bu ça » est une phrase palindrome. Un palindrome qui « sonne » juste est particulièrement dur à trouver, surtout s'il est long. Ce qui n'empêche pas la littérature française d'abonder en phrases palindromes, des plus simples au plus surprenantes ! Pour l'exemple, voici un alexandrin palyndrome attribué à Victor Hugo :

> *Tu l'as trop écrasé, César, ce port-salut !*

Toutefois, le plus long palindrome publié en français, et sans doute le plus célèbre, demeure le « Grand Palindrome » de Georges Perec. Comme il compte 5 566 lettres, on ne va pas vous le citer en entier. En voici le début pour que vous sachiez le retrouver si le cœur vous en dit :

> *Trace l'inégal palindrome. Neige. Bagatelle, dira Hercule. Le brut repentir, cet écrit né Perec. L'arc lu pèse trop, lis à vice versa...*

Comme les plaisanteries, les meilleurs palindromes sont les plus courts : « Léon, émir cornu, d'un roc rime Noël » (Charles Cros) ou encore « À rire, Pépé périra ». Sans compter cet amusant palindrome de syllabes inventé par Luc Étienne : « Quand de deux mots la patrie délivre la française : cher passé. C'est pas cher seize francs la livre de tripes à la mode de Caen. »

Entraînez-vous d'abord à « réfléchir à l'envers », et très vite des trucs du genre « Alain a vu Vania là » commenceront à vous venir à l'esprit. À moins d'être particulièrement doué, il vous faudra un papier et un stylo pour titiller le palindrome. Voici quelques grands classiques pour stimuler votre créativité :

○ *Ève rêve.* – Un palindrome né dans le jardin d'Éden.

○ *L'âme des uns jamais n'use de mal.* – Un exemple médiéval et poétique.

○ *Sexe vêtu, tu te vexes.* – Une formule de l'écrivain Luc Étienne, rompu à l'art du palindrome.

○ *Et se resservir, ivresse reste.* – Une chanson à boire qui n'en finit plus !

○ *Rat, ce nectar !* – Pour le jour où vous vous cognez l'orteil à 4 heures du matin après vous être levé précipitamment pour répondre au téléphone (l'appel étant une erreur de numéro – cela va de soi).

◎ *Le finnois est la langue la plus propice aux palindromes.* ◎

DÉCHIRER UN DOCUMENT DE SANG-FROID

Voici une blague bien bonne pour donner des cheveux blancs à n'importe qui (patron, femme, etc). On vous tend un document (ou bien vous le prenez sur la table) qui a tout l'air d'être le testament de votre grand-père, une aquarelle de Turner, le diplôme de fin d'études de votre cousin (n'importe quel autre papier précieux fera l'affaire), et vous vous empressez de le déchirer en deux. Le suspens dure quelques secondes seulement ; profitez-en pour contempler le visage décomposé de la personne en face de vous...

1   Pour vous entraîner, prenez une feuille A4 et tenez-la par le haut devant vous, avec les deux mains ; pouces et index pincent le milieu de la feuille.

2   À présent, imaginez que vous allez déchirer la feuille en deux en la tirant vers vous, vers le bas, de la main droite, tandis que la main

gauche reste immobile. Notez que, si vous le faites *vraiment*, vous allez *réellement* déchirer la feuille. C'est tout le contraire du but recherché.

3   En fait, au lieu de déchirer la page, vous devez la tenir fermement de la main gauche, en continuant à la pincer légèrement avec le pouce et l'index droit.

4   Faites glisser l'ongle de votre index à toute vitesse jusqu'en bas de la feuille, en veillant à bien tenir cette dernière devant vous afin de pouvoir simuler le bruit d'un froissement de papier.

L'effet est d'un réalisme effroyable. Quand votre victime prend conscience que vous l'avez fait marcher, soit elle réussit à en rire, soit elle vous assomme à coup de cendrier en verre. Tout dépend de son caractère.

COMMENT
DÉFORMER VOTRE NEZ

P our imiter un nez cassé ou une horrible déformation nasale, un des trucs les plus astucieux consiste à utiliser une tétine de biberon.

◊   Pour préparer votre nez difforme, découpez une petite entaille « respiratoire » au bout d'une tétine.

◊   Ensuite, coupez la base de la tétine et enfoncez ce qui reste dans la narine de votre choix.

◊   La partie artistique de la préparation consiste à tailler tout ce qui dépasse. Ça ne vous prendra que quelques minutes en face d'un miroir et avec une bonne paire de ciseaux. Attention à ne pas couper le truc rose : c'est votre nez !

◊   Une fois le travail terminé, vous remarquerez que votre narine est distendue de façon grotesque. Appliquez une touche de fond de teint piqué à votre sœur ou quelques gouttes de faux sang (recette page 186) pour camoufler le trucage et accentuer l'effet d'ensemble.

Il ne vous reste plus qu'à rejoindre la salle de réunion pour ficher les jetons à tous vos collègues. Ça marche aussi très bien pour un jour d'examen, genre le permis de conduire… Personne n'osera vous demander de quelle épouvantable maladie vous souffrez : ce serait très impoli.

◉ *Jimmy Durante, surnommé le Schnozzola, a laissé tomber l'école très tôt pour devenir pianiste puis acteur.* ◉

L'ESQUIMAU INCONTINENT

C ette blague tout à fait douteuse est encore plus piquante si on la fait lors d'une soirée guindée.

1 Quand personne ne regarde, attrapez une poignée de glaçons et tenez-les cachés dans la paume de votre main le plus discrètement possible.

2 Au moment que vous jugez opportun, saisissez un verre vide dans votre main libre et livrez-vous à des réflexions du genre : « La vie ne doit pas être facile tous les jours pour les Esquimaux. Imaginez un peu : vous devez vider votre vessie, pas de W.-C. dans l'igloo et un blizzard décoiffant dehors… Vous devez prendre votre courage à deux mains et vous lancer. »

3 Là, vous vous levez (au cas où vous seriez assis) et vous abaissez le verre sous votre braguette, en ramenant l'autre main au niveau de la vessie, dans l'alignement de « vos parties ».

4 Faites la grimace caractéristique du type pris dans une tempête de neige par − 35 °C et sifflez entre vos dents pour imiter le blizzard. Ensuite, votre main gelée en position de tuyau d'arrosage, pressez les glaçons dans votre paume et laissez-les tinter dans le verre les uns après les autres. Vous pouvez ajouter : « Qui veut un glaçon ? »

◉ *En été, les Esquimaux ne vivent pas dans des igloos mais dans des tentes.* ◉

DÉFIS IMPOSSIBLES À PERDRE

—◄◄◄◄ ◗◗◗◗—

Tant qu'ils s'amusent, les gens sont ravis de perdre un pari. Voici quelques défis qu'il vous sera impossible de perdre et qui ne manqueront pas de faire glousser vos convives, même quand ils devront lâcher leur billet de cinq.

LA SOURICIÈRE EN VERRE

Cette vieille farce, sans doute une des plus faciles à faire, fonctionne au bluff. Mais elle n'est pas souvent exécutée parce qu'elle n'est pas facile à mémoriser (surtout si vous étiez fatigué quand on vous l'a faite).

1   Il vous faut 3 verres que vous alignez devant vous sur la table ; le verre du milieu est retourné, les autres sont posés à l'endroit. Devant chaque verre, vous placez une noix, une boulette de papier, une olive, une pièce de monnaie ou n'importe quel autre petit objet.

2   Quand vous êtes prêt, lancez votre défi : « Je parie que vous ne pouvez pas mettre ces trois souris sous les trois souricières en verre en seulement deux mouvements. Je vous montre comment faire pour vous aider. Observez. »

3   Là, vous soulevez les verres 1 et 2 (un dans chaque main) et vous les retournez en reposant le premier sur sa souris et le deuxième (celui du milieu, désormais à l'endroit) *derrière* sa souris. Les souricières en verre restent associées à leur proie du début à la fin et ne peuvent pas permuter. Vous dites alors : « Et d'une. »

4   Ensuite, vous retournez les verres 2 et 3 pour les reposer sur leur souris respective : « Et de deux. » Vous avez terminé : chaque souris est dans sa souricière.

5   Quand votre victime a compris les règles, alignez les verres pour elle. C'est là que commence la supercherie.

6   Votre parieur a l'impression que vous replacez les souricières derrière leur souris dans leur position initiale. En fait, vous retournez à l'endroit le verre du milieu, alors qu'il était posé à l'envers dans

votre démonstration. Le volontaire aura beau faire de son mieux, il ne parviendra pas à recouvrir la souris du milieu sans enfreindre une règle. Même en s'attelant toute la nuit à la tâche...

Ne loupez pas le spectacle du visage de votre partenaire qui se creuse la cervelle en se demandant où est le hic. Empochez vos gains et filez.

LA LAMPÉE DE BIÈRE

Votre copain paie sa tournée. Quand vos verres arrivent, pariez que vous buvez sa pinte et la vôtre avant qu'il ait le temps de retourner 5 dessous de verres. Laissez-lui le choix de la position des dessous de verres. À son top départ, vous commencez à boire la bière en passant d'un verre à l'autre, tandis qu'il retourne ses dessous de verres.

Dès qu'il a fini, il va se faire un plaisir de rabattre vos mains sur la table pour vous signaler la fin du pari. Terminez vos pintes en disant : « Eh mince, j'ai encore perdu ! » Et donnez-lui ses 2 euros. À ce stade, il va réaliser que vous venez de descendre tout son verre et que vous l'avez escroqué d'une bière qui vaut plus que 2 euros. Bon prince, dites-lui que c'est à son tour maintenant.

LE PAPIER IMPOSSIBLE À DÉCHIRER

Prenez un morceau de papier et faites deux entailles à peu près à la verticale, une dans un sens et l'autre dans l'autre, sur les deux tiers de la longueur ; chaque entaille doit se terminer à quelques centimètres du bord. À présent, demandez à un pigeon de tenir la feuille par les coins A et B et de la déchirer en trois d'un seul coup. Malgré les deux entailles, la feuille se déchire en deux, pas en trois.

J'adore ce tour : ça paraît simple alors que c'est impossible. Encore un fabuleux exemple de physique que je suis incapable d'expliquer.

COMMENT
VERSER DE LA BIÈRE
DANS LE FROC D'UN TYPE

Ne pensez surtout pas que vous pourrez y arriver en demandant poliment l'autorisation au type en question. Comme tous les tours basés sur la confiance, vous devez dissimuler votre objectif en arrivant à convaincre la victime de faire des trucs étranges. Faites-lui espérer une sorte de contrepartie à la fin.

LA MÉTHODE

1   Cachez un entonnoir en plastique derrière un rideau près de la table, dans une salle animée.

2   Recrutez quelques complices et confiez-leur à chacun un rôle. Ils doivent suivre vos instructions à la lettre jusqu'à ce que vous criiez : « Chutes du Niagara dans le bermuda ! » C'est à ce moment que chacun doit verser le contenu de sa chope dans l'entonnoir qui sera glissé dans le pantalon de votre victime. Vos complices protesteront sûrement, persuadés que personne ne les laissera faire sans rien dire. C'est ce qu'ils vont voir.

3   Choisissez la personne appropriée pour votre farce. Il vous faut un de ces types à l'esprit de compétition ultradéveloppé et très imbu de sa personne. En général, ça ne manque pas chez les étudiants. Envoyez un de vos assistants chercher une victime qu'il attire jusqu'à la table où vous êtes tranquillement en train de bavarder avec vos complices.

4   Quand arrive le pigeon, vous dites à voix haute à tout le groupe : « Je paie un coup à celui qui sera capable de rester allongé sur la table pendant qu'on la soulève d'un côté. »

5   Un de vos larbins se lance, enthousiaste, et relève le défi. Il se met en position, tandis que vous ordonnez à vos amis de soulever la table d'un côté jusqu'à ce qu'elle penche presque à la verticale. Votre courageux assistant, qui aura pris soin de caler ses talons sur le

rebord de la table, est suspendu tête en bas sans trop d'encombre ; mais il ne peut pas redescendre tout seul sans se faire mal. Quand les applaudissements prennent fin, on repose la table sur le sol et on tape dans le dos de l'heureux parieur auquel vous payez un coup, comme promis et de manière très ostentatoire. Un autre de vos complices veut lui aussi relever le défi. Hop ! on recommence les acrobaties.

6   Désormais, une foule est réunie autour de votre table. C'est le moment d'encourager votre victime à tenter sa chance en proposant même de tenir sa veste et sa chope. Pendant qu'elle se hisse péniblement sur la table, ne laissez paraître aucun signe de satisfaction et donnez-lui plutôt quelques conseils judicieux. On penche de nouveau la table et, lorsqu'elle est presque à la verticale, vous criez : « Chutes du Niagara dans le bermuda ! », en insérant vite fait l'entonnoir dans une des jambes du pantalon du mec...

7   Chacun à son tour, vos assistants vident leur verre dans l'entonnoir. Rien ne presse, vu que le malheureux, tête en bas, est totalement impuissant. Tordez-vous de rire en contemplant la diversité des expressions qui passent sur le visage du type à mesure qu'il sent son pantalon s'humidifier. Comme il sait qu'il finira franchement trempé, il est possible qu'il se mette à lancer des menaces de mort à vous glacer le sang. Dans ce cas, vous avez avantage à vous éclipser en laissant le soin des « explications » à vos complices.

◎ *Temps de séchage moyen d'un tissu : 12 secondes avec des serviettes en papier, 43 secondes avec un séchoir.* ◎

LES PLUS DIABOLIQUES VIRELANGUES DU MONDE

Les virelangues les plus connus ne sont pas très difficiles. Moyennant un peu d'entraînement, presque tout le monde est capable de dire d'une traite : « Les chaussettes de l'archiduchesse sont-elles sèches ?

Archisèches ! » Ou encore : « Je veux et j'exige d'exquises excuses. »
Parmi les tirades célèbres, l'inextricable « Didon dîna, dit-on, du dos
dodu de dix dodus dindons » est sans doute aussi une des plus subtiles.
À l'inverse, plus d'un présentateur du journal télévisé s'est cassé la
figure sur « Papier, panier, piano » ou sur « Truite cuite, truite crue ». Par
conséquent, si vous parvenez à maîtriser quelques virelangues complexes, vous serez le mieux placé pour impressionner les passagers d'un
train ou agacer vos neveux avec votre aisance (sans compter tous les paris
que vous pourrez gagner au bistrot).

La faune et la flore semblent détenir la palme des virelangues les plus
tortueux :

◇ *Ces cyprès sont si loin qu'on ne sait si c'en sont.*
◇ *Seize jacinthes sèchent dans seize sachets sales.*
◇ *Un chasseur sachant chasser le chat sauvage sans son chien est un bon
chasseur.*
◇ *Si six scies scient six cyprès, alors six cent six scies scieront six cent six
cyprès.*

Certains, tout aussi difficiles, frôlent le surréalisme en restant, somme
toute, assez concrets :

◇ *L'assassin sur son sein suçait son sang sans cesse… Ciel ! Si ceci se sait ces
soins sont sans succès.*
◇ *Un pêcheur pêchait sous un pêcher mais le pêcher empêcha le pêcheur de
pêcher.*
◇ *Le fisc fixe des taxes excessives au luxe et à l'exquis.*

D'autres semblent avoir été conçus dans le seul but de faire blasphémer
les langues innocentes. En général, ces virelangues reposent sur l'effet de
répétition. Voici les plus courus des cours de récréation :

◇ *Pruneau cuit, pruneau cru.*
◇ *L'abeille coule.*

◇ *C'est pas beau mais tentant de tenter de tâter et téter les tétons de tata quand tonton n'est pas là.*

D'autres virelangues de la même veine sont mentionnés ci-dessous. Le premier est un classique du genre, le dernier rappellera certainement des souvenirs d'écoliers à tous les lecteurs.

◇ *Il était une fois une marchande de foie qui vendait du foie dans la ville de Foix. Elle se dit : « Ma foi, c'est la première fois et la dernière fois que je vends du foie dans la ville de Foix. »*

◇ *Si six cents scies scient six cents saucisses, six cent six scies scieront six cent six saucissons.*

◇ *Comté, Comté, Comté...*

LE VIRELANGUE NIVEAU CEINTURE NOIRE

Parmi les virelangues les plus tirés par les cheveux mais aussi les plus stimulants, voici une sélection classée par ordre croissant de difficulté :

◇ *Seize chaises sèchent.*

◇ *Des blancs pains, des bancs peints, des bains pleins...*

◇ *As-tu vu le tutu de tulle de Lili d'Honolulu ?*

◇ *Trois tortues trottaient sur un trottoir très étroit.*

◇ *Petit pot de beurre, quand te dépetitpotdebeurreriseras-tu ? – Je me dépetitpotdebeurreriserai quand tu te dépetitpotdebeurreriseras !*

◇ *Le cricri de la crique crie son cri cru et critique car il craint que l'escroc ne le croque et ne le craque. Mais un espadon à dédé donna dudule d'un don si dou donné fit son dada qu'il garda.*

Enfin, pour les amoureux de la langue française (et les amoureux tout court), quelques virelangues poétiques :

◇ *Le mur murant Paris rend Paris murmurant.* (Victor Hugo)

◇ *La pipe au papa du pape Pie pue.* (Jacques Prévert)

Pour terminer, connaissez-vous la triste aventure de Coco le concasseur de cacao ?

Coco, le concasseur de cacao, courtisait Kiki la cocotte. Kiki la cocotte convoitait un caraco kaki à col de caracul ; mais Coco, le concasseur de cacao, ne pouvait offrir à Kiki la cocotte qu'un caraco kaki sans col de caracul. Le jour où Coco, le concasseur de cacao, vit que Kiki la cocotte arborait un caraco kaki à col de caracul, il comprit qu'il était cocu.
(Extrait d'un sketch de Bernard Haller)

◎ *La langue est le seul muscle du corps humain qui ne soit attaché que par une seule extrémité.* ◎

LA CAPOTE INFERNALE

LES CONSIGNES

1   Défaites à plat une grande boîte en carton et retirez éventuellement toutes les agrafes.

2   Lubrifiez avec de la vaseline une face du carton avant de le poser dans le fond de la baignoire, côté gras vers le haut.

3   À présent, remplissez méticuleusement d'eau un préservatif que vous avez placé sur le carton. Vous verrez que vous pouvez facilement mettre jusqu'à 20 litres de jus dans ces engins.

4   Après quelques essais (de préférence dehors), vous devriez attraper le coup de main pour pouvoir soulever le préservatif frémissant de son catafalque en carton et le transporter jusque dans le lit de votre victime, où vous glissez prudemment la « chose » sur la couette.

VII

L'ART DE SE DONNER EN SPECTACLE

NUMÉROS ORIGINAUX POUR LES VRAIS FARCEURS

Je suis capable du meilleur et du pire.
Mais dans le pire, c'est moi le meilleur

COLUCHE

LE MUSICIEN MANCHOT

V oilà un numéro parfait pour les fins de repas qui se prolongent, à
faire de préférence entre mecs si vous ne voulez pas passer pour un
grossier personnage… Donc, une fois que les dames sont parties faire les
boutiques, attirez l'attention de vos amis par cette question : « Savez-
vous ce qui est arrivé à ce joueur de flageolet manchot qui amusait les
foules à la sortie de l'Opéra ? »

Vos convives dressent l'oreille. Alors, vous poursuivez : « Il était très
doué, mais il avait un problème… » Comme votre public voudra en
savoir plus, proposez-lui une petite démonstration.

Sortez de la pièce un instant pour vous préparer. S'il y a un porteman-
teau à proximité, faites une razzia pour vos accessoires. Il vous faut une
veste ou un manteau court (si vous n'en portez pas déjà) et quelque chose
qui puisse faire office de chapeau – plus il est ridicule, mieux c'est. Vous
pouvez même improviser un couvre chef en papier journal (page 175).
L'important, c'est de vous en coiffer le plus bizarrement possible. Enfilez
ensuite la veste en passant uniquement le bras droit dans la manche, en
laissant la manche gauche pendre comme si vous étiez manchot.
Boutonnez la veste jusqu'en haut et glissez votre bras gauche dans votre
pantalon, en laissant votre main reposer sur vos « parties » ; tout cela doit
être bien dissimulé sous le pardessus.

Retournez auprès de vos amis qui vont vous accueillir par un murmure
d'impatience et demandez un fouet, un crayon, une cuillère en bois ou
ce que vous voulez pour faire office de flageolet. Prenez l'ustensile de la
main droite et faites mine de jouer, en dansant un peu si ça vous chante.
Quand les applaudissements cessent enfin, allez-y de votre petit discours : « Il était sacrément bon, ce musicien manchot ! Évidemment,
avec un seul bras, il avait du mal à faire circuler son chapeau pendant
qu'il jouait. Du coup, il n'avait jamais plus de 10 centimes en poche. Mais
je crois avoir trouvé une solution. »

D'un geste assuré, défaites votre braguette de la main droite et sortez
brusquement votre index gauche pour le coincer dans la flûte. Un

souffle de stupeur se fera entendre. C'est le moment d'ôter votre chapeau et de le faire circuler pour la quête. Un dénouement aussi saisissant que désopilant.

L'ART DE PRONONCER UN DISCOURS

O n vous a sollicité pour recevoir un prix, vanter le mariage de votre meilleur copain ou rendre hommage à votre vieille grand-tante à son enterrement. Or, vous n'avez jamais pris la parole en public, vous ne savez pas par où commencer et cette perspective vous fiche la frousse. Mais il y a quand même moyen de réussir cette épreuve avec brio.

LE CONTEXTE
Peu de gens sont vraiment sûrs d'eux quand ils prennent la parole en public, même les orateurs expérimentés. Sauf que ces derniers savent que le secret de la réussite consiste justement à « déborder » de confiance en soi. À moins d'avoir su affirmer votre rôle de chef sur la tribune, le public commence à s'impatienter et à s'agiter. Dans ce cas, il faut vous servir de votre nervosité pour simuler l'assurance. C'est aussi simple que ça.

Si, à vos yeux, une personne précise incarne l'autorité – par exemple, le pape ou votre ancien proviseur –, imitez l'aspect impérieux de son langage physique. Gardez la tête haute, sans gigoter, et regardez les gens dans les yeux en vous exprimant d'un ton catégorique. C'est ce que tous les experts ont appris à faire.

TRUCS ET ASTUCES
◊   Ne soyez pas vous-même lorsque vous prononcez un discours. Au contraire, rajoutez-en toujours un peu.

◊   N'apprenez pas votre discours par cœur et évitez de lire vos notes. Visualisez-le plutôt comme un parcours (« Comment avoir une mémoire d'éléphant », page 74). Préparez un texte bien structuré, avec un début, un milieu et une fin, ce qui vous laissera ensuite tout loisir d'improviser. Cela dit, l'intro et la conclusion doivent être parfaitement claires. Effectuez une petite recherche pour dénicher des formules accrocheuses : libre à vous de piquer les idées qui vous ressemblent. Enfin, faire votre entrée en fabriquant un arbre en papier journal peut en imposer (page 183).

◇ Pendant la séance des questions-réponses, commencez avec une personne assise aux deux tiers du fond de la salle, sur la droite, près de l'allée. Des études montrent que c'est dans cette zone que s'assoient nos « alliés ». Évitez le premier rang juste à votre gauche : c'est là que sont tapis vos « ennemis ».

◇ Ne vous montrez jamais contrit, prétentieux ou grossier. Si le public ne s'esclaffe pas à vos blagues hilarantes, poursuivez sans en tenir compte ; s'il demeure insensible, essayez un truc comme ça : « Je sais qu'il y a du monde dans la salle puisque je vous entends respirer. » Vos auditeurs se mettent enfin à glousser ? C'est tout bon, vous avez regagné leur attention. Quoi qu'il arrive, continuez à avoir l'air sûr de vous.

◇ À un enterrement, évitez de pleurer quand vous prononcez votre discours.

◇ Si un éclat de rire inopiné se fait entendre, vérifiez que votre braguette n'est pas ouverte. Pour ne pas vous faire repérer, posez, mine de rien, votre paume droite sur la boucle de votre ceinture et faites glisser votre petit doigt contre la fente de votre braguette : si elle est ouverte, il ne vous reste plus qu'à improviser.

◇ Si vous commencez à avoir la gorge sèche, mordez-vous le bout de la langue pour faire affluer la salive.

◇ Ce n'est pas le moment de disserter sur les techniques d'utilisation du micro, mais voici quelques conseils :
a. Tenez le micro d'une main contre votre poitrine et laissez-le là tout le temps que dure votre discours.
b. S'il est placé sur une tribune, orientez le micro de biais par rapport à vous.
c. S'il est sur votre pupitre, penchez-vous vers lui pour parler.

◇ En général, les auditeurs préfèrent les anecdotes personnelles aux blagues en série et, en principe, on trouve toujours un truc sympa à dire sur les gens. Dans le contexte de funérailles, parlez du sourire du défunt, de son intelligence ou de sa gentillesse envers les animaux. Si vraiment vous séchez, essayez un truc du genre : « Tout le monde disait que c'était l'homme le plus mal élevé du monde mais, pour être tout à fait honnête, son frère était bien pire. »

◉ *Churchill s'est mis à fumer le cigare en 1895, lors d'un séjour à Cuba.* ◉

UNE SOURIS DANS UN MOUCHOIR

L a souris est sans doute le plus subtil des pliages à réaliser avec un mouchoir. C'est un numéro de premier ordre pour distraire les jeunes enfants, qui devrait vous faire gagner une réputation d'animateur hors pair.

FOURNITURE

◇ *Un grand mouchoir (d'homme – ce sont les plus larges)*

LA MÉTHODE

1 Posez le mouchoir à plat devant vous en plaçant les coins vers le nord, le sud, l'est et l'ouest (dessin 1).

2 Rabattez le coin sud sur le nord pour former un triangle (dessin 2).

3 Rabattez les coins est et ouest vers le centre pour former quelque chose qui ressemble un peu à une enveloppe ouverte (dessin 3).

4 Roulez le mouchoir de bas en haut, en laissant environ 6 centimètres de tissu en haut ; tirez légèrement sur les extrémités du rouleau pour l'empêcher de se défaire (dessin 4).

5 Retournez le mouchoir de façon que la partie roulée soit derrière et que les pointes de tissu soient devant vous.

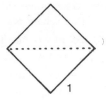

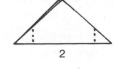

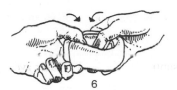

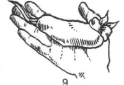

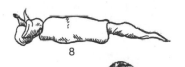

6   Rabattez les bouts du rouleau vers le centre. Vous devez obtenir un pliage en forme d'enveloppe ouverte, comme au dessin 3, mais en plus petit (dessin 5).

7   Roulez l'espèce de boudin du bas une seule fois vers le haut, puis rabattez le coin supérieur vers vous avant de le glisser dans le pli. Le mouchoir est à présent bien en place ; c'est à l'étape suivante,

généralement, que tout se défait mais, avec un peu d'entraînement, vous devriez y arriver.

8 Enfoncez vos pouces dans la poche qui vous fait face et tournez le rouleau à l'envers vers l'extérieur (dessin 6). Continuez à rouler au maximum : vous découvrirez bientôt que le mouchoir est complètement ligoté sur lui-même et ses deux pointes doivent apparaître assez vite (dessin 7).

9 Tenez bien le corps et tirez prudemment sur les pointes pour obtenir un vague bonbon tout en longueur.

10 Nouez une des extrémités pour former la tête (dessin 8). Ensuite, il ne vous reste plus qu'à tripoter un peu le mouchoir pour faire les oreilles. Votre souris est prête à jouer les acrobates.

LE SAUT DE LA SOURIS

1 Posez la souris à plat sur votre paume droite, la queue pendant sur votre majeur et la tête à la base de votre pouce. Stabilisez-la légèrement avec votre pouce et votre annulaire (dessin 9).

2 Faites tomber la souris sur le dos avec votre main gauche ; aussitôt qu'elle touche l'extrémité des doigts de votre main droite, refermez brusquement votre majeur : la souris sera propulsée en haut de votre bras droit, parfois jusque sur votre épaule. Les enfants hurlent de joie à ce spectacle.

◉ *L'inventeur des mouchoirs en papier, un certain M. Bleton,*
a été distingué en 1901 au concours Lépine. ◉

COMMENT
LIRE DANS LES PENSÉES
DE SON CHIEN

Il y a des gens qui dressent leur chien pour la chasse ou pour la récolte des truffes, d'autres pour des numéros parfaitement imbéciles, du genre compter jusqu'à 200 en trottinant sur la pointe des pieds comme dans *Sans famille*. Je vous propose un exploit encore plus drôle, puisqu'il s'agit de faire croire à tous vos amis que vous communiquez par télépathie avec votre toutou...

LES FOURNITURES

◊ *Un chien bien dressé et docile*
◊ *Un tableau et de la craie, ou équivalent*

CE QUE LE PUBLIC VOIT

L'artiste pénètre dans la pièce avec son chien, qui s'assoit docilement. Il demande ensuite à un volontaire de l'aider pour une expérience de télépathie interespèces, puis dévoile un tableau noir sur lequel sont rédigés un certain nombre d'ordres tels que :

◊ *Assis*
◊ *Couché*
◊ *Aboie*
◊ *Va chercher la balle rouge / les pantoufles / le cerceau / le journal, etc.*

Le maître demande au volontaire de cocher chaque ordre l'un après l'autre : le chien détectera ces signaux par télépathie et obéira instantanément. Notre artiste précise aux spectateurs qu'il se tiendra loin derrière son chien de façon à ne pouvoir lui lancer aucun signal. Il insiste également sur le fait que le chien est placé dos au tableau pour qu'il n'y ait aucun risque qu'il triche en lisant les consignes... Normalement, tout le monde doit rire.

Après un court moment de silence, le volontaire choisit un ordre et le coche sans prononcer un mot. À peine a-t-il dessiné une croix au tableau que le chien s'est exécuté et déjà retourne à sa place. L'assistant continue à pointer tous les ordres de la liste tandis que l'artiste reste immobile, assis ou debout, sans être vu de l'animal. Quand tous les ordres ont été accomplis, l'artiste et son toutou peuvent saluer.

LE TRUC DÉVOILÉ

Comme tout le monde s'en doute, votre chien ne possède *aucune* faculté paranormale. En réalité, il a été dressé pour réagir à un code secret que vous lui transmettez par grognements nasaux. Par exemple, un grognement bref peut signifier « Assis » tandis qu'un grognement long suivi de deux courts peut signifier « Va chercher le journal ». À vous de trouver le bon système pour que ça fonctionne et travaillez un peu la technique.

Quand vous serez bien entraîné à grogner « à voix haute », vous allez progressivement apprendre à pousser des grognements beaucoup plus discrets : les chiens ont l'ouïe fine et sont sensibles au moindre son, même ceux que les oreilles humaines ne peuvent pas percevoir. Commencez à apprendre un seul et même ordre à votre chien, puis augmentez progressivement le nombre de commandes jusqu'à ce qu'il en comprenne trois ou quatre d'affilée. Pour le reste, il suffit d'avoir le sens du spectacle. Plus qu'un tour de magie, communiquer par télépathie avec son chien est un spectacle fascinant, qui gagnera à être présenté avec esprit, humour et légèreté. Merci au magicien anglais Fergus Anckorn, qui m'a autorisé ici à reproduire un de ses plus célèbres tours.

◉ *Le chien Moustache, héros des guerres napoléoniennes, a une stèle à son nom au cimetière des chiens d'Asnières.* ◉

COMMENT
JONGLER AVEC DES ORANGES

C e qu'il y a de bien avec le jonglage, c'est que le public est conscient que vous vous livrez à un exercice qui exige beaucoup d'adresse. Donc, vous pouvez être certain que vos prouesses seront récompensées par un tonnerre d'applaudissements. Pendant l'entraînement, tenez-vous face au mur de votre chambre ou face à votre lit – ce qui vous évitera d'avancer en jonglant, problème récurrent chez les débutants. Sans compter qu'un lit constitue un filet pratique au cas où vous perdez des balles...

LÂCHER UNE ORANGE

Le premier mouvement que vous devez apprendre – et le plus important –, c'est le lâcher. Ce geste, vous allez le répéter de nombreuses fois en jonglant. Donc, prenez une orange et laissez-la tomber par terre. Ensuite, demandez à un ami de la ramasser et de vous la renvoyer. Après tout, pourquoi vous coltineriez-vous le boulot tout seul ?

JONGLER AVEC UNE ORANGE

Commencez par travailler avec une seule orange, en la lançant de la main droite dans la main gauche.

Imaginez que vous êtes face à un gigantesque cadran : la main droite commence à 3 heures et lâche prise à 2 heures environ, faisant voltiger l'orange vers 12 heures avec assez de force pour décrire une jolie courbe. La pesanteur et l'inertie feront le reste ; vos mains, elles, restent plus ou moins où elles sont, les paumes toujours tournées vers le plafond, et effectuent un mouvement en « cuillère » (comme le service au volley).

Si vous faites ça bien, l'orange devrait amortir sa descente au sommet de sa courbe, c'est-à-dire vers 12 heures (donc au niveau de votre regard) pour atterrir dans votre main gauche entre 10 heures et 9 heures.

AVEC DEUX ORANGES

Commencez en prenant une orange dans chaque main. Lancez l'orange qui se trouve dans votre main droite et, quand elle atteint le sommet de sa courbe, lancez celle qui se trouve dans votre main gauche vers votre main droite. Rattrapez la première orange de la main gauche, puis la seconde de la main droite. Répétez cet enchaînement, en alternant la main de départ, jusqu'à ce que vous le fassiez sans réfléchir. Main gauche, main droite, main gauche, main droite… C'est comme quand vous marchez, sauf que ça se passe avec les mains. Ne lancez jamais les deux oranges en même temps.

AVEC TROIS ORANGES

Prenez deux oranges dans la main droite (nous les baptiserons Paul et Jacques) et une orange dans la gauche (elle, ce sera Pierre). Lancez d'abord l'orange qui se trouve le plus près du bord de votre main droite (admettons qu'il s'agisse de Paul) vers votre main gauche, comme vous l'avez appris plus haut.

Quand Paul est à son apogée, lancez Pierre de la main gauche et rattrapez Paul comme dans l'exercice avec deux oranges. Dès que Pierre atteint 12 heures, lancez Jacques de la main droite vers votre gauche en rattrapant Pierre dans la main droite. En général, c'est le moment où on commence à dire des grossièretés. Essayez de laisser Jacques rouler jusqu'au bout de vos doigts avant de le relancer. Quand il atteint 12 heures, lancez Paul de la main gauche et rattrapez Jacques.

Concentrez-vous maintenant sur Jacques, parce que Pierre peut s'occuper de lui tout seul. Lancez toujours vos oranges avec la même force, au niveau des yeux ; sinon, c'est la catastrophe assurée : vos oranges vont se télescoper en plein vol et vous pouvez dire adieu à votre timing.

COMMENT
FAIRE SON SHOW
AVEC UNE BOÎTE D'ALLUMETTES

S i vous avez envie de vous improviser magicien d'un soir mais que vous n'avez pas les moyens de vous payer des trucs hors de prix, genre placards à double fond, une simple boîte d'allumettes peut vous permettre d'épater la galerie en prenant un verre ou à la fin d'un dîner. Aucun de ces tours ne nécessite de chapeau haut de forme ni de demoiselle en maillot en Lurex, tous peuvent s'effectuer presque au pied levé, à condition de s'être bien entraîné avant…

Conseils pour le show

Les choses les plus simples – comme faire cuire un œuf – sont souvent les plus faciles à louper. De même que personne ne se régale devant une assiette barbouillée de jaune d'œuf mal cuit, votre public aura du mal à se réjouir devant un numéro raté parce que vous n'avez pas pu rattraper un truc ou que votre mémoire vous lâche brusquement. Alors, préparez bien votre coup : en privé vous *répétez*, en public vous *exécutez* !

En premier lieu, choisissez le tour que vous préférez parmi ceux proposés ci-dessous, puis entraînez-vous encore et encore. Ensuite, essayez de l'accomplir face à l'œil critique d'un ami pour peaufiner votre jeu. Une fois que vous maîtrisez deux ou trois effets, mettez-les en scène en imaginant un petit enchaînement – accrocheur au début et stupéfiant au final –, l'idéal étant d'écrire un petit scénario et de l'apprendre par cœur. Quelques suggestions de baratins vous sont proposées dans les paragraphes qui suivent mais mieux vaut inventer vos propres salades. Faites preuve d'un peu d'imagination car il n'y a rien de plus rasoir que d'observer un type en train de dire : « Là, je sors une allumette de sa boîte, puis je referme la boîte. Ensuite, j'allume l'allumette et je repose la boîte sur la table. » Décrire vos actions n'a de sens que si vous jouez dans le noir…

Les allumettes des Natchez

Le numéro fonctionne mieux dans un environnement intime et faiblement éclairé.

1   Commencez par sortir quatre allumettes et calez-en deux entre le tiroir de la boîte et les côtés tandis que vous commentez : « Les Indiens Natchez du Mississippi utilisaient des flèches embrasées pour mettre le feu aux villages ennemis. »

2   Comme vous prononcez ces mots, coincez fermement une troisième allumette entre la tête des deux premières et poursuivez : « Ils les tiraient à l'aide de magnifiques arcs en noyer blanc qui ressemblaient un peu à ça… »

3   Votre dispositif n'a rien d'un arc en noyer blanc mais vous ne jouez pas sous serment, donc vous continuez : « Ces arcs pouvaient tirer

des flèches embrasées sur de longues distances. Je vais vous montrer… »

4 Grattez la quatrième allumette et allumez prudemment celle qui forme le haut de l'arc. Elle va se consumer un moment avant d'être éjectée, toujours en flamme, à travers la pièce, sous la tension des deux autres allumettes. Attention quand même car la trajectoire est très variable : évitez de faire ce tour au-dessus d'un tapis hors de prix ou d'une serpillière imbibée d'essence.

LE VOL À L'ARRACHÉE

Ce petit tour de passe-passe se prête particulièrement bien à un public féminin et demande une présentation bien rodée.

1 Premièrement, sortez trois allumettes. Enfoncez-en une sur le dessus de la boîte, en position verticale (voir dessin). Empruntez une fine bague auprès d'une demoiselle de l'assistance. Un petit élastique, un trombone ou même une pièce de monnaie peuvent aussi faire l'affaire.

2 Commencez votre récit : « Ces couples qui passent leur temps à se faire des mamours devraient faire plus attention dans les lieux bondés. L'autre jour, une fille s'est fait piquer son sac à main par un type posté juste derrière elle. Pourtant, elle avait passé la jambe dans l'anse de son sac. » Vous placez alors la deuxième allumette en biais, avec le « pied » à l'intérieur de l'anneau pour illustrer vos propos (voir dessin).

3   Et vous poursuivez : « Elle était appuyée tout contre
    l'épaule de son copain qui lui donnait un baiser tout
    à fait... enflammé. » Grattez la dernière
    allumette (sur une autre boîte, sinon vous
    risquez de faire tomber votre montage) et
    glissez-la sous la deuxième allumette,
    aux deux tiers de sa hauteur à peu
    près (au niveau de la flèche sur le
    dessin), jusqu'à ce qu'elle prenne
    feu. La flamme va se consumer len-
    tement en remontant pour atteindre les
    têtes des deux allumettes, qui vont s'embraser
    subitement. Puis l'allumette « fille » va se
    recourber vers le haut, soulevant ingénument
    sa « jambe », telle une starlette emportée par
    l'assaut d'un baiser fougueux.

4   « Et c'est comme ça qu'elle a perdu son sac à
    main ! » Vous vous emparez alors de la bague
    (que vous rendez, bien sûr, à sa propriétaire).
    Tandis que les jeunes femmes de l'assistance
    poussent des « Oh ! » émerveillés, éteignez
    les allumettes d'un geste élégant.

LES CONTRAIRES S'ATTIRENT

Ce tour subtil commence comme un casse-tête et se termine comme de
la vraie magie, transportant de joie les spectateurs.

D'abord, vous devez apprendre à tenir une allumette dissimulée dans
votre main droite. Pour cela, placez-la à la base de vos trois derniers
doigts (majeur, annulaire et auriculaire pour ceux qui ne suivent pas) que
vous refermez sans serrer. Si besoin, vous pouvez caler discrètement
votre petit doigt sur l'allumette ou coincer celle-ci dans le pli entre la
paume de votre main et le doigt. Bien que vos mouvements soient assez
limités, vous devez pouvoir attraper assez naturellement des allumettes
avec votre pouce et votre index ou bien pointer ou pousser quelque chose

du bout du doigt. Entraînez-vous quelques jours avec une tasse à café, votre tube de dentifrice ou la télécommande de la télévision, pendant que vous vaquez à vos occupations habituelles. Au bout de quelque temps, vous vous sentirez suffisamment à l'aise – ce qui est très important pour la suite – pour passer à l'étape suivante.

Pendant le show, pour gagner en naturel et en crédibilité, faites en sorte que votre main gauche imite toujours les mouvements de la droite et tenez le plus souvent possible les allumettes entre le pouce et l'index de votre main « frauduleuse ». Quand vous ne vous en servez pas, laissez votre main droite légèrement fermée, à plat sur la table, pour éviter qu'on vous soupçonne de tricher. Répétez plusieurs fois ces mouvements avant d'apprendre le tour.

1   Pendant le spectacle, asseyez-vous en face des spectateurs. Une allumette est dissimulée dans votre main droite, laquelle est posée à plat, de façon décontractée. Dans votre main gauche, vous révélez deux allumettes positionnées à la base de vos doigts.

2   Appuyez sur leurs têtes avec votre pouce pour faire levier et les soulever, puis prenez-les entre le pouce et l'index de la main droite, comme sur le dessin. Attention, le public ne doit surtout pas voir l'allumette cachée dans votre main mais seulement les deux allumettes que vous brandissez entre le pouce et l'index.

3   Évoquez l'importance des boussoles pour les explorateurs et expliquez que, dans l'urgence, des allumettes peuvent constituer un bon système D.

4   Demandez à un membre du public de serrer les poings. Après avoir pris une des allumettes entre votre pouce et votre index gauches, enfoncez-la, tête en haut, à l'intérieur du poing gauche de votre volontaire. Attirez l'attention de l'assemblée sur ce point : « Cette allumette, insérée tête en haut, est orientée plein nord. »

5   De votre main droite, présentez la deuxième allumette, puis retour-

nez-la avec votre index gauche pour la mettre tête en bas, en forçant un peu la pose. Avec votre index droit, enfoncez-la, tête en bas, dans le poing droit du spectateur en affirmant : « Cette allumette-ci est orientée plein sud. »

6 Relâchez vos mains en insistant sur le fait que les allumettes sont orientées dans des directions opposées, l'une au nord, l'autre au sud ; à ce stade, votre troisième allumette est toujours cachée dans votre main droite.

7 À présent, demandez à votre volontaire d'orienter ses paumes vers le haut, sans ouvrir les mains (vous pouvez montrer l'exemple sans risquer de dévoiler votre troisième allumette). Comme tout magicien qui se respecte, faites quelques mouvements de main au-dessus des poings de votre cobaye en prenant un air très inspiré.

8 Demandez à votre homme d'ouvrir les mains. Les deux allumettes apparaissent alors, pointant dans la même direction.

9 « Vous allez vers le nord ou vers le sud ? Parce que vos boussoles sont toutes les deux orientées vers l'est. À moins que ce soit vers l'ouest ? » Votre spectateur, d'abord surpris et confus, va ensuite tenter de vous démontrer que ça ne peut pas se passer autrement. Sans plus tarder, serrez vos deux poings et posez-les sur la table, près du bord. « On n'a qu'à essayer sur moi… »

10 À partir de là, il est indispensable de garder vos mains dans la position indiquée : votre poing droit reste immobile pendant que vous présentez votre poing gauche au spectateur pour qu'il enfonce une allumette tête en haut. « Ça, c'est l'allumette tête en l'air – celle qui pointe vers le nord, ne l'oubliez pas ! »

11 Pour l'action suivante, vous allez devoir faire preuve de subtilité pour dissimuler votre geste : avancez le poing droit tandis que vous ramenez le gauche au bord de la table. Ce faisant, détendez légèrement la main pour que l'allumette dissimulée à l'intérieur tombe au fond du poing ; un mouvement ample du bras masquera cette action. « Et voilà l'allumette sud ! »

12 Quand le spectateur approche son allumette de votre poing droit, c'est là qu'il faut vous concentrer. Regardez-le droit dans les yeux

et dites un truc drôle pour distraire l'attention des spectateurs. Du genre : « Ne me fais pas mal ! » Pendant que le public s'esclaffe, profitez-en pour détendre les doigts de la main gauche et laisser tomber discrètement l'allumette sur vos genoux. Vous devez impérativement maintenir l'attention du public sur votre autre poing, le droit, pendant que vous effectuez ce geste à la dérobée. *Ne regardez sous aucun prétexte vos genoux ou votre main gauche.* Et gardez cette dernière immobile. Désormais, vous n'avez plus d'allumette dans la main gauche et vous en avez deux dans la droite, alors que le public pense que vous en détenez une dans chaque main et que vous allez faire un truc en cachette pour changer leur orientation. En réalité, vous avez fini de ruser ; à partir de maintenant, tout devrait marcher comme sur des roulettes.

13   Contemplez fixement votre homme, même s'il regarde ailleurs, et faites glisser votre poing droit en arrière sur la table tandis que vous avancez de nouveau le gauche. Essayez de laisser vos avant-bras sur la table et gardez un écart de 20 centimètres entre les deux mains. « Mince, j'ai oublié laquelle était nord et laquelle était sud ! »

14   Tournez lentement votre poing gauche paume vers le haut sans le quitter des yeux, puis ouvrez doucement la main pour dévoiler votre paume vide. « J'ai l'impression que mon allumette est partie vers le sud. »

15   Aussitôt, orientez votre poing droit paume vers le haut et ouvrez la main pour révéler les deux allumettes. « Eh bien, apparemment, les contraires s'attirent. » Laissez tomber les allumettes sur la table et, le plus innocemment du monde, passez aussitôt à un autre tour…

FAIRE TENIR DEUX ALLUMETTES L'UNE SUR L'AUTRE

Voici une bonne façon d'enchaîner avec le numéro précédent. Pendant que tout le monde applaudit, sucez distraitement votre pouce droit et laissez-le mouillé. Ramassez une des allumettes dans votre main droite et pressez sa tête contre votre pouce humide.

Quelques secondes plus tard, prenez l'autre allumette dans votre main droite et annoncez au public que vous avez développé des dons d'équilibre surnaturels. Pressez la tête de la seconde allumette contre la première : l'humidité les collera fermement l'une à l'autre. À présent, ce sont vos talents de comédien qui importent tandis que vous éloignez votre main gauche, laissant apparemment les deux allumettes tenir toutes seules en équilibre.

ÉTEINDRE UNE ALLUMETTE SANS SOUFFLER DESSUS

Ce numéro n'est pas compliqué mais il est très amusant, et votre public s'en souviendra longtemps – bien plus que de vos tours les plus grandioses. Mieux vaut le faire dans l'obscurité.

1   Faites discrètement une petite fente dans une allumette en bois, à environ un quart de la base. Grattez-la en plaçant vos doigts au-dessus de la fente. Tandis que la flamme se développe, appuyez rapidement votre pouce contre le côté non fendu de façon à plier furtivement le haut de l'allumette vers vous.

2   Tenez l'allumette par le bout, face au public, entre le pouce et l'index droits. Ensuite, soufflez très ostensiblement sur votre poignet gauche, en même temps que vous faites pivoter l'allumette d'un coup sec entre votre pouce et votre index : elle s'éteindra aussitôt. Inutile de jouer la subtilité, car tout le monde a les yeux rivés sur votre manche gauche. Du coin de l'œil, les spectateurs verront toutefois l'allumette s'éteindre mais, quand ils tourneront le regard, celle-ci dégagera déjà de jolies volutes de fumée.

3   Une autre méthode consiste à donner une chiquenaude à la queue de l'allumette (non fendue cette fois) avec l'ongle de votre majeur tandis que vous faites tomber votre manche. À vous de choisir la technique qui vous convient le mieux.

LE VERRE À COCKTAIL

Formez un verre à pied avec quatre allumettes. Cassez en deux une cinquième allumette et placez le bout soufré dans le verre en disant que c'est une olive. Indiquez aux participants qu'ils doivent bouger deux allumettes (et seulement deux) de façon que l'olive se retrouve hors du verre.

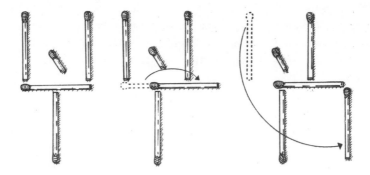

Ils n'ont pas le droit de toucher l'olive et encore moins de casser le verre. La solution, illustrée ci-dessus, demande pas mal de réflexion pour les non-initiés. Encore un charmant casse-tête.

> ◉ *Les grands menteurs sont aussi de grands magiciens.*
> *(Adolf Hitler)* ◉

COMMENT
FAIRE MINE DE TRÉBUCHER

G ag incontournable des meilleures comédies, voici un talent qui mérite d'être cultivé. Imaginez l'hilarité du public, surtout dans un contexte officiel, quand il voit quelqu'un trébucher. Le truc est encore plus drôle si la personne porte un plateau chargé de verres et d'amuse-gueules. C'est aussi un bon moyen de faire de l'ombre au raseur de la soirée au moment où il s'apprête à dévoiler la chute de sa énième histoire drôle. Si vous calculez bien votre coup, c'est vous qui ferez rire la galerie et c'est lui qui se fera siffler. Les instructions rappellent assez la technique de la valse… mais en plus rapide.

LA MÉTHODE

Cousin de la peau de banane et donc facile à faire, le croche-pied mérite d'être bien travaillé avant d'être accompli en public.

Pour vous entraîner, placez-vous en chaussures devant un miroir en pied et faites deux pas en avant, en commençant par la jambe gauche et en terminant avec le pied droit devant. Dans le langage courant, ce que vous êtes en train d'imiter s'appelle *marcher*. Toutefois, au lieu de reposer parallèlement votre pied droit sur le sol quand vous le ramener en avant (de façon plus ou moins naturelle), vous devez heurter l'arrière de votre pied gauche fermement posé par terre.

Le même mouvement accompli sans faire exprès vous ferait sans doute perdre l'équilibre et agiter les bras. Donc, tandis que votre orteil droit entre en contact avec votre talon gauche, imitez ce mouvement en faisant un brusque bond vers l'avant avec votre torse et vos bras, comme si on venait de vous pousser par-derrière. C'est ce que les cascadeurs appellent *précipiter le mouvement* ; ce dernier doit être un peu exagéré.

Répétez ces gestes jusqu'à ce que vous les fassiez naturellement, sans réfléchir. À présent, place au show. Afin de vous assurer de la vraisemblance du truc, faites d'abord le coup à vos amis lors d'une balade. Si vous arrivez à les bluffer, vous êtes fin prêt pour trébucher dans le dos d'un individu important ou plein de suffisance pendant qu'il prononce un discours solennel devant un groupe d'admirateurs. Après avoir trébuché, exhibez un sourire blême en poursuivant votre chemin d'un air gêné ; les gens auront bien du mal à garder leur sérieux.

Une fois que vous serez passé maître dans l'art de trébucher, pourquoi ne pas essayer avec un plateau chargé de verres que vous tenez d'une main comme les garçons de café ? Si vous avez peur de ne pas assurer, collez le pied des verres avec de la Patafix, histoire de faire sensation. Si les verres sont à moitié remplis, l'effet sera encore plus spectaculaire, surtout si vous exécutez quelques pas de danse sur les demi-pointes.

◉ *Pour la traditionnelle course à pied des garçons de Paris, chaque serveur porte sur un plateau un verre et une bouteille de Perrier.* ◉

DIX CHOSES POUR SE DISTRAIRE PENDANT UN DÎNER COINCÉ

V oici quelques blagues à faire pendant un dîner coincé pour mettre un peu d'ambiance. Il faut simplement qu'il y ait de fumeurs pour le tour du cendrier...

LA TABLE TÉLÉPATHIQUE

Disposez les huit éléments suivants devant un des convives, en les nommant un à un :

◇ *Sel*
◇ *Pain*
◇ *Verre*
◇ *Poivre*
◇ *Couteau*
◇ *Cendrier*
◇ *Bouteille*
◇ *Allumettes*

Demandez ensuite à votre cobaye de penser à un objet et de l'épeler dans sa tête tandis que vous devez deviner de quel objet il s'agit. Quand il atteint la dernière lettre, il doit dire : « Stop ». À ce moment-là, vous serez en train de toucher l'objet auquel il pense ! L'astuce, c'est que chaque objet de la liste compte une lettre de plus que le précédent, mais vous vous gardez bien de le lui dire. Vous pouvez toucher n'importe quel élément les trois premières fois mais vous devez ensuite les toucher dans l'ordre. Libre à vous d'enchaîner avec un tour de magie utilisant un des accessoires de la liste (ou un autre objet sur la table).

LA FOURCHETTE

Placez une fourchette dans la paume de votre main gauche, le manche orienté vers la droite. Refermez vos doigts et tournez votre main pour que les dents de la fourchette pointent vers le haut. Enserrez votre poignet gauche dans votre main droite en glissant discrètement l'index sous les doigts repliés de votre main gauche. En bougeant légèrement cet index, vous pourrez faire osciller la fourchette pour répondre aux questions posées par vos compagnons de table (la réponse ne peut être que oui ou non). Finalement, ouvrez vos doigts en étoile : la fourchette semblera collée à la paume de votre main. Secouez-la un peu pour la faire tomber sur la table après avoir discrètement retiré votre index. Écartez rapidement vos mains.

La cuillère

Tendez une cuillère à un convive en lui disant : « Je vais me retourner. Pendant ce temps, je voudrais que tu prennes une *cuillèrographie* de quelqu'un. Il te suffit de pointer la cuillère vers la personne et de dire "Clic". » Une fois la chose faite, vous vous retournez et vous examinez minutieusement la cuillère avant de nommer la personne prise en photo. Vous pouvez recommencer ce tour à chaque fois que vous vous ennuyez pendant la soirée, en changeant de cuillèrographe. Il vous suffit d'avoir un complice qui vous indique discrètement l'identité du sujet pris en photo en imitant la position dans laquelle il est assis.

Le cendrier

Coincez discrètement une pièce de monnaie entre votre index et votre majeur (voir dessin) et cachez deux ou trois glaçons dans votre bouche.

Soulevez le cendrier (il faut qu'il soit en verre) en marmonnant : « Miam ! » et faites semblant de mordre dedans. Un bruit sec retentit tandis que vous faites claquer la pièce contre le cendrier avec votre majeur. Enlevez le cendrier de votre bouche et croquez bruyamment la glace, en recrachant de temps à autre des morceaux. Après cette petite blague, je vous garantis que les gens se souviendront de vous. Non pas qu'ils vous apprécieront forcément, mais ils ne vous oublieront pas.

LA BOUTEILLE

Frottez une petite bouteille de bière de haut en bas contre l'angle d'un mur du restaurant. Avec un peu de chance, elle restera « collée » à la jonction des murs quand vous enlèverez votre main. Je ne sais pas exactement comment ça marche mais, à mon avis, la chaleur engendrée par le frottement y est pour quelque chose. Les papiers peints en plastique semblent les plus efficaces.

LES ALLUMETTES

Secouez énergiquement une boîte d'allumettes en disant à vos voisins de table : « Je vous parie que personne ne peut me dire combien il y a d'allumettes là-dedans ! » Recommencez à la secouer s'ils vous le demandent, puis ouvrez la boîte : stupeur, elle est vide ! La ruse consiste à caler au préalable une boîte pleine dans votre manche. N'oubliez pas de l'enlever une fois le tour accompli, sinon vous risquez de jouer des maracas à chaque fois que vous bougerez la main. Ce tour très simple fait toujours son petit effet.

LE SUCRE

Plongez discrètement votre doigt dans un cendrier plein de mégots et transférez un peu de cendre sur un morceau de sucre. Vous pouvez désormais mettre le feu au morceau de sucre. Je vous garantis que personne ne sera capable d'égaler cet exploit.

LE SEL

Versez un peu de sel sur la table et posez une chope de bière (blonde pour qu'on voie bien à travers) dessus, puis prenez la salière et dites : « C'est bizarre, le sel remonte. » Tapez la salière d'un geste sec contre le bord de la chope : des bulles vont rejoindre la surface comme si le sel flottait dans la boisson.

LA SERVIETTE EN PAPIER

Enveloppez votre visage dans une grande serviette en papier en la fixant avec vos lunettes (ou celles du voisin si vous n'en portez pas). À présent, enfoncez un petit bout de la serviette dans votre bouche et vous ressemblerez aussitôt à l'homme invisible : « Si c'est l'homme invisible, dites-lui que je ne le vois pas. » C'est totalement absurde mais il a des gens que ça fait rire.

LES CHAUSSURES CROTTÉES

Cet objet n'est pas indiqué sur la liste de la table télépathique, mais quoi de plus surprenant à la table d'un restaurant qu'une chaussure pleine de boue ? Le final est spectaculaire ! Préparez-vous en ôtant une de vos chaussures et en la cachant entre vos genoux. Au moment opportun, attirez l'attention de tout le monde et levez votre avant-bras gauche devant vous, comme pour regarder l'heure à votre montre, avant de le recouvrir d'une grande serviette. Baissez discrètement le bras droit pour attraper votre chaussure et, tandis que vous avancez l'avant-bras au-dessus de la table, posez simplement la chaussure au milieu des couverts, laquelle sera dissimulée derrière la serviette. Tel un prestidigitateur, enlevez prestement cette dernière pour laisser apparaître votre répugnante chaussure sur la superbe nappe.

◎ *À Pékin, un restaurant s'est spécialisé dans le yack et le pénis de phoque.* ◎

COMMENT
ARRÊTER À MAINS NUES
UN TRAIN EN MARCHE

C lown de la vieille école, Buster Keaton était le maître des pitreries absurdes. Pour faire comme lui, imaginez la scène : vous attendez votre train depuis un moment et il entre enfin en gare. Comme il arrive à quai, vous saisissez une poignée et vous parvenez à le faire ralentir. Attraper son train de cette façon, ça fait toujours rire, mais l'acrobatie est dangereuse si on ne prend pas certaines précautions : le truc, c'est de faire « comme si ».

LA MÉTHODE

N'essayez jamais d'arrêter à mains nues un train qui entre en gare, car vous allez vous faire balayer rapidement. Ça ne marche que si vous vous mettez tout au bout du quai. Quand le train est sur le point de s'arrêter, cherchez du regard une poignée facile à attraper. Ensuite, placez-vous dans le sens de la marche, saisissez la poignée et tirez dessus tandis que les wagons ralentissent. Les trains plus récents ont tendance à être assez lisses, avec très peu de bricoles qui dépassent ; si c'est le cas, il vous faut adapter la technique. Courbez-vous pour vous accroupir à moitié, les pieds bien plantés sur le quai, et posez vos paumes à plat contre le wagon en poussant fort dans le sens contraire. Tandis que le train ralentit avant de s'arrêter, vous êtes repoussé lentement en arrière sur 30 centimètres environ – ce qui ajoute à l'effet d'ensemble.

L'illusion est d'une vraisemblance étonnante, et les crissements des roues, les sifflets des compresseurs ou les jets de fumée sont autant de bonus permettant d'enjoliver le spectacle. Quand le train est à l'arrêt, tapez dans vos mains en criant à tue-tête : « Tout le monde en voiture ! » Ça ne manquera pas de faire sourire vos amis et les voyageurs alentour, sans parler des coups de sifflet des types en uniforme.

Seul effet malencontreux de cette petite plaisanterie : vos mains seront épouvantablement crasseuses. Mais un artiste doit souffrir pour accomplir son œuvre. Évitez juste de serrer la pince à tout le monde sur le quai.

◉ *La première locomotive à vapeur a été construite en 1804.* ◉

COMMENT
SE PRENDRE UNE PORTE

Foncer dans une porte n'a l'air de rien, pourtant cette farce peut faire l'effet d'une décharge électrique sur les spectateurs. Le but consiste à s'approcher d'une porte (en verre, c'est encore mieux) et de tirer la poignée vers soi avec tellement de force qu'elle vous claque bruyamment au nez. En général, les gens derrière vous poussent un cri d'effroi tandis que vous reculez, la main plaquée sur votre visage, loin de la porte.

LA MÉTHODE

Pour travailler cette charmante acrobatie, marchez d'un bon pas vers la porte de votre cuisine et saisissez la poignée de la main droite. Dans ma description, je fais comme si la charnière se trouve sur votre droite, mais ça marche aussi bien si elle se trouve sur la gauche ; il suffit d'inverser les mouvements des bras et des jambes.

Quand vous vous arrêtez (très brièvement) face à la porte, la position du pied droit est cruciale. Il doit presque être calé contre la porte et toucher le sol au moment où vous attrapez la poignée. La synchronisation des mouvements vient avec la pratique.

Tirez sèchement la porte vers vous et vacillez légèrement en avant, dans le prolongement du mouvement brusque que vous venez d'effectuer. Si tout est bien en place, la porte butera brusquement contre votre pied, si elle est en verre elle émettra un joli vibrato. Votre nez doit se situer à 5 ou 10 centimètres de la porte ; tout dépend de votre témérité. Indéniablement, il y a un tour de main à prendre pour bien placer la tête. Et même si, avec le temps, ça devrait venir naturellement, vous devrez faire preuve de sang-froid au début.

Le reste n'est que comédie. En heurtant votre pied droit, la porte tremblera dans un formidable boum. Usez alors de vos talents d'acteur en rejetant violemment la tête en arrière. L'enchaînement des actions est trop rapide pour que les gens comprennent ce qui se passe et ils pensent très spontanément que vous venez de vous prendre un coup redoutable dans le pif. Que vous décidiez de sourire crânement ou de maintenir l'illusion en chancelant et en feignant une douleur atroce dépend du contexte ; en général, je continue à faire semblant.

Quand vous aurez joué plusieurs fois ce canular, vous serez capable de repérer en un clin d'œil les portes les plus adéquates. Celles des théâtres, des restaurants et des grands magasins sont suffisamment imposantes et richement ornées pour produire un effet spectaculaire, même si la fumisterie fonctionne aussi bien avec les portes délavées des administrations et des écoles. Si vous faites ça en entrant au bistrot, vous trouverez toujours un badaud pour vous consoler et vous offrir un coup à boire.

◉ *Une journée sans rires est une journée gâchée.* ◉
(Charlie Chaplin)

L'HISTOIRE DE L'ORANGE QUI AVAIT LE MAL DE MER

⊸⊸⊸

Bien qu'elles aient sombré dans l'inextricable bourbier du temps, les origines de ce canular parfaitement stupide doivent dater d'un siècle au moins, si ce n'est plus. Un petit je-ne-sais-quoi dans cette histoire pousse souvent les gens à éclater de rire… Sans doute est-ce dû à la combinaison d'un spectacle de marionnettes totalement suggestif et d'une chute terriblement réaliste que tout le monde voit venir ! La prochaine fois que vous embarquez avec des copains à l'estomac sensible, c'est vraiment la blague à faire.

LES FOURNITURES
◇ *Un verre droit*
◇ *Une orange juteuse à la peau fine*
◇ *Une serviette en papier*
◇ *Un couteau tranchant*

Prenez une orange et découpez-y deux petits yeux ainsi qu'une grande bouche d'ivrogne pointant vers le bas. Inutile de vous prendre pour Michel-Ange puisqu'un visage aux traits grossièrement taillés ajoute à l'effet d'ensemble ; ne vous embêtez pas à faire un nez si vous ne vous en sentez pas capable. Tandis que vous façonnez la bouche, creusez discrètement autour en enlevant quelques morceaux de peau – ça vous sera utile pour plus tard.

Ensuite, enveloppez le bord du verre dans une serviette et posez l'orange dessus. Tenez le verre d'une main et tirez de part et d'autre de la serviette pour faire osciller la tête comme celle d'un ivrogne mal en point. Bien sûr, vous devez agrémenter vos gestes d'un récit : « Moi, je n'ai jamais le mal de mer, mais la plupart des gens l'ont. Ça vient progressivement, non ? D'abord, d'un sourire blême, on décline poliment les petits toasts offerts par le capitaine ; ensuite, on devient complètement livide et on se sent tellement malade qu'on a l'impression qu'on va mourir ; au final, on aimerait déjà être mort. » Tout en parlant, vous faites vaciller la tête d'un air écœuré, et le public se mettra à glousser.

Enfin, soulevez l'orange et drapez la serviette autour comme pour lui faire un capuchon. Montrez-la au public, puis pressez-la fermement : cette action qui a le don d'engendrer un bruitage des plus authentiques tandis que l'orange se met à vomir de façon très réaliste dans le verre, en versant même quelques larmes ! N'hésitez pas, si le cœur vous en dit, à enjoliver le spectacle de vos propres haut-le-cœur. Tenez le fruit dégoulinant devant vous l'espace d'une minute puis buvez son jus d'un geste théâtral !

◉ *Le meilleur remède contre le mal de mer est de fixer la ligne d'horizon à l'avant du bateau.* ◉

QUATRE FAÇONS DE S'AMUSER AVEC UNE BANANE

⊷⟆⟍⟎⟊⟋⊶

Je suis sûr que vous n'imaginez pas tout ce qu'on peut faire avec une banane. Une petite démonstration en quatre points.

1 Prenez une banane bien mûre et enfoncez à moitié une aiguille dans une des taches marron. En faisant pivoter l'aiguille à l'intérieur de la peau, vous pourrez sectionner la banane en deux, sans l'éplucher. Recommencez de l'autre côté pour faire en sorte que le haut tombe quand vous pèlerez le fruit. Il se peut que du jus collant dégouline un peu, donc préparez la banane la veille. Ensuite, soit vous décidez de la laisser dans la coupe à fruits à l'intention d'une

naïve victime, soit vous faites semblant de la découper avec un couteau invisible avant de l'éplucher. Les enfants sont les premiers épatés par ce mystérieux tour de main.

2 Un divertissement qui expédiera à coup sûr les introvertis à l'autre bout de la maison, consiste à bander les yeux à deux personnes qui doivent ensuite se faire manger mutuellement une banane. Ce jeu devient très vite fort amusant et les variantes sont nombreuses (pour ça, je fais confiance à votre imagination…).

3 Certains prétendent qu'on peut éplucher une banane en la poussant (à condition qu'elle soit déjà en partie épluchée) dans le goulot d'une bouteille contenant un morceau de papier en flamme. On dit que la réduction de la pression de l'air à l'intérieur de la bouteille explique le résultat. On suppose également que, de la même manière, il est possible d'aspirer un œuf à la coque dans la bouteille. Toutefois, en dépit des nombreuses années passées à expérimenter ce captivant tour de force, j'ai toujours échoué ; l'énergie nécessaire pour accomplir cette tâche est manifestement trop grande. Mais rien ne vous empêche d'essayer si vous avez l'âme d'un scientifique.

4 Un jour où vous partez en balade dans un château, mettez une banane dans votre poche. Tandis que vous sillonnez les jardins avec vos copains, cachez la banane dans votre main en pinçant l'extrémité fibreuse entre vos doigts. Ce n'est pas difficile à dissimuler puisque personne ne fait attention à vous. Approchez-vous d'un petit arbre et saisissez l'extrémité d'une jeune branche, dos à l'assistance. Faites glisser brusquement la banane de votre main et appuyez son extrémité contre une brindille. Gardez la banane et la branche dans la main, puis retournez-vous pour exhiber votre trouvaille. Attirez l'attention des autres en leur disant d'une voix grave : « C'est incroyable ce qui pousse ici de nos jours. Ça doit être à cause du réchauffement climatique. » Faites semblant de cueillir la banane sur la brindille, épluchez-la et dégustez ! Fous rires garantis.

TRUCS À FAIRE AU BISTROT

LA RÉSURRECTION DU TITANIC

Racontez l'histoire du naufrage du *Titanic* en évoquant les récentes tentatives effectuées pour remonter des objets de valeur du fond de l'océan. Dans le même temps, faites tomber quelques grains de raisin dans un verre transparent de limonade ou d'eau pétillante en racontant qu'ils représentent une équipe de techniciens de sauvetage s'apprêtant à descendre sur la dunette du navire à la recherche de colliers de perles et de métal argenté. Adaptant leurs gestes à votre récit, vos hommes-raisins arpenteront le verre de haut en bas tout au long de la soirée. Attention ! ne buvez pas votre verre par mégarde car la sensation est vraiment étrange. Les grains de raisin ne doivent pas être trop gros ; si besoin, coupez-les en deux.

LA BOISSON QUI RÉGURGITE

Plongez deux ou trois Smarties (les Mentos sont aussi très recommandés) dans une cannette de boisson gazeuse fraîchement ouverte. En quelques secondes, les bonbons accélèrent la libération du dioxyde de carbone, produisant ainsi une prodigieuse quantité de mousse qui continuera à jaillir de la cannette pendant un bon moment, tel un volcan en éruption.

LE PATRON QUE TOUT LE MONDE DÉTESTE

Encore une blague qui marche bien avec un groupe de collègues de bureau assis à la table d'un café.

Versez un peu d'eau dans une soucoupe et saupoudrez du poivre noir à la surface. Le poivre peut être ou non fraîchement moulu, mais il doit être noir pour que vous puissiez y voir quelque chose…

Inventez une histoire à propos des gens qui travaillent pour votre société et parlez du fait qu'ils sont tous très différents, exception faite de leur haine commune pour le patron (ou pour toute autre personne de la boîte communément méprisée).

Racontez ensuite que, récemment, l'ensemble de la société était parti nager à la piscine et passait un agréable moment quand le patron était apparu en slip de bain moulant. Tandis qu'il entrait lentement dans l'eau, tout le monde s'est reculé pour l'éviter. Comme vous dites cela, plongez votre index dans l'eau, et les fragments de poivre se déroberont aussitôt sous votre doigt, comme sous l'effet d'un puissant champ de force magnétique.

COMMENT TIRER UN ACCORDÉON DE VOTRE NEZ

Retirez l'emballage papier d'une paille et pliez-le discrètement en accordéon serré avant de l'enfoncer dans votre narine à l'aide de votre pouce. Lorsque le moment vous semble opportun, pincez doucement votre nez de la main gauche et tirez lentement l'accordéon entre votre index et votre pouce droits. « Tiens, je croyais pourtant que j'avais enlevé l'emballage de ma paille… »

COMMENT RALLUMER UNE BOUGIE À DISTANCE

Imaginez que vous vous trouviez au restaurant avec des gens ennuyeux qui ont réclamé à tout prix un dîner aux chandelles (il faut que la pièce soit assez sombre). Vous décidez de mettre un peu d'ambiance avec un de vos tours inratables. Attention quand même : observer quelqu'un se casser la tête à essayer de tirer une allumette de sa boîte peut être insoutenable pour un spectateur. Histoire de vous épargner les bâillements du public, préparez votre allumette en la sortant à moitié de sa boîte, en laissant juste la tête dépasser. C'est une combine que connaissent tous les comédiens qui doivent gratter une allumette pendant leur tirade.

Attirez l'attention du public sur la bougie puis éteignez-la d'un souffle saccadé. Laissez la fumée s'élever un peu avant de gratter votre allumette ; tenez la flamme près du panache de fumée, à quelques centimètres au-dessus de la mèche. Les propriétés des bougies peuvent varier mais, en principe, avec une belle volute, la bougie devrait subitement se rallumer toute seule.

L'explication scientifique est que la flamme se propage le long de la fumée, laquelle contient des matériaux combustibles. L'effet est aussi charmant que surprenant pour ceux qui ne sont pas au courant, et dans l'obscurité, où la fumée est quasi invisible, c'est totalement magique.

L'AIGUISOIR

Voici une formidable illusion d'optique qui donne l'impression que votre assiette s'est transformée en pierre à aiguiser. Pour que l'illusion soit parfaite, il faut que l'assiette soit dépourvue de motifs.

Tandis que vous attendez votre repas au bistrot, saisissez votre couteau et prenez l'assistance à partie : « Mais ce couteau est émoussé ! » À présent, prenez votre assiette et posez-la debout sur votre cuisse de façon que sa circonférence demeure en partie visible au bord de la table ; le dessous de l'assiette doit être orienté vers vous.

Tenez-la légèrement de la main gauche, puis empoignez de la main droite le haut de l'assiette pour la faire tourner deux ou trois fois sur un essieu imaginaire dans le sens des aiguilles d'une montre.

Commencez à agiter la jambe (ou les jambes) de haut en bas pour que l'assiette rebondisse un peu. Croyez-le ou non, le geste est trompeur : les gens sont persuadés que l'assiette tourne.

Lorsqu'elle a « pris de la vitesse » (quelques talents de comédien sont nécessaires, je le crains), levez le couteau de la main droite et faites glisser légèrement sa lame sur la circonférence bondissante. On aura encore plus l'impression que l'assiette s'est transformée en pierre à aiguiser si le couteau possède un côté dentelé produisant des effets sonores d'une grande vraisemblance.

LA BONNE VIEILLE BLAGUE DE MON ONCLE

C'est pourtant un oncle très barbant qui m'a appris ce tour. Déchirez sur un tiers de sa longueur l'emballage papier d'une paille. Replacez-le sur la paille en laissant environ 1,5 centimètre de vide au bout. Prenez la paille dans la bouche et visez une personne insupportable de l'autre côté de la table. Inclinez la paille vers le haut de quelques degrés et soufflez d'un bon coup sec. L'emballage en papier va partir en flèche avant de heurter le front de votre cible. Difficile de faire plus stupide ? Et pourtant…

Trempez maintenant le bout de la paille dans un pot de ketchup et vous pourrez redécorer le plafond avec vos missiles en papier qui resteront sans doute collés là-haut ; si vous vous y mettez à deux ou trois, vous pourrez créer une belle galerie de stalactites. Autre truc très amusant : bombarder la balustrade du premier balcon pendant les passages rasoirs d'une pièce de théâtre russe. Inoffensif mais très agaçant.

LE SERPENT DE MER FRÉTILLANT

Coupez le bout de l'emballage papier d'une paille. Tenez le papier et la paille par l'embout de la main gauche et remontez de force le papier le long de la paille avec la main droite. Pincez fermement le papier pour qu'il se recroqueville en accordéon.

Reposez l'objet sur la table et mouillez-le avec une toute petite goutte d'eau ; faites plusieurs essais pour déterminer la quantité d'eau à utiliser. Normalement, le papier se détend et le serpentin glisse comme une vipère sur la table. Un tour énigmatique et plutôt bizarre.

LA LÉVITATION DE PETITS POIS

Retirez 5 centimètres de longueur sur une paille normale et placez le morceau restant dans votre bouche en renversant la tête en arrière. Prenez un petit pois dans votre assiette et posez-le avec précaution sur l'extrémité de la paille ; une boulette de mie de pain fera aussi l'affaire. Soufflez doucement et le petit pois se verra soulevé dans les airs. Même si vous inclinez légèrement la tête, le pois continuera à léviter de biais : on a l'impression qu'il va retomber mais la pression de l'air, plus forte à l'extérieur qu'à l'intérieur de votre fine colonne de souffle, maintient le petit pois en place. Un peu d'entraînement n'est pas superflu.

Il s'agit une fois de plus du fameux effet Bernoulli, le même phénomène qui permet à un avion de décoller (reportez-vous page 41 pour en savoir davantage sur ce fameux Bernoulli).

POUR LES MÉLOMANES

Avec les dents, aplatissez le bout d'une paille en plastique sur 1,5 centimètre environ. À présent, faites une fente le long des plis pour créer une double anche, comme celle des hautbois. Pincez la paille entre vos lèvres et soufflez fort. Il en sortira une bruyante « musique ». Si vous êtes passionné, découpez quelques trous dans la paille et essayez de jouer l'air de *Pirouette, cacahuète*...

Vous ne tarderez pas à être entouré de sourires bienveillants de la part des serveurs et des clients du bistrot qui vous supplieront de continuer.

BRUITAGES PUISSANTS

Pour ce tour, il vous faut une paille de gros diamètre. Tenez la paille et pincez le bas entre l'index et le pouce gauches. Ensuite, faites glisser les doigts de votre main droite le long de la paille tandis que vous soufflez dans l'embout : le son émis est un sifflement plaisant, qui ressemble un peu aux bruitages des mauvaises séries télé...

DEUX FAÇONS D'AMUSER LA GALERIE AVEC UN PULL

Voici deux tours de passe-passe tout simples à faire quand vous portez un pull (très large de préférence). Ça marche aussi avec un gilet à condition de le boutonner à l'envers.

LE HIBOU

Enlevez vos chaussures et retirez vos bras des manches du pull. Ensuite, mettez-vous accroupi, les genoux contre la clavicule, et passez votre pull par-dessus vos jambes. Demandez à un ami de mettre les manches dans votre dos pour qu'elles ne vous gênent pas, tandis que vous agrippez l'ourlet du pull avec vos orteils. Sortez vos mains devant vous, les doigts écartés et légèrement crochus, comme un hibou cramponné à sa branche. Maintenant, tout ce qu'il vous reste à faire, c'est de pivoter la tête à 90 degrés de gauche à droite en clignant des yeux comme un hibou. C'est le moment de pousser quelques hululements.

LA GREFFE DE BRAS

Profitez du fait que vos bras sont sortis des manches du pull pour créer l'illusion d'un type qui vient de subir une étrange opération. Croisez simplement les bras devant vous sous votre pull et insérez-les dans les manches opposées. L'effet produit est assez dérangeant, surtout si vous agitez la main d'un air furieux en criant que vous allez intenter un procès au chirurgien qui vous a opéré en état d'ivresse.

LE MOUCHOIR ÉLASTIQUE

C e petit numéro saisissant constitue un bon prélude aux blagues à base de serviettes ou de mouchoirs en papier. Idéal si vous êtes témoin à un mariage.

1   Dégotez un grand mouchoir (ou une serviette), tenez-le par les coins opposés et enfoncez discrètement 5 ou 6 centimètres de tissu dans chaque main en tirant fermement dessus.

2   Quand vous êtes prêt, attirez l'attention sur votre mouchoir, que vous tendez à l'horizontale devant vous, deux des coins pendouillant au milieu et les deux autres bien tassés dans vos mains. L'illusion consiste à faire croire que le mouchoir est plus petit qu'il l'est réellement.

3   En l'enroulant comme une corde à sauter et en relâchant progressivement un peu de tissu dans chaque main, vous donnerez l'impression que le mouchoir n'en finit pas de s'étirer. L'enchaînement est le suivant : enrouler-pause-enrouler-pause-enrouler-pause, en laissant un peu de mouchoir sortir entre chaque pause.

L'effet peut sembler quelconque dit comme ça, mais c'est tout le contraire. Faites l'essai devant un miroir – vous serez bluffé.

En guise de baratin, essayez ceci : « Voici un des mouchoirs élastiques créés par Evrom. Vous connaissez l'usine Evrom, située près de la rivière ? Ils avaient mis leur nom sur une grosse pancarte, E-V-R-O-M, mais ils ont fini par l'enlever parce que quelqu'un a remarqué qu'en lisant le reflet de la pancarte dans l'eau, ça faisait MORVE. »

LES DOIGTS AIMANTÉS

C e numéro digne des cours de récré de l'école primaire est très vieux mais il marche à tous les coups.

1 Demandez à un volontaire d'entrelacer ses doigts et de les serrer étroitement.

2 Ensuite, il doit tendre ses index et les ouvrir en V, en gardant les autres doigts et les pouces bien serrés.

3 À présent, effectuez un mouvement circulaire autour de ses index avec votre doigt : ses index vont se rapprocher peu à peu.

L'effet est dû à un relâchement inconscient des muscles, auquel s'ajoute votre propre force de suggestion.

FAIRE BOUILLIR UN VERRE D'EAU À L'ENVERS

À faire impérativement près d'un évier. Louper votre coup dans un restaurant serait très gênant. Quelques essais seront nécessaires avant d'attraper le coup de main. Une expérience curieuse qui peut vous occuper des heures…

1 Remplissez un verre d'eau froide aux trois quarts. Posez un mouchoir humide sur le bord du verre et tendez-le bien en le collant fermement à la paroi.

2   Enfoncez le tissu dans le verre avec votre index gauche jusqu'à ce qu'il touche l'eau. À présent, retournez le verre avec votre main droite en maintenant bien le mouchoir contre la paroi (dessin 1). Miracle, l'eau ne s'écoule pas ! Et vous pouvez même proposer aux spectateurs qui le souhaitent de toucher délicatement la déclivité concave. Drôle de sensation.

1

2

3   Gardez le verre à l'envers et tordez le mouchoir sur le fond du verre jusqu'à ce qu'il soit aussi tendu qu'un tambour. Étant donné qu'il y a un vide à l'intérieur du verre, l'air pénètre à travers le tissu en émettant de minuscules gargouillis, comme si l'eau était en train de bouillir (dessin 2).

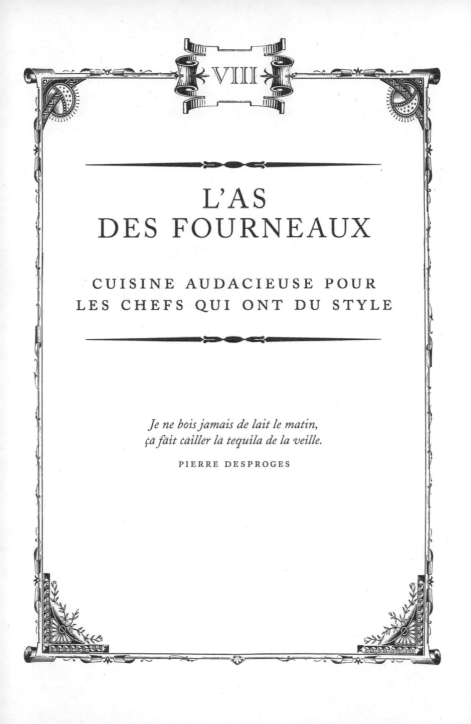

VIII

L'AS
DES FOURNEAUX

CUISINE AUDACIEUSE POUR
LES CHEFS QUI ONT DU STYLE

Je ne bois jamais de lait le matin,
ça fait cailler la tequila de la veille.

PIERRE DESPROGES

LES ŒUFS MAYONNAISE

◄══◖∫◗══►

Ils figurent dans toutes les entrées des petits restos routiers, entre les sardines à l'huile et le céleri rémoulade. N'empêche qu'on les aime bien. Ce n'est pas difficile à préparer, ça date d'un temps où on n'avait pas le choix entre pizza, sushis ou nems avant de se faire une toile. Bref, c'est tout sauf original, mais c'est un peu la cuisine de grand-mère pour ceux dont la grand-mère n'a jamais su faire une confiture ou une terrine maison.

Si vous voulez proposer des œufs mayo à votre nouvelle conquête (page 20), jouez à fond la carte du kitsch avec des serviettes à petits carreaux (en papier si possible) et du persil pour décorer.

LES INGRÉDIENTS
◇   *4 œufs bien gros (2 par personne)*
◇   *De la mayonnaise en pot*
◇   *Du vinaigre*

LA RECETTE

1   Dans une grande casserole, plongez les œufs dans l'eau froide en ajoutant une goutte de vinaigre pour empêcher la coquille de se fendiller et faciliter l'écalage. Posez un couvercle dessus et portez l'eau à ébullition. Dès qu'elle bout, coupez le feu et laissez les œufs reposer pendant 15 minutes dans l'eau chaude. Le chronométrage est capital. Si les œufs cuisent trop longtemps, les blancs durcissent et les jaunes prennent une teinte verdâtre pas du tout appétissante.

2   Quinze minutes plus tard, enlevez le couvercle, mettez la casserole dans l'évier et faites couler de l'eau froide dedans, en la laissant déborder quelques minutes. Pendant ce temps-là, occupez-vous comme vous voulez.

3   Pour écaler les œufs, frappez-les sur la table et faites craqueler les coquilles entre vos doigts. Enlevez-la délicatement sous l'eau en commençant par le côté le plus arrondi de l'œuf. Essayez d'enlever

toute la peau sans l'abîmer : les œufs avec des trous partout sont repoussants. Cette étape est d'un ennui stupéfiant, donc n'hésitez pas à demander un coup de main.

4   Juste avant de servir, coupez les œufs en deux et posez-les sur une assiette. Allez-y ensuite franchement avec la mayonnaise pour faire un dôme bien rond. Plus c'est gras, plus c'est bon...

CUISINER LES BOULES DE TAUREAU SANS LES AVOIR

S i l'idée d'attaquer un plat de testicules vous fait croiser nerveuse-ment les jambes sous la table, pensez au pauvre animal qui a payé de sa personne pour vous honorer de ce mets. À moins de vivre dans une ferme, les ingrédients peuvent être difficiles à trouver et le boucher du supermarché ne manquera pas de vous décocher un regard inquiet si vous lui demandez s'il a reçu un nouvel arrivage de roubignoles. Mais cette recette juteuse est idéale pour effrayer le nouveau mec de votre ex. Regardez-le se figer sur place avec un morceau de pain imbibé de sauce à portée de bouche au moment où vous lui expliquez ce qu'il est en train de manger.

La daube que je vous propose est espagnole, comme la corrida... D'ailleurs, traditionnellement, on réservait les testicules du taureau à celui qui l'avait vaincu. Ne faites pas cette moue dégoûtée : pendant des siècles, c'était très chic d'offrir en repas testicules, rognons et autres parties basses de nos animaux domestiqués ou non.

LES INGRÉDIENTS
◇   *1 kg de testicules de taureau*
◇   *4 gousses d'ail écrasées*
◇   *4 gros oignons hachés*
◇   *3 cuillerées à soupe de farine*

◇ *1 bouteille de bon vin rouge*
◇ *4 belles tomates*
◇ *Sel, poivre*
◇ *De l'huile d'olive*

LA RECETTE

1 À l'aide d'un couteau tranchant, faites une entaille dans la fine membrane qui enveloppe chaque testicule. La tâche peut se révéler délicate mais devient nettement plus facile si les testicules sont préalablement blanchis ou congelés.

2 Placez les testicules dans une casserole et recouvrez-les d'eau salée. Faites tremper 1 heure pour laisser le sang s'écouler un peu.

3 Faites chauffer votre huile dans une cocotte pour laisser revenir l'ail et les oignons. Remuez avec une cuillère en bois et ne chauffez pas trop, sinon l'ail va brûler – ça donne un goût amer à la sauce.

4 Saupoudrez la farine sur les oignons et l'ail, remuez bien, puis versez le vin par petites quantités, sans cesser de mélanger pour que la sauce ne fasse pas des gros paquets.

5 Égouttez bien les testicules pour les mettre dans la cocotte avec les tomates coupées en quatre. Si vous avez du courage, vous les pelez (les tomates, pas les testicules) : vous les recouvrez d'eau bouillante et la peau s'en va presque toute seule.

4 Ajoutez du sel et du poivre (un peu de thym si vous avez), couvrez et laissez 3 heures au four pas trop chaud (160 °C environ). Quand vous soulevez le couvercle de la cocotte, le jus doit être épais.

FAIRE RÔTIR UN COCHON DE LAIT À LA BROCHE

En matière de barbecue, le cochon de lait à la broche n'est peut-être pas l'option la plus simple mais c'est la plus impressionnante. Cette recette peut nourrir 6 rugbymen affamés ou 80 fakirs rachitiques. Pour les gens normaux, la recette est prévue pour 10 personnes.

LES INGRÉDIENTS

◇ *1 cochon de lait*
◇ *1 petite plaquette de beurre*
◇ *4 ou 5 pommes*
◇ *3 ou 4 oignons*
◇ *10 gousses d'ail*
◇ *4 bonnes poignées de chapelure*
◇ *4 cuillerées à soupe de beurre fondu ou d'huile*
◇ *1 bonne poignée de persil haché*
◇ *3 feuilles de sauge tendres*
◇ *1 bonne cuillerée à soupe de graines de coriandre*
◇ *1 bonne cuillerée à soupe de gingembre moulu*
◇ *1 olive noire*
◇ *Sel, poivre*
◇ *Du vin pour la sauce*
◇ *Des patates et des pommes sautées pour servir avec*

CE QUI NE SE MANGE PAS

◇ *1 broche et 1 tournebroche*
◇ *1 épi de maïs*
◇ *De la ficelle de cuisine*
◇ *Du charbon*

La recette

1   Donnez le bain à votre cochon dans une solution légère de bicar-
     bonate de soude, en n'oubliant pas de bien frotter derrière les
     oreilles. Par contre, inutile de lui laver les dents.

2   Retirez la bonde, rincez le cochon et remplissez la baignoire d'eau
     fraîche. Mélangez-y 2 poignées de sel et laissez tremper la bestiole
     30 minutes pendant que vous préparez le tournebroche et que vous
     allumez le charbon.

3   Videz le bain et enveloppez votre cochon dans une grande ser-
     viette. Étendez la bête sur la table de la cuisine et séchez-la avec un
     linge propre ou un sèche-cheveux.

4   Enlevez les yeux mais ne les jetez pas : vous pourrez toujours les
     glisser dans la poche d'une personne que vous n'aimez pas (obser-
     vez bien sa tête quand elle cherchera ses clés…).

5   Écrasez la sauge, la coriandre, le gingembre et l'ail dans un mortier,
     mélangez bien. Ajoutez plein de sel et de poivre. Étalez la prépa-
     ration sur la peau du cochon en faisant bien pénétrer.

6   Mélangez dans un saladier la chapelure, les oignons, les pommes en
     petits cubes, le persil et le beurre fondu, salez et poivrez comme
     vous aimez. Versez suffisamment de vin pour que la préparation
     forme une pâte (mais pas trop liquide).

7   Farcissez le cochon de cette mixture et refermez la cavité en la cou-
     sant avec un bout de ficelle.

8   Étirez les pattes du cochon et nouez-les soigneusement. Enroulez
     la queue, attachez-la à une broche en métal puis recouvrez-la ainsi
     que les oreilles avec du papier alu pour les empêcher de carboniser.
     Enfoncez l'épi de maïs dans la gueule du cochon pour qu'elle reste
     ouverte pendant la cuisson.

9   Placez le cochon sur la broche et arrosez d'un peu de beurre fondu
     ou d'huile.

10   À présent, demandez à quelqu'un de vous aider à mettre le cochon
     devant *(et non pas sur)* les charbons rougeoyants. Commencez par
     mettre la broche à au moins 60 centimètres des charbons, sinon la
     peau brûlera avant que l'intérieur soit cuit. Une fois que la chair a

cuit, vous pouvez brunir la peau en rapprochant progressivement la broche jusqu'à ce qu'elle prenne une teinte couleur bronze (la peau, pas la broche). Tournez régulièrement le cochon et arrosez-le avec la graisse rôtie que vous récupérez en plaçant une casserole sous la bête.

11 Si vous cuisinez dehors, tout dépend du vent, du temps, de la température du charbon et autres variables agaçantes. Dans un four, comptez 20 à 25 minutes par livre, mais vous pouvez tester la cuisson en plantant un couteau dans la partie la plus épaisse du cochon et en plongeant ensuite votre doigt à l'intérieur. La température au toucher doit être insupportable et il faut qu'il y ait beaucoup de buée. Le cochon doit être fumant au moment du service (environ 80-85 °C). Quand il est cuit, retirez la broche, l'alu et l'épi de maïs. Découpez l'olive en deux dans la longueur et placez les globes dans les orbites de la bête, côté arrondi vers l'extérieur. Enfoncez une pomme en rab dans la gueule, mais ça peut aussi être une pipe pour donner à l'animal un look très distingué. Mettez le cochon dans un grand plat et garnissez de patates rôties et de pommes cuites.

12 Découpez en tranches et servez sur du pain croustillant. N'oubliez pas la farce aux pommes.

L'ART DE FAIRE SAUTER LES CRÊPES

—◄◖◖◖◖◖◖◖◖◖—

Les facteurs essentiels pour un bon saut de crêpe sont : une poêle antiadhésive, un bon coup de poignet tout en douceur et des nerfs d'acier. Le coup de poignet est crucial pour mettre à profit l'air sous la crêpe et la faire glisser verticalement hors de la poêle. La courbe de la poêle amorce le saut de la crêpe et lui permet de se retourner.

La seule façon de maîtriser la technique, c'est de s'exercer. Faites-vous une « crêpe d'entraînement » en vous servant d'une assiette pour la retourner (il faut qu'elle cuise des deux côtés). Commencez par des petits sauts sans prétention. C'est seulement quand vous aurez pris un peu d'assurance que vous pourrez passer aux sauts de 1 mètre (hauteur moyenne d'un bon lancer). La vitesse optimale pour un saut de crêpe à 1 mètre de hauteur est de 15 kilomètres à l'heure, la crêpe atteignant son point culminant en moins de 1 seconde.

Après vous être un peu entraîné, confrontez-vous à l'éblouissant « coup du lustre », c'est-à-dire le saut à hauteur de plafond.

L'ART DU SAUT

Un des plus grands experts au monde dans cette discipline est le professeur Garry Tungate, de l'université de Birmingham. Ses études ont révélé de singulières statistiques :

◇ un demi-joule (d'énergie) est nécessaire pour propulser une crêpe de taille moyenne à 1 mètre de haut ;

◇ les crêpes sauvages (celles que vous n'avez pas réussi à rattraper) mettent 1,1 seconde pour regagner la terre ferme (en général sur leur face pas cuite – et il faut nettoyer la cuisine) en s'écrasant sur le lino à une vitesse de 20 kilomètres à l'heure.

Si vous avez l'intention de faire sauter des crêpes, encore faut-il que vous ayez préparé la pâte. Voici une recette pour faire 1 000 crêpes à peu près.

De quoi vous occuper un moment. S'il vous faut plus de 1000 crêpes, il suffit de multiplier les quantités en fonction de vos besoins.

LES INGRÉDIENTS

- *8,5 kg de farine*
- *65 pincées de sel*
- *65 œufs*
- *20 litres de lait et un petit supplément si la pâte est trop épaisse*
- *2 kg de beurre pour graisser la poêle*
- *1 cuvette de sucre en poudre*

LA RECETTE

1 Passez la farine au tamis et salez une baignoire en aluminium.

2 Cassez les œufs au centre, puis battez-les avec la farine.

3 Ajoutez progressivement le lait en continuant de battre pour que le mélange reste homogène et sans grumeaux. À la fin, la pâte doit ressembler à de la crème fraîche liquide (vous en avez pour 2 heures à peu près).

4 Faites fondre le beurre dans une poêle. Juste 1 petite noix pour cuire 1 crêpe normale.

5 Mettez la poêle à feu moyen, en faisant très attention au beurre (il ne faut pas qu'il brûle).

6 Versez suffisamment de pâte dans la poêle pour faire une crêpe fine et étalez-la de façon homogène en faisant pivoter le poignet. Ça exige un peu de pratique pour déterminer la bonne dose de pâte à verser dans la poêle, mais au bout de 200 tentatives vous devriez être capable de le faire sans réfléchir.

7 Quand la crêpe commence à racornir sur les côtés, décollez-la de la poêle en la secouant à l'horizontale avant de la faire sauter.

8 Faites cuire l'autre face ; ça ne prend que quelques secondes.

9 Empilez vos crêpes sur une assiette et gardez-les au chaud dans le four (comptez 30 à 50 fours pour 1000 crêpes).

10 Servez les crêpes roulées et saupoudrées de sucre.

PRÉPARER DE LA LIMONADE AU GINGEMBRE DANS SA SALLE DE BAINS

⟨⟨⟨⟩⟩⟩

L es limonades au gingembre maison demandaient autrefois des heures de préparation et les bouteilles finissaient toujours par devenir méchamment explosives. Ma recette en 24 heures est toute simple, sans matériau en verre, et peut se préparer dans la salle de bains.

LES INGRÉDIENTS

◊ *2 bouteilles d'eau en plastique vides de 1,5 litre et 1 bouchon*

◊ *1 grosse racine de gingembre (le gingembre en poudre, c'est de la triche)*

◊ *1 grand verre à dents de vieux sucre, n'importe lequel*

◊ *Environ 1/2 cuillère à café de levure en poudre*

◊ *1 citron*

LA RECETTE

1 Ouvrez le robinet d'eau chaude de la douche et nettoyez tous les ingrédients, sauf la levure et le sucre.

2 Avec des ciseaux, découpez le haut d'une bouteille (ça vous servira d'entonnoir) et gardez le bas en réserve.

3 Versez le sucre et la levure dans la bouteille entière en vous servant de l'entonnoir que vous venez de fabriquer. (Vous n'avez quand même pas déjà oublié?)

4 Râpez le gingembre (avec la peau). Un rasoir ou un grattoir à pieds constituent de bonnes râpes mais attention aux doigts : la boisson n'aura pas meilleur goût avec des lambeaux de peau humaine.

5 Coupez le citron en deux avec vos ciseaux et pressez son jus dans le bas de la bouteille que vous avez découpée. Ajoutez le gingembre et touillez avec une lime à ongle ou le manche d'une brosse à dents : comptez 2 cuillerées à soupe de gingembre pour une limonade moyennement forte; si vous préférez un truc qui décongestionne bien le nez, mettez-en davantage (mais goûtez quand même).

6   Ajoutez de l'eau et versez la mixture dans la bouteille à l'aide de votre entonnoir improvisé, en poussant avec une brosse à dents sur les morceaux de gingembre qui bouchent l'entonnoir.

7   Ajoutez de l'eau en laissant 5 centimètres de vide pour la mousse. Les petites fuites sont inévitables : inutile de piquer une crise, posez simplement une serviette par terre.

8   Vissez bien le bouchon et secouez la bouteille jusqu'à ce que le sucre soit dissous. C'est très amusant et on peut le faire en musique.

9   En principe, la bouteille devrait résister à la pression (comme la cuisse d'une jeune candide). Conservez-la dans un endroit chaud, par exemple sur un radiateur.

10   Au bout de 24 heures (plus si le climat est froid), essayez de nouveau de presser la bouteille. La fermentation est achevée quand la bouteille est aussi dure que le biceps d'un marin. Ne la laissez pas plus de 48 heures, sinon elle fera une giclée d'une belle envergure quand vous l'ouvrirez. Si elle n'explose pas avant.

Servez la limonade bien fraîche. Si les copeaux de gingembre qui flottent à la surface vous rebutent, passez la boisson dans un gant de toilette propre avant de boire.

COMMENT
DÉGUSTER LES HUÎTRES

Un jour, j'ai entendu dire que manger des huîtres c'était comme avaler de la morve de tortue. Pure calomnie. C'est le plus délicieux des coquillages ! Il existe deux variétés d'huîtres sur le marché : les plates, régulières et symétriques ; les creuses, plutôt triangulaires, plus foncées et toutes cabossées. Qu'elles soient creuses ou plates, les huîtres sont un peu délaissées en été (on les dit plus « laiteuses »). Mieux vaut donc éviter de les consommer pendant les mois sans R (mai, juin, juillet et août).

CHOISIR UNE HUÎTRE

Les gros calibres sont plus chers mais ne sont pas forcément meilleurs ; les amateurs préfèrent les huîtres de taille moyenne. Surtout, elles doivent être bien fermées : refusez toujours une huître qui « bâille ». Pour vérifier qu'une huître est fraîche, taquinez-la de la pointe d'un couteau sur ses bords garnis de cils (une fois ouverte, bien sûr) : elle doit se rétracter un peu. Si elle se rétracte beaucoup, c'est qu'elle a perdu de son eau et qu'elle est déjà un peu vieille ; si elle ne se rétracte pas du tout, c'est qu'elle est morte, donc très toxique. Achetez-les dans une poissonnerie de bonne réputation et consommez-les le jour même. Vous pouvez les conserver au frigo, face ronde dessous pour garder le jus, et les couvrir d'un torchon humide.

OUVRIR UNE HUÎTRE

C'est une tâche vraiment abrutissante qui demande un peu de patience et d'adresse pour éviter de défoncer la coquille. Vous pouvez rincer rapidement les coquillages pour enlever les saletés. Si vous ne possédez pas de gant à huîtres en silicone, enveloppez votre huître dans un torchon et tenez-la fermement.

Insérez la pointe d'un couteau à huîtres dans l'intervalle du « verrou » de l'huître (entre les deux coquilles), puis faites pivoter la lame le long de la coquille tout en poussant par à-coups : le verrou lâche et les deux valves se séparent. On termine sans abimer l'huître et en faisant attention qu'elle ne se vide pas.

Pour finir, ouvrez l'huître comme si c'était un livre, puis décollez le muscle en le repoussant avec la lame non tranchante du couteau. À mesure que vous les ouvrez, calez vos huîtres bien à plat sur une assiette (mais pas au-dessus de la télé, par exemple).

COMMENT DÉGUSTER UNE HUÎTRE

Tenez l'huître de la main gauche et pressez un peu de jus de citron sur la chair. C'est tout ce qu'il vous faut ! Puis attrapez le coquillage par en dessous, placez-le devant votre bouche et faites glisser le tout. À vous de voir si vous mâchez ou pas.

LA VRAIE RECETTE
DU CLUB SANDWICH

Vieux de plus de 200 ans, ce classique des repas sur le pouce se compose de poulet cuit ou de blanc de dinde, de bacon croustillant, de tomate fraîche et de salade croquante, le tout calé entre des tranches de pain grillé tartinées de mayonnaise. Le débat fait rage pour déterminer les mérites respectifs de la dinde et du poulet ou pour clamer haut et fort que le vrai club sandwich comporte en fait 3 tranches de pain. Du coup, la variante à 2 étages est considérée comme une nourriture sans intérêt par les snobs et les puristes. Personne ne sait pourquoi on appelle le club sandwich un club sandwich.

LES INGRÉDIENTS

◇ *60 g de blanc de dinde ou de poulet cuit*
◇ *3 fines tranches de pain de mie*
◇ *De la mayonnaise*
◇ *1 feuille de salade croquante*
◇ *1 petite tomate mûre*
◇ *2 tranches de bacon croustillant*
◇ *4 piques à apéritif*
◇ *1 couteau qui coupe bien*

LA RECETTE

1 Découpez en tranches fines le blanc de dinde ou de poulet et la tomate.

2 Faites griller le pain et étalez de la mayonnaise sur une seule face.

3 Mettez la moitié d'une feuille de laitue sur une tranche de pain grillé et ajoutez la viande et 1 ou 2 tranches de tomate.

4 Posez la deuxième tranche de pain sur la viande, face mayo sur le dessus.

5 Ajoutez l'autre demi-feuille de salade, 1 ou 2 tranches de tomate, empilez le bacon dessus.

6 Terminez par la dernière tranche de pain, face mayo dessous (vous aviez vraiment besoin que je vous le précise ?).

7 Coupez le sandwich en 4 triangles et plantez 1 pique à apéritif dedans pour empêcher que la pile s'écroule. Attention où vous posez les canines et évitez de mordre dans le bout de bois.

COMMENT
PRÉPARER DU VIN CHAUD

L es plus vieilles recettes de vin chaud dateraient du Moyen Âge et cette boisson avait encore beaucoup de succès au XIXe siècle. Si vous voulez impressionner vos convives à Noël, voici une recette difficile à louper et que vous pouvez préparer même si vous êtes dans la dèche...

LES INGRÉDIENTS

◇ *Quelques oranges*

◇ *1 citron*

◇ *1 verre d'eau*

◇ *Du sucre*

◇ *4 bâtons de cannelle*

◇ *5 clous de girofle*

◇ *5 gousses de cardamome écrasées*

◇ *2 bouteilles de vin rouge*

◇ *25 cl d'une bonne eau-de-vie*

LA RECETTE

1 Râpez les agrumes et mettez les zestes dans l'eau avec le sucre, la cannelle, la cardamome et les clous de girofle. Faites bouillir doucement pendant 5 minutes et retirez du feu.

2 À présent, ajoutez le vin et, pendant que vous y êtes, buvez-en un peu sans le faire exprès, juste pour goûter. Puis versez le jus fraîchement pressé d'une demi-douzaine d'oranges, goûtez et ajoutez un

peu de sucre pour atténuer le goût des tanins contenus dans le vin. N'ayez pas la main trop lourde sur le sucre : plus vous buvez de vin chaud, plus la boisson a un goût sucré, plus vous avez soif, etc. Vous pouvez aussi mettre un peu plus d'épices si vous aimez les saveurs relevées, mais restez raisonnable, car ce sera impossible de rattraper le coup si vous en faites trop à ce stade.

3 Faites chauffer la préparation à feux doux pendant 20 minutes et ajoutez un peu d'eau si vous avez l'impression qu'elle s'épaissit légèrement. Attention ! la règle d'or est de ne jamais laisser bouillir, sinon c'est foutu.

4 Cinq minutes avant de servir le vin, versez l'ingrédient magique, c'est-à-dire l'eau-de-vie. Servez très chaud parce que le vin tiède ne pourra que vous faire honte. Veillez à utiliser une jolie louche – pas en plastique – en la plongeant directement dans la casserole : ça fait son petit effet, avec toute cette vapeur et ce délicieux fumet. Vous pouvez servir dans des verres à vin, mais c'est mieux dans des grandes tasses (ça empêche le vin de refroidir trop vite). Décorez avec un peu de menthe. Seuls les gens qui disent « beinv'nus » et « ch'ti » font flotter des morceaux de fruits dessus.

COMMENT
PRÉPARER UN PÂTÉ EN CROÛTE

L es garçons aiment le pâté en croûte, les filles le chocolat. C'est comme ça. Ferme, croustillant et succulent, accompagné de gelée juteuse, le vrai pâté est préparé avec de la viande de porc et non pas avec du jambon blanc – d'où sa belle couleur de viande cuite à l'intérieur. La pâte est préparée en trois étapes avec de la graisse fondue dans un peu d'eau chaude. L'aspect gonflé de la croûte est dû à la cuisson sans moule. Pour les chefs appliqués, voici les ingrédients et la recette à suivre :

LA GELÉE

- ◇ *1 kg d'os de porc et 1 pied de cochon*
  (ou de la gélatine si vous êtes fainéant)
- ◇ *1 oignon*
- ◇ *6 clous de girofle*
- ◇ *1 pincée de fines herbes*
- ◇ *1 cuillerée de grains de poivre*

Mettez tous les ingrédients dans une grande casserole remplie d'eau à ras bord et portez à ébullition. Laissez cuire à feu doux pendant 3 heures, avec un couvercle. Passez le jus dans un tamis fin, jetez tout sauf le bouillon que vous laissez refroidir avant de le mettre au frigo. Vous pourrez le dégraisser le lendemain, quand il sera pris en gelée.

LA FARCE

- ◇ *1,3 kg d'épaule de porc (désossée)*
- ◇ *225 g de bacon maigre non fumé*
- ◇ *1 grosse pincée de sauge, de thym et de piment de la Jamaïque haché*
- ◇ *1 verre d'essence d'anchois*
- ◇ *Sel, poivre blanc*

Émincez grossièrement la viande et mélangez avec le reste en assaisonnant bien.

LA PÂTE

- ◇ *450 g de farine*
- ◇ *220 g de saindoux coupé en cubes*
- ◇ *120 ml d'eau (environ)*
- ◇ *4 grosses pincées de sel*
- ◇ *1 œuf (pour dorer la pâte)*

Tamisez la farine et le sel dans un saladier. Faites chauffer le saindoux à petit feu dans l'eau. Quand il est fondu, portez-le légèrement à ébullition. Mélangez à la farine à l'aide d'une cuillère en bois pour obtenir une pâte homogène, posez la pâte sur une planche et pétrissez-la jusqu'à ce qu'elle soit élastique. Laissez reposer 30 minutes.

L'ASSEMBLAGE

1 Préchauffez le four à 200 °C (thermostat 6 pour les fours à gaz).

2 Étalez les trois quarts de la pâte sur 1 centimètre d'épaisseur et foncez un moule beurré avec cette pâte en la laissant légèrement déborder tout autour.

3 Remplissez le moule de farce puis étalez le reste de pâte au rouleau pour recouvrir la farce. Pincez bien les bords. Percez un trou de 1 centimètre de diamètre au centre du pâté et glissez-y un petit morceau de papier roulé pour l'empêcher de se refermer.

4 Faites tout le tour du moule avec une double épaisseur de papier sulfurisé beurré, placez-le sur une plaque et laissez cuire 30 minutes (gardez un œil dessus). Ensuite, réduisez la température du four à 180 degrés (thermostat 4) et laissez cuire encore 30 minutes. Au bout de 45 minutes, retirez le papier sulfurisé.

5 Pour finir, badigeonnez le dessus du pâté avec l'œuf battu et remettez au four 10 minutes, jusqu'à ce que la croûte brunisse légèrement. Ensuite, laissez refroidir pendant 2 heures.

6 Diluez la gelée dans 50 centilitres d'eau froide et portez à ébullition. Versez la gelée chaude mais pas brûlante dans le pâté en croûte par la cheminée en papier. Utilisez un entonnoir pour vous aider.

7 Laissez refroidir toute la nuit. Personne ne mangerait un pâté en croûte chaud.

SOUPE VERY VERY HOT

L a recette coûte trois fois rien et elle se prépare en un rien de temps. Idéale si vous êtes fauché et paresseux.

LES INGRÉDIENTS

◊ *2 ou 3 cubes de bouillon*
◊ *Quelques petites pommes de terre*
◊ *1 tige d'oignon vert*
◊ *Plusieurs piments très forts (genre piments-oiseaux)*

LA RECETTE

1 Épluchez les pommes de terre et coupez-les en gros morceaux (vous devez en avoir assez pour faire 2 bols de soupe) avant de les faire cuire dans l'eau bouillante. Elles ne doivent pas être trop molles : 10 minutes de cuisson à feu doux suffisent largement.

2 Saupoudrez les cubes de bouillon sur la soupe. Mélangez bien.

3 Hachez les piments et jetez-les dans la soupe.

4 Émincez la pousse d'oignon en rondelles pour décorer la soupe.

5 Dégustez.

On prétend que, en Amérique latine, les mères qui allaitent appliquent de l'huile de piment sur leurs seins pour habituer les bébés aux saveurs épicées. En tout cas, évitez de vous frotter les yeux ou de répondre à l'appel de la nature après avoir tripoté du piment, sinon vos muqueuses risquent de passer un sale quart d'heure.

Lait, vin ou bière sont autant d'antidotes contre les piments qui arrachent. La mie de pain est aussi très efficace. Mais ne prenez surtout pas d'eau : ça ne fait que prolonger l'agonie.

COMMENT
PRÉPARER UNE OIE POUR NOËL

La méthode

1 Attrapez une oie.

2 Ensuite plumez-la. Ça n'a rien de sorcier : il suffit de tirer sur les plumes dans le sens de la pousse. Tirez aussi sur le duvet (vous pouvez utiliser un petit couteau) et terminez en tenant l'oiseau au-dessus d'une flamme pour brûler tous les poils qui dépassent.

3 Décapitez le palmipède.

4 Découpez la peau autour des pattes, environ 4 centimètres en dessous des genoux, sans endommager les tendons. Posez une patte sur le bord de la table et appuyez dessus d'un coup sec pour briser l'os (les oies qui ont été bien nourries ont des os fins et cassants tandis que les cochonneries de volailles de supermarché ont des os mous et friables). Attrapez le pied de la main droite, tenez bien le reste du corps de la gauche, et déboîtez le pied en tirant dessus ; en principe, les tendons devraient venir avec. Les vieilles oies doivent être cuites à la broche, sinon elles deviennent fermes à la cuisson.

5 Faites une entaille dans le corps entre les deux pattes, en commençant sous le sternum, de façon à pouvoir insérer votre main et sortir les entrailles. Pendant que vous y êtes, profitez-en pour extraire le gésier, le cœur et le foie (les abats). Sauté dans un peu de beurre et servi en toast, le foie d'oie est délicieux. Sous le foie se trouve la vésicule. Ne la percez pas, sinon la bile va s'étaler sur la viande et lui donner un goût amer.

6 Les trucs rouges spongieux encerclés par les côtes sont les poumons. Enlevez-les, ainsi que les rognons – vous ne pouvez pas les louper : ils sont planqués près de la colonne vertébrale.

7 Glissez votre index et votre majeur sous la peau près du cou, vous tomberez sur la trachée : retirez-la.

8 Enlevez également l'estomac du volatile (le jabot), qui est en quelque sorte cramponné à la peau au niveau de la poitrine (le filet).

9 À présent, décollez la peau du cou et tranchez le cou d'un coup de couteau, en taillant le plus près du corps et en gardant un long lambeau de peau que vous glissez sous le dos de la bête pour fermer proprement.

10 Retirez la glande uropygienne, parfois appelée « poche d'huile » ou encore « glande à lisser », et nettoyez l'oie à l'eau froide. Séchez-la en tapotant dessus et dedans avec de l'essuie-tout. Vérifiez quand même que vous n'avez rien laissé à l'intérieur.

11 Faites cuire votre oie.

COMMENT
FAIRE LES GROS (Y)ŒUFS

Tout homme qui se respecte doit savoir cuisiner ce petit-déjeuner composé d'œufs au plat en forme d'yeux globuleux. Il a l'avantage d'être économique, rapide à préparer et surtout très inattendu. C'est le petit-déjeuner parfait pour vos jeunes neveux ou nièces qui en ont marre des tartines de confiture et qui attendent nettement mieux d'un mec qui sait faire sauter les souris sur ses épaules (voir page 243). Attention quand même au retour de bâton : votre plat va avoir un tel succès que les bambins vont prendre l'habitude de venir vous réveiller à l'aube en quémandant les (y)œufs de tonton.

LES INGRÉDIENTS
◇ *Du pain de mie en tranches*
◇ *Du beurre ou de la margarine*
◇ *Des œufs*

LA RECETTE

1 Posez 1 tranche de pain sur la table et appuyez bien fort 1 verre retourné au centre pour découper un disque ; faites pivoter le verre pour découper le disque de mie sans abîmer la tranche de pain.

2   Faites fondre à feu moyen 1 noix de beurre ou de margarine dans une poêle. Ne le laissez surtout pas brûler.

3   Tartinez de beurre la tranche de pain (sur chaque face) et placez-la dans la poêle.

4   Cassez soigneusement 1 œuf dans le trou et laissez-le frire. Au bout de quelques minutes, retournez la tranche de pain avec une spatule pour la faire cuire de l'autre côté.

5   Quand le pain est bien doré et que l'œuf est cuit, retourner les « yeux » sur une assiette. Les enfants adorent ajouter du ketchup, alors arrêtez de jouer les rabat-joie.

6   Si vous préparez plusieurs œufs, utilisez les disques de mie de pain pour faire des « orbites » frites ou grillées. Allez savoir pourquoi : les enfants qui grimacent à la vue de tartines grillées et beurrées dévorent leurs orbites frites avec beaucoup d'enthousiasme.

FAIRE LA CUISINE À UNE FEMME

Servir à vos copains des saucisses et des œufs au plat sur le bar graisseux de votre studette, vous savez faire. Mais ce n'est pas vraiment le plat à présenter à la fille que vous essayez de séduire. Les femmes aiment les choses un peu tarabiscotées, avec des fioritures et autres chichis du genre. Donc, ce qu'il vous faut, c'est un plat pas très courant mais qui a l'air de vous avoir demandé beaucoup de talent et d'avoir coûté assez cher. Voici une recette qui devrait faire l'affaire. Certains diront que les spaghettis, comme les épis de maïs, ne sont pas très pratiques à manger, mais cela vous met en fait en position de force et vous donne une bonne excuse pour vous rapprocher de la demoiselle.

PASTA RAPIDA CON CREMA, BASILICO, AGLIO E PANCETTA AFFUMICATA

LES INGRÉDIENTS

- ◇ *1 paquet de spaghettis frais*
- ◇ *20 cl de crème fraîche*
- ◇ *Quelques tranches de pancetta fumée*
- ◇ *2 gousses d'ail*
- ◇ *Quelques feuilles de basilic frais*
- ◇ *Huile d'olive*
- ◇ *Beurre*
- ◇ *Sel et poivre noir fraîchement moulu*

LA RECETTE

1 Portez de l'eau à ébullition dans une grande casserole. Glissez un plat et deux assiettes dans le four allumé pour les réchauffer.

2 Pendant que ça chauffe, émincez 4 tranches de pancetta et faites-les frire dans un peu d'huile d'olive, en remuant régulièrement.

3 Baissez le feu, ajoutez un peu de beurre et les gousses d'ail hachées. Le meilleur moyen de hacher l'ail, c'est de placer la gousse entière sous la lame d'un grand couteau et de l'écraser d'un coup ferme. La peau s'enlève toute seule. Attention! l'ail comme le beurre crament très rapidement: faites-les cuire à feu doux.

4 Quand l'ail a ramolli, ajoutez un peu d'huile d'olive et toute la crème fraîche. Salez et poivrez comme vous aimez.

5 Toujours à feu doux, battez le mélange jusqu'à ce qu'il soit chaud, puis posez un couvercle dessus.

6 Plongez les pâtes dans l'eau bouillante. Suivez religieusement les instructions sur le paquet. Les spaghettis frais cuisent rapidement, donc vous êtes obligé de rester devant pour les surveiller. Vous n'avez qu'à hacher le basilic en attendant.

7 Dès que les pâtes sont cuites, égouttez-les et versez-les dans le plat. Faites ça délicatement pour éviter de casser les spaghettis: quand ils sont frais, ils sont plus fragiles. Versez le mélange de crème et d'ail

dessus, décorez de morceaux de pancetta frits et saupoudrez de basilic haché. Par pitié, soignez un peu la présentation. L'ail, la pancetta et le basilic dégagent un délicieux arôme tandis que la crème, le bacon, l'huile et le beurre donnent du goût et vous calent bien l'estomac. Servez en une fois dans des assiettes chaudes.

Pour une entrée pas chère, servez un consommé de volaille en boîte que vous jurerez avoir préparé vous-même. Et si vous êtes vraiment fauché, 2 cubes de bouillon dans de l'eau bouillante, le tout présenté dans des bols sympas, voilà une ouverture légère. À préparer en cachette, bien sûr, mais il faut que ce soit joli. Normalement, ça marche à merveille. Si vous pouvez vous permettre quelques gouttes de whisky, vous en ferez un festin. En dessert, de la glace nappée d'une barre chocolatée fondue, c'est magnifique et ça sent bon. Si en plus vous racontez que la recette est un vieux secret de famille, tout baigne...

Une fleur dans un long verre (fauchée dans le parc ou chez le voisin) apporte un peu de classe à la table d'un mec. Ajoutez une bougie, mais surtout pas tordue ni sortie d'un vieux tiroir et pleine de traces de doigts crasseuses... Non, une jolie bougie. Ou des bougies chauffe-plats : les femmes en raffolent. Le tour est joué...

LA VRAIE RECETTE DU POT-AU-FEU

L e bœuf bouilli est à la cuisine française ce que le yorkshire pudding est à la cuisine anglaise ou le tagine d'agneau à la cuisine marocaine. Ça peut prendre quelques heures mais, comme ça cuit tout seul, vous avez largement le temps de vous faire une séance télé en sirotant un ou deux verres. Cette recette suffit pour 6 personnes normalement constituées ou 3 gros mangeurs. S'il y a des restes, invitez tout le monde à revenir pour le hachis parmentier...

Les ingrédients

◇ *2 kg de bœuf à bouillir*
(demandez à votre boucher, il connaît les meilleurs morceaux)
◇ *3 ou 4 os à moelle*
(et des tranches de pain grillées pour manger avec)
◇ *500 g de poireaux*
◇ *500 g de carottes*
◇ *1 branche de céleri*
◇ *1 gros oignon piqué de clous de girofle*
◇ *12 pommes de terre (2 par personnes)*

La recette

1 Mettez la viande dans une grande cocotte avec l'oignon et couvrez d'eau. Allumez le gaz et laissez cuire doucement. Pour l'instant, vous restez à côté de la cocotte pour enlever la mousse grise qui va se former, sinon ce n'est pas très joli dans le bouillon.

2 Pendant ce temps, vous pouvez nettoyer les légumes : pelez les carottes et coupez-les en deux. Nettoyez les poireaux : enlevez les feuilles dures à l'extérieur, fendez le vert sur 10 centimètres et rincez bien l'intérieur. Coupez le céleri en rondelles. Rincez tout ça et plantez-vous devant la télé avec un verre.

3 Quand la viande a cuit 1 h 30, mettez les carottes dans la cocotte. Retournez à votre télé : vous pouvez largement voir la fin du film.

4 Au bout de 1 heure, mettez les poireaux dans la cocotte. Vous pouvez les garder entiers – c'est plus joli. Comptez encore 15 minutes puis ajoutez l'os à moelle et les pommes de terre. Pendant ce temps-là, vous pouvez mettre la table et faire griller des grosses tranches de pain.

5 Quand c'est fini de cuire, la viande est tendre, la moelle des os parfaitement souple, les légumes moelleux, le pain juste doré mais encore chaud. Servez d'abord le bouillon dans des bols et les os à moelle sur une assiette, avec le pain et du gros sel : on tartine le pain avec la moelle, on sale et on mange avec le bouillon. Pendant ce temps, le pot-au-feu repose un peu.

6   Si vous voulez compliquer le truc, préparez une vinaigrette épaisse
    (avec moutarde et échalotes) pour manger avec le pot-au-feu.
    Sinon, de la moutarde forte suffit.

UN PETIT-DÉJ' À L'ANGLAISE

L e petit-déjeuner anglais complet est reconnu dans le monde entier
    comme un chef-d'œuvre de la cuisine à la poêle. Chaud, gras,
riche en protéines, c'est un véritable ami pour commencer la journée à
condition d'avoir un peu de temps. Et en plus, c'est super-exotique.
    Il est aussi parfait pour vous aider à finir les restes du frigo. Tomates,
champignons, vestiges de chou et de purée de pommes de terre revenus
à la poêle avec des oignons, tout cela peut marcher. Les bonus maritimes,
comme le hareng fumé, sont plus baroques mais vous pouvez essayer.
Quoi qu'il en soit, le petit-déjeuner anglais est toujours noyé sous des
litres de thé très noir. Si vous préférez le café, pas de problème, mais c'est
nettement moins *british*...
    Voici un menu infaillible pour « breakfaster » dans les règles de l'art.
Laissez de côté ce que vous n'aimez pas ou ajoutez ce qui vous fait plaisir,
mais ne lésinez pas sur la qualité des haricots ou des saucisses, parce que
ça se verra. Cette recette est pour 2 personnes.

LES INGRÉDIENTS
◇   *2 tranches de bacon*
◇   *2 œufs*
◇   *2 grosses saucisses*
◇   *Du boudin noir*
◇   *Quelques champignons*
◇   *2 tomates*
◇   *1 petite boîte de haricots blancs à la tomate*
◇   *2 tranches de pain de votre choix*
◇   *Un peu de beurre ou de l'huile*

La préparation du petit-déjeuner anglais est surtout une question de coordination, pour que tout soit prêt en même temps. Vous aurez besoin de plusieurs casseroles, d'un gril en fonte et d'un grille-pain.

1 Séparez les saucisses d'un coup de ciseau et coupez le boudin en tranches épaisses, sectionnez les tomates et les champignons en deux parts égales, mettez le pain dans le grille-pain sans l'allumer pour l'instant.

2 Piquez les saucisses avant de les mettre sur le gril à feu moyen. Plus elles sont riches en viande, moins elles risquent de brûler. C'est ce qui met le plus de temps à cuire : prévoyez à peu près 15 minutes. Ajoutez le bacon après 6 minutes et retournez de temps en temps les saucisses.

3 Réchauffez les haricots dans une casserole à feu doux, en remuant un peu : ajoutez un couvercle si vous les aimez avec du jus, sans couvercle si vous préférez quand ils attachent.

4 Faites cuire doucement les champignons dans une autre casserole avec un peu de beurre et une pincée de sel. Ne coupez pas la queue, sinon ils vont perdre beaucoup d'eau. Quand ils sont juste tendres, mettez un couvercle et balancez-les dans le four préchauffé.

5 Entre-temps, commencez à faire frire le boudin dans un peu de matière grasse. Faites-le à feu doux, ça ne prendra pas longtemps. Ça marche bien au gril mais il y a déjà pas mal de monde là-dedans.

6 Mettez les tomates sur le gril en fonte. Allumez le grille-pain.

7 Cassez les œufs dans une poêle chaude qui n'attache pas, avec un peu de beurre fondu ou d'huile. Si l'avenir de votre petit-déjeuner à l'anglaise en dépend, les œufs constituent un vrai point de controverse : j'aime que les blancs soient bien lisses et le jaune un peu liquide mais quand même cuit sur le dessus. Chacun ses goûts ; alors faites comme bon vous semble.

8 Si vous avez bien calculé votre coup, la minuterie du grille-pain va sonner dès que les œufs sont cuits. Chargez tout sur des assiettes chaudes et servez avec ketchup, moutarde anglaise et sauce barbecue. Et faites une sieste juste après...

UN PETIT-DÉJ' À L'AMÉRICAINE

C'est un mélange de denrées à la fois bizarres et surprenantes, une association de sucré et de salé. Par exemple du bacon avec des pancakes au sirop d'érable. Voici quelques recettes typiques.

LES ŒUFS ALLER-RETOUR

Les Américains aiment que le jaune soit liquide mais que le blanc soit quand même cuit. Faites cuire vos œufs sur le plat, puis faites-les sauter comme une crêpe sur l'autre face pendant 15 secondes. Ne les retournez pas trop tôt.

HASH BROWN

C'est une galette de pommes de terre râpées. Comme elle est sautée dans l'huile, on s'attend à ce qu'elle soit très croustillante mais elle est souvent toute molle. Le secret consiste à faire dégorger au maximum les patates avant de les faire frire. Cette recette allégée en eau nourrira 2 personnes affamées.

LES INGRÉDIENTS
◇ *450 g de patates râpées*
◇ *1 généreuse lampée d'huile de tournesol*
◇ *Sel, poivre*

LE MATÉRIEL
◇ *1 grande poêle à frire*
◇ *1 râpe à fromage*
◇ *1 presse-fleurs*

LA RECETTE
1 Mettez vos patates râpées dans le presse-fleurs et faites dégorger un maximum d'eau. À défaut de presse-fleurs, vous devrez improviser : étalez les patates sur une plaque de tôle, couvrez avec une autre

plaque et demandez à votre copain le plus baraqué de s'asseoir dessus pendant quelques heures.

2   Faites chauffer l'huile à feu vif. Quand elle commence tout juste à fumer, faites une galette dans la poêle avec les patates écrasées. Ajoutez allègrement sel et poivre.

3   Dès que le dessous commence à brunir, retournez la galette. Vous pouvez essayer de la faire sauter comme une crêpe (page 283), mais c'est un peu délicat. Faites cuire de l'autre côté et servez.

Pain perdu à la cannelle
Une recette typique. Pour 2 personnes.

Les ingrédients
◇   *4 tranches de pain de mie*
◇   *20 cl de lait condensé non sucré*
◇   *1 petit œuf*
◇   *1 sachet de sucre vanillé*
◇   *De la cannelle en poudre*
◇   *1 pincée de sel*
◇   *1 grosse noisette de beurre*

La recette
1   Mélangez les ingrédients dans un saladier (sauf, bien sûr, le pain et le beurre).

2   Faites fondre le beurre dans une poêle chaude pendant que vous tartinez votre pain avec le mélange d'ingrédients.

3   Faites frire le pain 3 minutes sur chaque face pour qu'il brunisse.

4   Saupoudrer de sucre glace pour faire couleur locale, surtout si vous accompagnez ce pain perdu de saucisse de chevreuil ou d'une autre viande très salée.

COMMENT
PRÉPARER UN DÎNER
QUAND IL Y A DES OUVRIERS
DANS LA CUISINE

Vous attendez du monde pour le dîner et vous avez des ouvriers dans la cuisine en train de mélanger du béton – ça arrive à tout le monde. Si vous avez tous les ingrédients sous la main, vous pouvez faire en sorte que vos invités passent un bon moment. Voici un petit guide de survie et une suggestion de menu :

Hors-d'œuvre
◇ *Œufs mayonnaise*
◇ *Soupe au curry accompagnée de croûtons chauds*

Plat
◇ *Salade fraîche composée et vinaigrette improvisée*
◇ *Filet de saumon vapeur avec pommes de terre nouvelles, haricots verts, tomates en grappe et sauce au persil*

Dessert
◇ *Crème caramel*
◇ *Amandes blanchies au miel*

Pour finir
◇ *Cappuccino maison*

La préparation
1   Avant de commencer à cuisiner, faites démarrer la voiture et laissez le moteur tourner.
2   Mettez le vin blanc au frais dans le réservoir de la chasse d'eau (en laissant le vin dans la bouteille, sinon vous serez obligé de tirer la chasse à chaque fois que quelqu'un veut un verre de chablis).

3   Allumez la télé et faites chauffer le pain sur la grille de ventilation du poste, sans oublier de baisser le son pour ne pas gêner la conversation. Les presse-pantalons sont aussi parfaits pour le pain pita.

4   Faites cuire les œufs 5 minutes dans la bouilloire électrique et mettez-les dans une bassine d'eau froide.

5   Lavez les patates dans le lave-vaisselle (ou dans le jardin avec un tuyau d'arrosage), puis faites-les cuire dans la bouilloire électrique. Ajoutez les haricots quand les patates sont presque prêtes.

6   Versez la soupe dans une bouteille en plastique et réchauffez-la sous un robinet d'eau brûlante, dans le lavabo de la salle de bains. Le curry va masquer le goût du plastique chaud. Mais évitez de servir la soupe dans la bouteille parce que ce sera plus difficile à vendre, comme concept...

7   Pour préparer la salade, hachez la laitue dans la broyeuse à papier. Ensuite, ajoutez le reste des légumes ou de ce que vous voulez.

8   Pour la vinaigrette, mélangez tous les ingrédients dans un distributeur de savon liquide ou versez-les directement sur la salade avant de la balancer dans le tambour de la machine à laver programmée sur « essorage ».

9   Pour le plat principal, épluchez d'abord les tomates. Ça prend quelques secondes avec une décolleuse à papier.

10   Enveloppez les morceaux de saumon dans du papier aluminium et faites-les cuire à la vapeur dans le lave-vaisselle en mode « économique » ou calez-les près du radiateur de votre voiture et demandez à un invité de promener la guimbarde quelques minutes. Quelle que soit la technique employée, votre poisson sera cuit à la perfection. Un conseil toutefois : avant de servir, chauffez vos assiettes avec un sèche-cheveux.

11   Pour la sauce blanche, hachez 1 oignon, ajoutez un peu d'huile et appliquez dessus un fer à repasser bien chaud (réglé sur « coton »). Transférez l'oignon dans une poêle, ajoutez un peu de persil coupé, du sel et du poivre. Versez enfin de la farine, du lait et de la crème, mélangez le tout au-dessus d'un moteur de voiture chaud.

12 Pour le dessert, utilisez votre décapeur thermique à plein régime pour préparer la crème caramel. Simple comme bonjour.

13 Si vous optez pour les amandes blanchies, trempez-les dans de l'eau brûlante pour que leur peau se décolle.

14 Pour un cappuccino bien mousseux, utilisez si possible une brosse à dents électrique.

◎ *Au terme de l'histoire, la plupart des films se terminent sur le mot « Fin ».* ◎

INDEX

—◄◄◄‹∫›►►—

Achevé d'imprimer en Italie par Rotolito Lombarda
Dépôt légal : mars 2010
ISBN : 978-2-501-05579-6/11
40/4484/8